D1271861

# Błękitna dalia

Tej samej autorki polecamy:

*Klucz światła*
*Klucz wiedzy*
*Klucz odwagi*
*Skarby przeszłości*

# NORA ROBERTS

# Błękitna dalia

Przełożyła
Katarzyna Kasterka

Prószyński i S-ka

Tytuł oryginału
BLUE DAHLIA



Projekt okładki
Elżbieta Chojna

Redakcja
Ewa Witan

Redakcja techniczna
Małgorzata Kozub

Korekta
Grażyna Nawrocka

Łamanie
Ewa Wójcik

**ISBN 83-7337-944-4**

Wydawca
Prószyński i S-ka SA
02-651 Warszawa, ul. Garażowa 7

Druk i oprawa
Drukarnia Naukowo-Techniczna Spółka Akcyjna
03-828 Warszawa, ul. Mińska 65

*Dla Dana i Jasona*
*Jesteście już mężczyznami, ale i tak*
*na zawsze pozostaniecie moimi chłopcami*

Jeśli korzenie rośliny zbiły się w kulę,
należy je delikatnie rozprostować i rozplatać.
Po posadzeniu powinny rozrastać się we wszystkich kierunkach,
a nie rosnąć ściśnięte.

z: „Treasury of Gardening"; „O przesadzaniu roślin doniczkowych"

I wierzę, że każdy kwiat cieszy się powietrzem, którym oddycha.

Wordsworth

# *Prolog*

*Memphis, Tennessee*
*Sierpień 1892*

Urodzenie bastarda nie leżało w jej planach. Kiedy się dowiedziała, że nosi dziecko kochanka, szok i panika szybko przerodziły się w gniew.

Oczywiście, mogła natychmiast rozwiązać ten problem. Kobieta o jej pozycji miała odpowiednie kontakty. Bała się jednak znachorek spędzających płód niemal tak samo, jak tego, co – niechciane – rozrastało się w jej wnętrzu.

Tylko że kochanka kogoś takiego jak Reginald Harper nie mogła sobie pozwolić na ciążę.

Utrzymywał ją prawie od dwóch lat i zapewniał życie na wysokim poziomie. Wiedziała, że utrzymywał także inne kobiety – łącznie z żoną – ale to jej nie obchodziło.

Wciąż jeszcze była młoda i wyjątkowo piękna. A młodość i piękno zawsze można dobrze sprzedać. Więc sprzedawała je od dziesięciu lat – z zimną krwią i wyrachowaniem. Uroda oraz czarujący sposób bycia, który zyskała, podpatrując wspaniałe damy odwiedzające wielki dom, gdzie pracowała jej matka, przyniosły jej już wiele materialnych korzyści.

Liznęła też po drodze trochę wykształcenia. Ale wiedza o muzyce i literaturze była niczym w porównaniu z jej wiedzą o sztuce flirtu i uwodzenia.

Po raz pierwszy sprzedała się w wieku piętnastu lat. Ale prostytucja nie była celem jej życia – tak jak nie była nim praca służącej czy wyrobnicy w fabryce, gdzie musiałaby harować dzień w dzień od wczesnego rana. Dobrze wiedziała, jaka jest różnica pomiędzy dziwką a utrzymanką. Dziwka sprzedawała szybki seks za grosze i roztapiała się w niepamięci, zanim jeszcze mężczyzna zdążył zapiąć spodnie.

Natomiast utrzymanka – mądra i utalentowana metresa – oprócz seksu oferowała romans, wyrafinowaną rozmowę, śmiech i radość. Była towarzyszką, obiektem pożądania i erotycznych fantazji. Ambitna utrzymanka wiedziała, jak nie wymagać niczego, a jednocześnie bardzo wiele uzyskać.

A Amelia Ellen Conner miała wielkie ambicje.

I zdołała je zaspokoić. W każdym razie większość z nich.

Bardzo starannie wybrała Reginalda. Nie odznaczał się urodą ani błyskotliwością. Ale – jak zapewniły ją miarodajne źródła – był niezwykle bogaty i notorycznie zdradzał swoją chudą żonę mieszkającą w Harper House.

Utrzymywał już kochankę w Natchez i drugą, w Nowym Orleanie, ale niewątpliwie mógł sobie pozwolić na następną, więc Amelia roztoczyła przed nim swoje wdzięki. Postanowiła go uwieść i osiągnęła swój cel.

W wieku dwudziestu czterech lat mieszkała w ładnym domu przy South Main i miała troje służących. W jej szafie wisiały piękne suknie, a szkatułka z biżuterią lśniła od kosztownych klejnotów.

To prawda, Amelia nie była przyjmowana w domach bogatych, liczących się w towarzystwie kobiet, którym swego czasu tak bardzo zazdrościła, niemniej obracała się w modnym półświatku, gdzie błyszczała i sama była obiektem zazdrości.

Wydawała wystawne przyjęcia. Dużo podróżowała. Żyła pełną piersią.

I nagle, zaledwie rok po tym, jak Reginald ulokował ją w uroczym domu, jej przemyślnie budowany świat miał legnąć w gruzach.

Postanowiła, że będzie ukrywać ciążę przed kochankiem, póki nie zbierze odwagi, by wybrać się do dzielnicy czerwonych latarń i zakończyć sprawę. Ale pewnego dnia Reginald zobaczył, jak szarpią nią torsje, a potem bacznie jej się przyglądał tym swoim przenikliwym wzrokiem.

I, oczywiście, odgadł wszystko.

Ku jej zdumieniu, bardzo się ucieszył z ciąży i surowo zakazał Amelii zabiegu. A nawet, dla uczczenia jej stanu, obdarował ją piękną bransoletką z szafirów.

Ona nie chciała tego dziecka, natomiast on go pragnął.

I wówczas Amelia zrozumiała, jak wiele może zyskać w obecnej sytuacji. Jako matka potomka Reginalda Harpera – nawet nieślubnego – będzie finansowo zabezpieczona do końca życia. Reginald może stracić zainteresowanie kochanką, gdy przeminie urok jej młodości i zblaknie uroda, ale zawsze będzie utrzymywał swoje dziecko i jego matkę.

Żona nie dała mu syna. Może da mu go Amelia. O, tak. Na pewno. Ona urodzi syna.

Tak więc przez ostatnie chłodne dni zimy i pierwsze tygodnie wiosny Amelia snuła wielkie plany i marzenia na przyszłość. A potem wydarzyło się coś dziwnego. Poczuła ruchy maleństwa. Delikatne, zabawne kopnięcia, radosne przeciąganie. Problem, którego nie chciała, stał się niespodziewanie jej upragnionym darem losu.

Rozwijał się w niej niczym kwiat, z którego istnienia tylko ona naprawdę zdawała sobie sprawę. Tylko ona mogła go poczuć. To dało początek głębokiej, nieznanej dotąd miłości.

Pomimo upalnego, duszącego lata Amelia rozkwitała. Po raz pierwszy w życiu pokochała kogoś bardziej niż siebie samą, przedkładała czyjeś dobro nad własną wygodę.

Z rękami splecionymi na olbrzymim brzuchu pilnowała urządzania pokoju dziecinnego. Bladozielone ściany i białe, koronkowe firanki. Koń na biegunach przywieziony z Francji, ręcznie rzeźbiona kołyska prosto z Włoch.

Z lubością układała maleńkie ubranka w miniaturowej szafie. Irlandzkie i bretońskie koronki, francuskie jedwabie. Wszystkie z pięknie haftowanym monogramem synka. Postanowiła, że będzie się nazywał James Reginald Conner.

W końcu w jej życiu zjawi się ktoś, kogo pokocha prawdziwie i gorąco. Ona i jej piękny chłopiec będą dużo razem podróżować. Amelia pokaże mu świat. Pośle synka do najlepszych szkół. On teraz był jej największą dumą i szczęściem. Zupełnie więc się nie przejmowała, gdy Reginald coraz rzadziej pojawiał się na South Main. A właściwie nawet ją to cieszyło.

Kochanek był tylko jednym z wielu mężczyzn na świecie. W jej łonie natomiast dojrzewało dziecko. Jej syn.

Kiedy nadszedł czas rozwiązania, nie czuła strachu. Przez wszystkie godziny pełne potu i bólu myślała tylko o jednym: o Jamesie. O synku. O swoim dziecku.

W końcu, wyczerpana widziała wszystko jak przez gęstą mgłę. A jeszcze bardziej niż cierpienie dokuczał jej lepki upał, zdający się żywym, przerażającym stworem.

Zauważyła, że lekarz i akuszerka wymieniają znaczące spojrzenia: ponure i zatroskane. Nie przejęła się jednak. Była przecież młoda i zdrowa. I ona, i dziecko przeżyją poród bez szwanku.

Mijały godziny. Na ścianach, w świetle gazowych lamp, migotały ruchliwe cienie. I wreszcie, pomimo wyczerpania, Amelia usłyszała cichy płacz noworodka.

– Mój synek – wyszeptała przez łzy. – Mój synek.

Akuszerka nie pozwoliła jej podnieść głowy, zaczęła natomiast mówić cichym głosem:

– Proszę leżeć spokojnie. Nie ruszać się. Proszę wypić tę miksturę. Potrzebuje pani odpoczynku.

Upiła parę łyków, by ugasić palący ogień w gardle. Poczuła smak laudanum. Zanim zdążyła coś powiedzieć, już odpływała w sen, zapadała się w otchłań, oddalała od tego świata.

Kiedy się obudziła, w pokoju panował półmrok. Ciężkie zasłony w oknach były szczelnie zaciągnięte. Poruszyła się i wówczas z krzesła zerwał się lekarz, po czym uniósł jej rękę, by zbadać puls.

– Mój synek... Moje maleństwo... Chcę zobaczyć dziecko!

– Każę natychmiast podać pani nieco bulionu.

– Mój synek. Na pewno jest głodny. Niech go tu przyniosą.

– Madame. – Lekarz przysiadł na brzegu łóżka. Jego bardzo blade oczy patrzyły z zatroskaniem. – Bardzo mi przykro. Dziecko urodziło się martwe.

Miała wrażenie, że w jej serce wbijają się ostre, bezlitosne szpony. Ogarnęły ją rozpacz i przerażenie.

– To kłamstwo! Wierutne łgarstwo! Słyszałam jego płacz. Czemu opowiada mi pan tak okrutne rzeczy?

– Nie zapłakała ani razu. – Doktor delikatnie ujął jej dłonie. – Poród był długi i ciężki. Pani już majaczyła. Bardzo mi przykro, madame. Urodziła pani córeczkę. Martwą córeczkę.

Nie chciała w to uwierzyć. Wyła, płakała, miotała się z wściekłości. Dostawała środki uspokajające, a gdy się budziła, ponownie wyła, płakała i wpadała w szał.

Z początku nie chciała tego dziecka. A teraz nie pragnęła niczego innego.

Jej rozpacz była niewyobrażalna, wszechogarniająca.

I ta rozpacz wpędziła ją w szaleństwo.

# 1

*Southfield, Michigan*
*Wrzesień 2001*

Przypaliła sos śmietanowy. Stella miała do końca życia zapamiętać ów irytujący incydent i zapach – tak samo jak pozostał w jej pamięci huk grzmotu wczesnojesiennej burzy i dobiegające z salonu krzyki synów.

Na zawsze zapamiętała ostry odór spalenizny, przenikliwy dźwięk alarmu przeciwpożarowego i nagły ruch, jakim porwała rondel z palnika i cisnęła do zlewozmywaka.

Nigdy nie była rewelacyjną kucharką, ale za to wyjątkowo precyzyjną. Na powitanie męża zaplanowała kurczaka w sosie Alfredo – jedno z ulubionych dań Kevina – do którego zamierzała podać zieloną sałatę z pesto i świeże, chrupiące pieczywo.

W idealnie uporządkowanej kuchni, w swoim ładnym, podmiejskim domu, Stella ustawiła starannie wszystkie potrzebne składniki, a książkę kucharską z kartkami powleczonymi ochronną folią oparła przed sobą na specjalnej podstawce.

Czyste spodnie i koszulę zasłoniła granatowym fartuchem, a masę niesfornych, rudych loków zwinęła w węzeł na czubku głowy, by nie przeszkadzały jej w pracy.

Zabrała się do gotowania później, niż zamierzała. Tego dnia w pracy panowało istne pandemonium. W centrum ogrodniczym właśnie wystawiono na sprzedaż wszystkie jesienne kwiaty, a ponieważ pogoda wyjątkowo dopisywała, zjawiły się tłumy klientów.

Stella, oczywiście, nie miała nic przeciwko temu. Uwielbiała swoją pracę – uwielbiała zarządzać wielką firmą ogrodniczą. Cieszyła się, że wróciła do pracy na cały etat teraz, gdy Gavin zaczął już szkołę, a Luke był dość duży, by pójść do przedszkola. Jakim cudem jej starsze maleństwo tak szybko dorosło do pierwszej klasy?

Zanim Stella się spostrzeże, Luke rozpocznie naukę w zerówce.

Razem z Kevinem powinni aktywniej popracować nad kolejnym dzieckiem. Może nawet dzisiejszego wieczoru, pomyślała z uśmiechem. Kiedy przejdą do ostatniego, intymnego punktu ceremonii, którą zaplanowała na powitanie męża.

Zaczęła starannie odmierzać składniki i w tym samym momencie z sąsiedniego pokoju usłyszała huk, a zaraz potem głośny płacz. Zachłanność ukarana, pomyślała, rzucając się w stronę salonu. Jak mogła myśleć o kolejnym dziecku, jeśli dwójka, którą już mieli, doprowadzała ją nieraz do szaleństwa?

Stanęła w progu i od razu ich zobaczyła. Jej kochane, słodkie aniołki. Gavin – jasnowłosy, z diabolicznym błyskiem w oku, siedział grzecznie niczym ucieleśnienie niewinności i zderzał ze sobą dwa samochodziki Matchbox, podczas gdy Luke, o rudych włosach – idealnie takich samych jak jej loki – płakał nad bezładnie rozrzuconą stertą drewnianych klocków.

Choć Stella nie widziała, co się stało, mogłaby szczegółowo wyjaśnić zdarzenie: Luke coś zbudował; Gavin to zburzył.

W tym domu taki schemat stał się już regułą.

– Gavin! Dlaczego to zrobiłeś? – Przygarnęła do siebie Luke'a, poklepując go delikatnie po plecach. – Już w porządku, kochanie – pocieszała młodszego synka. – Już w porządku. Zbudujesz coś nowego.

– Mój domek! Mój domek!

– To był wypadek – oznajmił Gavin, wciąż z tym łobuzerskim błyskiem w oku, na widok którego Stelli zawsze chciało się śmiać. – Samochód rozbił się o jego dom.

– Bez wątpienia. Bo ty go pchnąłeś w stronę tego domu. Czemu nie możesz grzecznie się bawić? Luke przecież cię nie zaczepiał.

– Ja się bawiłem. A on jest jeszcze maluchem.

– To prawda. – Stella posłała Gavinowi takie spojrzenie, że chłopiec natychmiast spuścił wzrok. – A jeżeli i ty zamierzasz się zachowywać jak maluch, możesz to robić we własnym pokoju. I w swoim własnym towarzystwie.

– To był tylko jakiś głupi domek!

– Nie, mamusiu! – Luke chwycił jej twarz w obie rączki i spojrzał na nią swoimi przepastnymi oczami. – Ten domek był bardzo ładny.

– Jestem pewna, że zbudujesz jeszcze piękniejszy. Gavin, przestań wreszcie dokuczać bratu. Ja nie żartuję. Jestem teraz bardzo zajęta w kuchni, bo wkrótce tatuś wraca do domu. Chcesz, żebym za karę wykluczyła cię z przyjemności, które szykujemy na jego powitanie?

– Nie. Ale ja nie wiem, w co się bawić.

– Biedactwo. Rzeczywiście, w tym domu jest tak mało zabawek! – Posadziła Luke'a z powrotem na podłodze. – Zbuduj nowy domek, synku. A ty, Gavin, trzymaj się od jego klocków z daleka. Jeżeli jeszcze raz będę musiała tu przyjść, gorzko tego pożałujesz.

– Chcę iść na dwór! – rzucił grobowym głosem Gavin w stronę jej oddalających się pleców.

– Jak widzisz, leje deszcz, więc nie możesz wyjść. Wszyscy jesteśmy uziemieni w domu, dlatego zacznij zachowywać się przyzwoicie.

Zirytowana, znów stanęła przed książką kucharską i próbowała się skoncentrować. Odruchowo, żeby się uspokoić, włączyła telewizor w kuchni. Boże, jak bardzo brakowało jej Kevina. Przez całe popołudnie chłopcy marudzili, ona zaś ciągle robiła coś w biegu i pośpiechu, przytłoczona mnóstwem zajęć. Przez te ostatnie cztery dni, gdy Kevin był w podróży służbowej, działała na najwyższych obrotach. Gorączkowo starała się pogodzić obowiązki w domu z pracą zawodową i opieką nad chłopcami.

A do tego wszystkie urządzenia tylko po prostu czekały, żeby mąż zniknął na parę dni z domu i wtedy właśnie rozpoczynały strajk. Zaledwie wczoraj pralka odmówiła posłuszeństwa, dziś rano zaś przepalił się toster.

Kiedy Stella i Kevin byli razem, wszystko przebiegało równym rytmem, panowała idealna harmonia. Dzielili między siebie wszystkie obowiązki, dyscyplinowali chłopców, wspólnie wymyślali dla nich zabawy. Gdyby Kevin był teraz w domu, mógłby bawić się razem z synami i rozsądzać spory, podczas gdy ona kręciłaby się po kuchni.

Albo jeszcze lepiej – on zająłby się gotowaniem, a ona zabawą z dziećmi.

Bardzo tęskniła do męża, do ciepła jego policzka na jej twarzy, gdy Kevin obejmował ją od tyłu i nad nią się pochylał. Nie mogła się już doczekać, kiedy znowu będzie mogła się wtulić w niego nocą, porozmawiać w ciemnościach o planach na przyszłość i wspólnie pośmiać z tego, co akurat wyprawiali chłopcy.

Och, na Boga, przestań, zganiła się w duchu. Ktoś mógłby pomyśleć, że twój facet nie wyjechał na cztery dni, tylko co najmniej na cztery miesiące!

Mieszając sos i przyglądając się liściom wirującym na wietrze, jednym uchem słuchała Gavina, namawiającego brata, by wybudowali wysoki drapacz chmur, a potem wspólnie go zburzyli – aż do ostatniego klocka.

Gdy tylko Kevin awansuje, nie będzie tak wiele podróżował. A nastąpi to już niedługo. Przez ostatnie lata bardzo ciężko pracował i dla nikogo nie ulegało wątpliwości, że nagroda czeka tuż za progiem. Dodatkowe pieniądze również się przydadzą, szczególnie gdyby na świat miało przyjść kolejne dziecko – może tym razem dziewczynka.

Dzięki podwyżce Kevina i powrocie Stelli do pracy na cały etat podczas wakacji będą mogli zafundować synom jakieś wyjątkowe atrakcje. Na przykład zabiorą chłopców do Disneylandu. Gavin i Luke nie posiadaliby się ze szczęścia. Nawet gdyby Stella była wtedy w ciąży, i tak uda im się wyruszyć na tę wyprawę. Już od jakiegoś czasu oszczędzała pieniądze i dokładała je do funduszu wakacyjnego.

Teraz co prawda doszedł nowy wydatek – będą musieli niezwłocznie kupić nową pralkę; no i przydałby się także lepszy samochód. Mimo to jakoś sobie poradzą.

Chwilę później dał się słyszeć śmiech chłopców i Stella od razu się rozluźniła. Życie doprawdy jest niezłe. A właściwie wspaniałe, bo przecież spełniły się wszystkie jej marzenia. Poślubiła cudownego mężczyznę – Kevina Rothchilda o uroczym uśmiechu – w którym zakochała się od pierwszego wejrzenia. Mieli dwóch ślicznych synów i ładny dom w dobrej dzielnicy. Oboje kochali swoją pracę i snuli wspólne plany na przyszłość. No i nadal pragnęli siebie nawzajem – namiętność była wciąż żywa w ich związku.

Stella uśmiechnęła się pod nosem, wyobrażając sobie, jak zareaguje Kevin, gdy już zapakują chłopców do łóżek, a ona stanie przed nim w nowej, seksownej bieliźnie, którą kupiła podczas nieobecności męża.

Do tego kieliszek dobrego wina, kilka świec rozstawionych w sypialni...

Na odgłos kolejnego, jeszcze głośniejszego huku przewróciła z irytacją oczami. Na szczęście tym razem zamiast płaczu usłyszała wybuchy śmiechu i okrzyki radości.

– Mamo! Mamusiu! – Luke wpadł do kuchni z twarzą zarumienioną z podniecenia. – Zrujnowaliśmy cały dom. Czy możemy dostać po ciasteczku?

– Nie, niedługo będzie kolacja.

– Ale ja proszę... Proszę, proszę, proszę!

Ciągnął ją za spodnie, próbując wdrapać się na jej nogę. Stella odłożyła łyżkę i delikatnym ruchem odsunęła synka od kuchenki.

– Luke, dobrze wiesz, że przed kolacją nie możecie nawet marzyć o słodyczach.

– Ale my umieramy z głodu – wtrącił Gavin, który właśnie wpadł do kuchni, uderzając jednym samochodzikiem o drugi. – Czemu nie możemy czegoś zjeść, kiedy jesteśmy głodni? I właściwie dlaczego mamy jeść jakieś głupie fredo?

– Dlatego, że ja tak mówię. – Jako dziecko nienawidziła tej odpowiedzi, ale niedawno odkryła jej wyjątkową przydatność. – Zjemy wszyscy razem, gdy tylko tata wróci do domu. – Odruchowo spojrzała przez okno i nagle zdała sobie sprawę, że z powodu fatalnej pogody samolot może mieć opóźnienie. – Jeżeli naprawdę jesteście bardzo głodni, zjedzcie jakiś owoc.

Chwyciła jabłko z miski stojącej na blacie i sięgnęła po nóż, by je przekroić na pół.

– Ja nie znoszę skórki – jęknął Gavin.

– Nie mam teraz czasu na obieranie. – Szybko ujęła z powrotem łyżkę i zaczęła energicznie mieszać sos. – Poza tym skórka jest bardzo zdrowa.

– A czy mógłbym dostać soku? Chciałbym soku, mamo. – Luke znów ciągnął ją za nogawkę. – Bardzo chce mi się pić.

– O Boże. Dajcie mi trzy minuty, dobrze? Trzy minuty. Idźcie stąd. Idźcie zbudować jeszcze jakiś dom. A potem dostaniecie jabłko i sok.

W tym momencie rozległ się pierwszy huk gromu. Gavin zaczął podskakiwać i wykrzykiwać:

– Trzęsienie ziemi!

– To nie jest żadne trzęsienie ziemi...

Zamilkła natychmiast, bo zauważyła, że Gavin wirował w radosnym podnieceniu i bez cienia strachu na twarzy wytoczył się z kuchni.

– Trzęsienie ziemi! Trzęsienie ziemi!

Luke natychmiast podchwycił zabawę i pobiegł za bratem, wydając z siebie bojowe okrzyki.

Stella przycisnęła palce do pulsujących skroni. Te wrzaski były koszmarne, ale może zainteresowanie burzą powstrzyma chłopców od poważnych psot i awantur – przynajmniej do czasu rodzinnego posiłku.

Z powrotem więc zajęła się sosem i tylko jednym uchem złowiła zapowiedź dziennika telewizyjnego.

Pierwsza wiadomość w niewiadomy sposób przedarła się przez ból głowy i znużenie, zmuszając ją do skupienia się na odbiorniku.

Katastrofa czarterowego lotu z Lansing na Detroit Metro. Dziesięcioro pasażerów na pokładzie.

Nawet nie zauważyła, kiedy łyżka wysunęła jej się z dłoni. Wiedziała jedynie, że serce podskoczyło jej do gardła.

Kevin... Kevin!

Dzieci wykrzyknęły radośnie, gdy niebo przecięła kolejna błyskawica; potem wszystko zagłuszył huk gromu. Stella osunęła się na kuchenną podłogę, bo w tym właśnie momencie jej świat rozpadł się na tysiące kawałków.

Przyszli poinformować ją oficjalnie, że Kevin jest jedną z ofiar katastrofy. Nieznajomi ludzie, z pełnymi powagi twarzami stanęli na progu jej domu. Stella nie mogła w to uwierzyć, nie umiała zrozumieć ich słów. Chociaż wiedziała... wiedziała już w chwili, gdy usłyszała głos reportera płynący z małego telewizora.

Ale przecież Kevin nie mógł tak po prostu zginąć. Był młody i zdrowy. Miał wkrótce zjawić się w domu i zjeść na kolację kurczaka w sosie Alfredo.

Tyle że Stella przypaliła sos. Dym z rondla włączył alarm przeciwpożarowy i w jej ładnym domu rozpętało się szaleństwo.

Kiedy ci ludzie przyszli z nią porozmawiać, zaprowadziła chłopców do sąsiadki, by spokojnie wysłuchać wyjaśnień.

Jak jednak można wyjaśnić coś niewytłumaczalnego, zupełnie niewyobrażalnego?

Igraszka losu. Burza. Uderzenie pioruna i nagle wszystko zmienia się na zawsze. W jednej chwili mężczyzna, którego kochała, ojciec jej dzieci, zniknął z tego świata.

„Czy jest ktoś, do kogo chciałaby pani zadzwonić?".

Jedynie do Kevina. Bo to on był całą jej rodziną, najbliższym przyjacielem, jej całym życiem.

Zaczęli rozprawiać o szczegółach, które zupełnie do niej nie docierały. O formalnościach, które trzeba załatwić. O pomocy psychologicznej. Wyrażali najgłębsze współczucie.

Wreszcie sobie poszli i została sama w domu, który kupili razem z Kevinem, kiedy chodziła w ciąży z Lukiem. W domu, na który pilnie oszczędzali, który wspólnie malowali i urządzali. W domu, w którym ona sama zaprojektowała ogród.

Burza minęła i wokół zapanowała cisza. Stella wyraźnie słyszała bicie własnego serca, szum włączającego się ogrzewania, kapanie kropli wody z rynny.

Dobiegł ją też głuchy odgłos ciała padającego na podłogę – jej własnego, tuż po tym, jak osunęła się po drzwiach. Położyła się na boku i zwinęła w kłębek w odruchu obrony, zaprzeczenia. Łzy jeszcze nie zaczęły płynąć. Na razie gromadziły się w niej, skręcały wnętrzności w bolesny węzeł. Ból i rozpacz były zbyt głębokie. Teraz jedynie leżała skulona, a z jej gardła wydobywały się jakieś nieartykułowane, niemal zwierzęce dźwięki.

Kiedy w końcu niepewnie dźwignęła się na nogi, było już ciemno. Kevin! Imię męża wciąż dźwięczało głośnym echem w jej głowie.

Nagle Stella zdała sobie sprawę, że przecież musi pójść po dzieci – musi przyprowadzić synów do domu. Musi im o wszystkim powiedzieć.

O, Boże. O, Boże! Ale jak ma to zrobić?!

Po ciemku odnalazła klamkę i wyszła w chłód mroku. Zostawiła za sobą szeroko otwarte drzwi, minęła kępy wielkokwiatowych chryzantem i astrów oraz krzaczków azalii o błyszczących liściach. Wszystkie te rośliny zasadzili razem z Kevinem pewnego pogodnego, wiosennego dnia.

Niczym ślepiec przeszła na drugą stronę ulicy, wpadając w kałuże, które przemoczyły jej mokasyny, i przecięła mokry trawnik, zmierzając w kierunku światła na werandzie domu naprzeciwko.

Jak miała na imię jej sąsiadka? Zabawne... znała ją od czterech lat, często jeździły razem na zakupy, a mimo to teraz nie mogła sobie przypomnieć jej imienia...

Ach, tak. Oczywiście. Diane... Diane, żona Adama Perkinsa, matka dwóch chłopców: Jessiego i Wyatta. To miła rodzina, pomyślała Stella beznamiętnie. Zwyczajna, sympatyczna rodzina. Parę tygodni temu urządzili wspólne grillowanie. Kevin piekł kurczaki. Uwielbiał takie imprezy. Do posiłku pili dobre wino i opowiadali dowcipy, podczas gdy dzieci bawiły się wesoło, choć Wyatt się przewrócił i stłukł kolano.

Wszystko to sobie przypomniała, chociaż stojąc teraz przed drzwiami domu sąsiadów, właściwie nie wiedziała, co tutaj robi.

Och... Naturalnie... Chłopcy. Przyszła po swoje dzieci. Musi im powiedzieć o wypadku...

Byle nie myśleć. Objęła się mocno rękami. Jeszcze nie wolno jej myśleć. Jeżeli zacznie się zastanawiać, załamie się, rozpadnie na kawałki. Na milion cząstek, których już nigdy nie uda się poskładać.

Synowie jej potrzebowali. Teraz już tylko ona im pozostała.

Ta świadomość pomogła Stelli się pozbierać i nacisnąć dzwonek.

W progu stanęła Diane. Stella miała wrażenie, że rozdzieliła je niespodziewanie cienka zasłona z wody. Twarz sąsiadki rozpływała jej się przed oczami i wydawała nierealna. Słowa docierały jakby z wielkiej odległości. Stella poczuła jej uścisk, mający wyrażać współczucie i wsparcie.

Tylko że twój mąż nadal żyje, pomyślała. Twoje życie nie legło w gruzach. Twój świat jest taki sam, jaki był pięć minut temu. Więc tak naprawdę nic nie rozumiesz. Nie wiesz, co teraz przeżywam.

Kiedy poczuła, że drży, wysunęła się z ramion Diane.

– Proszę, nie teraz. Nie potrafię jeszcze się z tym zmierzyć. Chciałabym tylko zabrać chłopców.

– Chętnie pójdę do ciebie – zaproponowała Diane. Po jej policzkach płynęły łzy. – Czy chcesz, żebym z tobą posiedziała?

– Nie. Nie teraz... Po prostu... muszę wziąć chłopców.

– Zaraz ich przyprowadzę. Wejdź do środka, Stello.

Ona jednak tylko potrząsnęła głową.

– Dobrze. W porządku. Gavin i Luke są w salonie. Poczekaj chwilę. Stello... jeśli jest coś... cokolwiek, co mogłabym dla ciebie zrobić... Wystarczy, że zadzwonisz. Tak mi przykro. Tak strasznie mi przykro...

Stojąca w ciemności Stella usłyszała ostre protesty dzieci, a chwilę potem tupot małych stóp. Zobaczyła swoich chłopców: Gavina, z jasną szopą włosów swojego ojca, i Luke'a – z ustami Kevina.

– Nie chcemy jeszcze wychodzić – oznajmił stanowczo Gavin. – Właśnie jesteśmy w środku gry. Czy nie możemy dokończyć?

– Nie. Musimy wracać do domu.

– Ale ja wygrywam. To niesprawiedliwe.

– Gavin! Musimy już iść.

– Czy tatuś wrócił?

Spojrzała na ufną, niewinną twarz Luke'a i niemal się załamała.

– Nie.

Złapała za rękę młodszego synka i pocałowała go w usta, niemal identyczne z ustami Kevina.

– Wracamy do siebie.

Chwyciła dłoń Gavina i ruszyli w stronę opustoszałego domu.

– Tatuś na pewno pozwoliłby mi skończyć! – Po policzkach Gavina pociekły łzy. – Ja chcę do taty!

– Wiem. Ja też.

– Czy możemy kupić sobie psa? – zainteresował się Luke. – Zapytamy tatusia, dobrze? Zapytamy, czy możemy mieć psa, tak jak Jessie i Wyatt?

– Porozmawiamy o tym innym razem.

– Ja chcę do taty! – powtórzył Gavin płaczliwie.

On wie, pomyślała Stella. Gavin rozumie, że stało się coś złego, coś strasznego. Muszę im powiedzieć. Muszę to zrobić natychmiast.

– Najpierw usiądziemy spokojnie na chwilę – powiedziała, zamykając drzwi wejściowe. Podeszła do kanapy, posadziła sobie Luke'a na kolanach i ramieniem objęła Gavina.

– Gdybym miał psa, to bym się nim opiekował – zapewnił poważnym tonem Luke. – Kiedy wróci tatuś?

– On nie może wrócić.

– Z powodu swojej interesowej podróży?

– Nie. Tata... – Pomóż mi, Boże. Pomóż mi przez to przejść. – Tata miał wypadek.

– Taki jak wtedy, kiedy zderzają się samochody? – spytał Luke.

Gavin siedział w milczeniu i niemal świdrował ją wzrokiem.

– To był bardzo poważny wypadek. Tatuś poszedł do nieba.

– Ale wróci do domu?

– Nie. Już nigdy nie będzie mógł tu wrócić. Będzie musiał zostać w niebie.

– Nie chcę, żeby tam zostawał! – Gavin próbował się wyrwać z jej objęć, Stella jednak trzymała go bardzo mocno. – Chcę, żeby natychmiast wrócił do domu. Zaraz. Teraz.

– Ja też nie chcę, żeby tam został, kochanie. Ale nasze życzenia niczego już nie mogą zmienić.

– Czy tatuś się na nas pogniewał? – Usta Luke'a wygięły się w podkówkę.

– Nie. Nie, skądże! W żadnym razie. – Przycisnęła twarz do rudych włosów synka. Miała wrażenie, że zaraz pęknie jej serce. – Wcale się na nas nie gniewa. On bardzo nas kocha. I zawsze będzie kochać.

– Tata nie żyje – powiedział Gavin z furią w głosie. Chwilę później jednak gniew ustąpił miejsca rozpaczy i Gavin był znowu małym chłopcem, szlochającym w ramionach matki.

Trzymała synów w objęciach, dopóki nie zasnęli, a potem zaniosła ich do swojego łóżka, żeby nie obudzili się w samotności. Jak niezliczoną ilość razy przedtem zdjęła im buty i otuliła obu kołdrą.

Nie zgasiła światła w sypialni i niczym we śnie ruszyła na obchód domu: pozamykała drzwi, posprawdzała wszystkie okna. Gdy przekonała się, że są bezpieczni, poszła do łazienki i napuściła do wanny tak gorącej wody, że całe pomieszczenie wypełniło się parą.

Dopiero kiedy zanurzyła się we wrzątku, bolesny węzeł w jej wnętrzu pękł i trzęsąc się w gorącej wodzie, Stella zalała się łzami.

Udało jej się przebrnąć przez przygotowania i samą ceremonię. Przyjaciele doradzali, żeby wzięła środki uspokajające, ale Stella nie chciała powstrzymywać emocji. Nie chciała też być oszołomiona, bo przecież musiała zajmować się chłopcami.

Ceremonia była prosta. Tego właśnie życzyłby sobie Kevin. Stella osobiście zajęła się wszystkimi szczegółami: wybrała muzykę, kwiaty, zdjęcia, a także prostą, srebrną urnę na prochy męża. Postanowiła, że rozsypie je w jeziorze. Bo to właśnie w łódce, na jeziorze, Kevin poprosił ją o rękę.

Na żałobną uroczystość ubrała się na czarno. W wieku trzydziestu jeden lat została wdową z dwójką dzieci, niespłaconą hipoteką i rozpaczą w sercu. Ten ból będzie ją już prześladował do końca życia.

W czasie ceremonii mocno przytulała dzieci. Załatwiła też sesję terapeutyczną, by wszyscy troje nauczyli się żyć z poczuciem straty.

Szczegóły. Zawsze doskonale radziła sobie z wszelkimi szczegółami. Tak długo, jak miała się czym zajmować, ponieważ było coś konkretnego do zrobienia, czuła się silna.

W domu zjawili się przyjaciele. Ze łzami w oczach podchodzili do niej z kondolencjami, przynosząc smakołyki na przykrytych folią półmiskach. Stella bardziej była im wdzięczna za towarzystwo i oderwanie jej myśli od żałoby niż za słowa pocieszenia. Bo jej nic nie mogło pocieszyć.

Z Memphis przyjechał jej ojciec z żoną i to oni dawali Stelli największe wsparcie. Jolene – druga żona ojca – troszczyła się o nią, koiła jej ból, tuliła nieustannie dzieci, podczas gdy rodzona matka Stelli nieustannie narzekała, że musi przebywać w jednym pokoju z „tą kobietą".

W końcu przyjaciele rozeszli się do domów, a Stella uściskała ojca i Jolene przed ich odlotem do Memphis i wreszcie zdjęła z siebie czarną suknię. Wcisnęła ją do plastikowej torby, by nazajutrz oddać na cele charytatywne. Nie chciała już nigdy więcej oglądać tego stroju.

Matka nie wyjechała. Sama Stella poprosiła, żeby Carla została jeszcze kilka dni. Przecież w tych okolicznościach miała prawo zwrócić się do matki o taką przysługę. Ich dawne, obecne i przyszłe tarcia blakły w obliczu śmierci.

Kiedy weszła do kuchni, matka przygotowywała kawę. Stella, wdzięczna, że nie musi zawracać sobie głowy podobnymi drobiazgami, podbiegła i ucałowała Carlę w policzek.

– Dzięki. Na dłuższy czas mam dość herbaty.

– Ilekroć tu wchodziłam, ta kobieta parzyła cholerną herbatę!

– Mamo, ona chciała jak najlepiej. Zresztą nie jestem pewna, czy wcześniej mogłabym przełknąć kawę.

Carla odwróciła się od kuchenki. Była szczupłą kobietą o krótkich blond włosach. Od wielu lat regularnie odwiedzała chirurga plastycznego, by zatuszować skutki upływającego czasu. Liftingi, zastrzyki, drobne podciągnięcia tu i ówdzie rzeczywiście odmłodziły jej twarz, ale dodały rysom nienaturalnej ostrości.

Matka mogła uchodzić za czterdziestolatkę, lecz to jej nie zadowalało. Właściwie nic jej nie zadowalało.

– Zawsze bierzesz stronę tamtej – skarciła córkę.

– Nie biorę strony Jolene, mamo. – Stella ciężko opadła na krzesło. Z przerażeniem zdała sobie sprawę, że teraz nie ma już czego planować i organizować. Jak uda jej się przetrwać noc?

– Nie rozumiem, czemu muszę ją tolerować.

– Przykro mi, że czułaś się nieswojo. Ale Jolene była bardzo miła i autentycznie się starała. Poza tym jest żoną ojca od... ilu?... dobrych dwudziestu pięciu lat. Chyba mogłabyś już do tego przywyknąć.

– Nie znoszę, jak pcha mi się przed oczy z tym swoim gardłowo-nosowym bełkotem. Biała hołota z przyczepy!

Stella już otworzyła usta, ale szybko ugryzła się w język. Jolene nigdy w życiu nie mieszkała w przyczepie i nikt z jej rodziny nie należał do hołoty. Jaki sens jednak miałoby przypominanie o tym matce? Czy też uświadomienie jej, że sama postanowiła zerwać małżeństwo i że od tej pory zdążyła się ponownie rozwieść?

– Teraz już jej tu nie ma. Wyjechała.

– No i krzyżyk na drogę.

Stella westchnęła głęboko. Żadnych kłótni. Jest zbyt wyczerpana.

– Dzieci zasnęły... były bardzo zmęczone. Jutro... cóż, jutrem zajmiemy się, gdy już nadejdzie. Pewnie teraz właśnie tak zacznie wyglądać moje życie: muszę starać się przeżyć każdy dzień, jakby był pierwszy i ostatni. – Odrzuciła głowę do tyłu i zamknęła oczy. – Wciąż mi się zdaje, że to jakiś straszny sen. Że zaraz się obudzę i zobaczę koło siebie Kevina. Ja nie mogę... nie mogę sobie wyobrazić życia bez niego. Boję się nawet o tym pomyśleć. – Po jej policzkach zaczęły płynąć łzy. – Mamo, nie mam pojęcia, co robić.

– Był ubezpieczony, prawda?

Stella aż zamrugała oczami z wrażenia.

– Słucham?

– Mówię o ubezpieczeniu na życie. Chyba wykupił polisę?

– Tak. Ale...

– Powinnaś porozmawiać z dobrym adwokatem i zaskarżyć linie lotnicze. Najwyższy czas zająć się praktycznymi sprawami. Zresztą w tym właśnie jesteś najlepsza.

– Mamo... – Cedziła słowa powoli, jakby mówiła do kogoś, kto ma problemy ze słuchem. – Kevin nie żyje.

– Wiem, Stello. I bardzo mi przykro. – Carla poklepała córkę po dłoni. – Przecież rzuciłam wszystko i przyjechałam, żeby ci pomóc, czyż nie?

– Tak.

Powinna dobrze to sobie zapamiętać. I okazać odpowiednią wdzięczność.

– Tylko w takim popieprzonym świecie jak nasz młodzi ludzie giną bez żadnego powodu. To bezsensowna strata. Nigdy tego nie pojmę.

– Ja też nie – mruknęła Stella, ocierając łzy.

– Lubiłam Kevina. Co nie zmienia faktu, że znalazłaś się w paskudnym położeniu. Rachunki, dzieci na utrzymaniu. Wdowa z dwójką dzieci. Niewielu mężczyzn ma ochotę wziąć sobie na głowę gotową rodzinę. Nie zapominaj o tym.

– Na Boga! Mamo! Ja nie chcę, żeby jakiś mężczyzna brał nas sobie na głowę.

– Wkrótce zechcesz. – Carla z przekonaniem pokiwała głową. – I posłuchaj mojej rady: następnym razem postaraj się o kogoś z pieniędzmi. Nie popełniaj moich błędów. Straciłaś męża, to ciężkie przeżycie. Doprawdy ciężkie. Ale kobiety na całym świecie codziennie tracą mężów. Lepiej przeżywać śmierć męża, niż przechodzić przez rozwód.

Stella była zbyt wyczerpana, by wybuchnąć gniewem.

– Mamo, dzisiaj odbyła się ceremonia żałobna. Prochy Kevina wciąż stoją w jakiejś cholernej skrzynce w mojej sypialni.

– Prosiłaś mnie o pomoc. – Matka wojowniczo pomachała łyżeczką. – Więc próbuję ci pomóc. Przede wszystkim zaskarż linie lotnicze, niech ci zapłacą porządne odszkodowanie. Zapewnij sobie wygodne życie. I nie wiąż się z takimi nieudacznikami, jacy zawsze mnie przypadają w udziale. Myślisz, że rozwód nie jest ciężkim doświadczeniem? Ty nie musiałaś przechodzić przez coś takiego, prawda? A ja tak. Dwa razy. I zapewne wkrótce będę to przeżywała po raz trzeci. Już mam po dziurki w nosie tego żałosnego sukinsyna. Nie masz nawet pojęcia, co muszę znosić. Nie dość, że jest nieczułym, kłótliwym dupkiem, to na dodatek chyba mnie zdradza. – Carla poderwała się od stołu, chwyciła nóż i odkroiła porcję ciasta. – Jeśli wydaje mu się, że będę tolerować podobne rzeczy, to wkrótce bardzo się zdziwi. Chciałabym zobaczyć jego minę, gdy dostanie pozew rozwodowy. A dostanie go jeszcze w tym tygodniu.

– Przykro mi, że nie układa ci się w trzecim małżeństwie – powiedziała Stella oschłym głosem. – Trudno mi jednak zdobyć się na współczucie, ty sama bowiem podjęłaś decyzję o wyjściu za mąż po raz trzeci i o kolejnym rozwodzie. A Kevin nie żyje. Mój mąż zginął i mnie, do cholery, nikt nie pytał o zdanie w tej sprawie.

– Myślisz, że ja mam ochotę przechodzić raz jeszcze przez tę gehennę?

Myślisz, że gdy przyjechałam tu, żeby ci pomóc, miałam ochotę oglądać tę kochanicę twojego ojca?

– To jego żona, która wobec ciebie zachowuje się zawsze bardzo uprzejmie, a wobec mnie z wyjątkową życzliwością.

– Bo udaje. – Carla odgryzła duży kęs ciasta. – A poza tym, czy doprawdy uważasz, że tylko ty jedna masz problemy? Że tylko ty jedna cierpisz? Nie byłabyś taka pochopna w wydawaniu sądów, gdybyś dobiegała pięćdziesiątki i stanęła wobec perspektywy samotnego życia.

– Mamo, ty już dawno temu przekroczyłaś pięćdziesiątkę, i kolejny raz ci przypominam, że samotne życie jest twoim własnym wyborem.

Carla zmrużyła oczy i posłała córce gniewne spojrzenie.

– Nie podoba mi się twój ton, Stello. I doprawdy, nie muszę znosić twoich impertynencji.

– Nie. Rzeczywiście nie musisz. Prawdę mówiąc, widzę, że dla nas obu będzie najlepiej, jeśli stąd wyjedziesz. Najchętniej zaraz. Nie powinnam była cię prosić, żebyś została. Nie mam pojęcia, co mnie opętało.

– Chcesz, żebym wyjechała? Doskonale. – Carla zerwała się z krzesła. – Już nie mogę się doczekać, by wrócić do własnego domu. Zawsze byłaś niewdzięcznicą. Ilekroć czułaś się nieszczęśliwa, próbowałaś się na mnie odgrywać. Dlatego następnym razem, jak będziesz miała ochotę wypłakać się komuś w rękaw, zadzwoń do tej wieśniaczki z Południa, twojej macochy.

– Tak właśnie zrobię – mruknęła Stella, gdy Carla wypadła z kuchni. – Możesz być tego pewna.

Podniosła się, żeby zanieść filiżankę do zmywarki, poddała się wszakże gwałtownemu impulsowi i trzasnęła porcelaną o metal. Miała ochotę porozbijać wszystko dookoła.

Chwyciła jednak tylko za krawędź zlewozmywaka, modląc się w duchu, by matka jak najszybciej się spakowała i wróciła do Nowego Jorku. Nie chciała mieć jej dłużej pod swoim dachem. Czemu w ogóle poprosiła, żeby Carla została? Przecież zawsze dochodziło między nimi do spięć i walki. Nigdy nie mogły się porozumieć.

Tyle że tak bardzo potrzebowała teraz czyjejś obecności. Tylko tej jednej nocy. Jutro wszystko będzie inaczej. Dzisiaj miała nadzieję, że ktoś ją przytuli i pocieszy.

Drżącymi rękami pozbierała kawałki rozbitej porcelany i wrzuciła do kosza na śmieci. A potem chwyciła za słuchawkę i zamówiła taksówkę dla matki.

Na szczęście już nie zamieniły ze sobą ani słowa. Stella zamknęła za Carlą drzwi i przez chwilę wsłuchiwała się w terkot motoru odjeżdżającego samochodu.

Zajrzała do chłopców, otuliła ich kołdrą i musnęła delikatnie ustami czoła obu.

Teraz mieli już tylko siebie nawzajem.

Stella przysięgła sobie w owej chwili, że będzie lepszą matką. Bardziej cierpliwą. I że nigdy, nigdy nie zawiedzie swoich synków. Nigdy się od nich nie odwróci, jeśli będą jej potrzebowali.

– Wy jesteście dla mnie najważniejsi – wyszeptała. – I tak pozostanie już na zawsze.

W sypialni rozebrała się i wyjęła stary, flanelowy szlafrok Kevina. Owinęła się w niego, wdychając tak dobrze znany zapach męża.

Skuliła się na łóżku, objęła rękami i modliła, by jak najszybciej nadszedł ranek.

# 2

*Harper House*
*Styczeń 2004*

Nie mogła dopuścić, by onieśmieliły ją ten dom lub jego właścicielka. A oboje mieli szczególną reputację.

Dom był elegancki i stary, a otaczające go ogrody pięknością przewyższały podobno cuda Semiramidy. To zresztą, mimo zimy, zdążyła już dostrzec.

Pani domu prowadziła dość samotniczy tryb życia i mówiono o niej, że jest „trudna", co mogło oznaczać wszystko – od kobiety o silnym charakterze po bezlitosną zdzirę.

Stella opanowała odruch nerwowego spacerowania po pokoju i zaczęła powtarzać w duchu, że cokolwiek się wydarzy, ona sobie poradzi, bo przecież bywała już w gorszych sytuacjach.

Potrzebowała tej pracy. I nie tylko ze względu na oferowaną pensję – bardzo wysoką – ale przede wszystkim, by skoncentrować się na nowym celu, odmienić swoje życie. Potrzebowała wyzwania, które zmusiłoby ją do większego wysiłku niż rutynowa praca, jaką wykonywała w Michigan.

Potrzebowała nowego rytmu – wykraczającego poza podbijanie karty obecności i odbieranie poborów, ledwo wystarczających na opłacenie rachunków. Potrzebowała – bez względu na to, jak bardzo takie określenie pachniało tanimi poradnikami – czegoś, co pozwoli jej podbudować własne ego i da poczucie spełnienia.

Rosalind Harper była bez wątpienia kobietą spełnioną. Mieszkała w domu należącym od pokoleń do jej rodziny, prowadziła kwitnącą firmę. Ciekawe, jakie to uczucie, budzić się codziennie ze świadomością, że jest miejsce, do którego się przynależy, i wiedzieć doskonale, w którą się zmierza stronę?

Jeżeli Stella mogłaby pragnąć czegoś dla siebie i swoich dzieci, to właśnie zaspokojenia owej ciekawości. Miała wrażenie, iż wraz ze śmiercią Kevina zatraciła przekonanie, że istnieje miejsce na ziemi, które mogłaby nazwać swoim, i zagubiła własną drogę. W działaniu sprawdzała się bez trudu. Wystarczyło wyznaczyć jej zadanie i pozwolić spokojnie je realizować – w tym zawsze celowała.

Ale świadomość, kim jest naprawdę, opuściła ją tego tragicznego wrześniowego dnia 2001 roku i nigdy na dobre nie powróciła.

Przeprowadzka do Tennessee miała być nowym początkiem nowego życia. A prowadziła do tego rozmowa twarzą w twarz z Rosalind Harper. Jeżeli Stella nie dostanie tej posady – cóż... poszuka innej. Nikt nigdy nie mógłby jej zarzucić, że nie wie, jak pracować, i nie umie zadbać o siebie i dzieci.

Ale... Boże... jakże jej zależało, by zostać właśnie tutaj.

Bardzo starannie wybrała strój na spotkanie. Starała się wyglądać jak na kompetentnego menedżera przystało. Włożyła granatową garsonkę i dobrze wyprasowaną białą bluzkę. Eleganckie buty. Subtelna biżuteria. Nic rzucającego się w oczy. Umalowała się bardzo dyskretnie. Włosy ściągnęła w węzeł na karku. Jeżeli będzie miała dość szczęścia, niesforne rude loki pozostaną na miejscu aż do końca spotkania.

Rosalind kazała na siebie czekać. To zapewne drobna psychologiczna gra, pomyślała Stella, kręcąc paskiem od zegarka. Miała podenerwować się trochę w tym wspaniałym salonie, podziwiając antyki i obrazy oraz zapierający dech w piersiach widok za oknem.

To ucieleśnienie elegancji i uroku Południa miało jej uświadomić, że jest Jankeską, człowiekiem z innego, gorszego świata.

Tutaj wszystko dzieje się wolniej, upominała się Stella w duchu. Będzie musiała przywyknąć do innego rytmu i do innej kultury.

Kominek był najprawdopodobniej w stylu Adama. Lampa niewątpliwie pochodziła od Tiffany'ego. A czy te draperie można było nazwać portierami, czy byłoby to już za bardzo w stylu Scarlett O'Hary?

Boże, jeszcze w żadnym miejscu nie czuła się tak nieswojo. Co średnio zamożna wdowa z Michigan robi w tak pełnym przepychu miejscu?

Usłyszała czyjeś kroki dobiegające z holu i starała się przybrać neutralny wyraz twarzy.

– Przyniosłem kawę.

To nie była Rosalind, ale pogodny mężczyzna – David – który wcześniej wpuścił ją do domu i przyprowadził do salonu.

Na oko miał koło trzydziestki. Był średniego wzrostu, bardzo szczupły i miał wyjątkowo urzekającą twarz. Chociaż nosił się na czarno, Stella od razu wiedziała, że nie jest kamerdynerem czy służącym. Jego strój był zbyt stylowy, zbyt elegancki.

Ustawił na stole tacę z filiżankami, herbatnikami, małymi lnianymi serwetkami i dzbanuszkiem pełnym fiołków.

– Roz ma lekki poślizg, ale zaraz się zjawi. Tymczasem zrelaksuj się i rozkoszuj kawą. Wygodnie ci?

– Tak. Bardzo.

– Czy jeszcze mógłbym coś podać, by umilić ci czekanie?

– Nie. Dzięki.

– W takim razie czuj się jak u siebie w domu – zakomenderował i nalał kawy do filiżanki. – Nic nie może się równać z ogniem w kominku w środku stycznia, czyż nie? Człowiek od razu zapomina, że zaledwie parę miesięcy temu roztapiał się w upale. Czego sobie życzysz do kawy, skarbie?

Stella nie była przyzwyczajona, aby obcy mężczyźni zwracali się do niej per „skarbie". Szczególnie że David wydawał się parę lat od niej młodszy.

– Tylko odrobinę śmietanki.

Z trudem powstrzymała się, by nie gapić się na jego twarz – doprawdy porywającą z tymi pełnymi ustami, ciemnoniebieskimi oczami, wysokimi kośćmi policzkowymi i seksownym, delikatnym dołkiem w brodzie.

– Czy długo pracujesz u pani Harper?

– Od zawsze. – Uśmiechnął się czarująco i podał jej filiżankę. – I bardzo mi się tu podoba, z wielu rozmaitych powodów. Pamiętaj, udzielaj jej prostych odpowiedzi na proste pytania i nie próbuj się podlizywać. Ona tego nienawidzi. A tak przy okazji, skarbie, masz zachwycające włosy.

– Och. – Odruchowo dotknęła węzła. – Dzięki.

– Tycjan wiedział, co robi, gdy wciąż malował ten odcień. Powodzenia w rozmowie z Roz. Twoje buty też są świetne – oznajmił i ruszył w stronę drzwi.

Stella westchnęła głęboko. Zwrócił uwagę na jej włosy, a także na buty. Z pewnością więc jest gejem. Jaka szkoda.

Kawa była doskonała i David rzeczywiście miał rację: miło posiedzieć przy ogniu w środku stycznia. Na zewnątrz panowała wilgoć, niebo zasnuwały ciemne chmury. Ona tymczasem znajdowała się w pięknym, przytulnym pokoju i popijała kawę z wytwornej porcelany – Miśnia? A może Wedgewood? Zaintrygowana uniosła filiżankę, żeby zerknąć na znak firmowy.

– To Staffordshire, serwis przywieziony z Anglii przez którąś z pań Harper w połowie dziewiętnastego wieku – usłyszała od drzwi.

Nie ma sensu przeklinać się w duchu, doszła szybko do wniosku Stella. Ani zżymać na fakt, że z powodu typowej dla rudzielca karnacji na jej twarzy zapłonęły rumieńce zawstydzenia. Odstawiła więc filiżankę i spojrzała Rosalind Harper prosto w oczy.

– Przepiękne filiżanki.

– Też tak uważam. – Rosalind weszła do salonu, opadła na fotel i nalała sobie kawy.

Stella od razu spostrzegła, że jedna z nich pomyliła typ stroju obowiązujący w czasie takiej rozmowy.

Wysoka, smukła Roz wystąpiła w rozciągniętym, oliwkowym swetrze i roboczych spodniach postrzępionych przy mankietach. Nie miała na nogach butów, jedynie grube, brązowe skarpety. To zapewne z tego powodu Stella nie usłyszała nadejścia gospodyni.

Jej włosy były krótkie, proste i czarne.

Do tej pory komunikowały się jedynie przez telefon, faks lub e-mailami, Stella jednak poszukała w Internecie wiadomości na temat Rosalind Harper. Chciała wiedzieć jak najwięcej o potencjalnej pracodawczyni, a poza tym była ciekawa, jak wygląda ta kobieta.

Znalazła wiele informacji. Obejrzała fotografie Rosalind jako dziecka i dorastającej dziewczyny. Zachwycała się zdjęciami pięknej, osiemnastoletniej panny młodej i przepełniła ją empatia na widok bladej, opanowanej, dwudziestopięcioletniej wdowy.

Oczywiście Internet oferował dużo więcej. Cytaty z kolorowych pism pełne były spekulacji na temat, czy i kiedy młoda wdowa ponownie wyjdzie za mąż. Sporo pisano o założonej przez nią firmie ogrodniczej, hodowanych na sprzedaż unikatowych roślinach, a także o życiu osobistym. Sporo doniesień dotyczyło jej krótkotrwałego drugiego małżeństwa i rozwodu.

Stella wiedziała, że będzie miała do czynienia z energiczną, inteligentną kobietą o rozwiniętym zmyśle do interesów. Sądziła jednak, że uderzający wygląd Rosalind na zdjęciach był wynikiem odpowiedniego oświetlenia, makijażu i ustawienia obiektywu.

Okazało się, że nie miała racji.

W wieku czterdziestu sześciu lat Rosalind Harper przywodziła na myśl różę w pełnym rozkwicie. Nie kwiat z oranżerii, ale rosnącą na świeżym powietrzu, zahartowaną przez wszystkie możliwe żywioły, która z sezonu na sezon kwitnie coraz piękniej i zyskuje na żywotnej sile.

Miała wąską twarz o wysokich kościach policzkowych i podłużne, brązowozłociste oczy. Jej pełne, wyraziście zarysowane usta były nietknięte szminką.

Oczywiście, w kącikach oczu widniała drobna siateczka zmarszczek, ale to nie psuło urody tej kobiety.

Patrząc na nią, Stella pomyślała: proszę, czy ja mogłabym tak wyglądać, gdy będę w tym wieku? Tyle że – jeśli można – wolałabym się ubierać z nieco większą elegancją.

– Kazałam ci czekać?

Proste, szczere odpowiedzi – przypomniała sobie Stella.

– Przez chwilę. Ale czekanie w podobnym wnętrzu, z dobrą kawą podaną w pięknej filiżance, nie jest specjalnie uciążliwe.

– David uwielbia takie zawracanie głowy. Byłam w szklarni i trochę się zasiedziałam.

Mówiła energicznym tonem; oczywiście, nie ostrym – głos żadnego rodowitego mieszkańca Tennessee nigdy nie mógłby brzmieć ostro – ale zdecydowanym i pewnym siebie.

– Wyglądasz młodziej, niż się spodziewałam. Masz... ile?... trzydzieści trzy lata?

– Tak.

– A twoi synowie... sześć i osiem?

– Owszem.

– Nie przyprowadziłaś ich ze sobą?

– Nie. Zostali z moim ojcem i jego żoną.

– Bardzo lubię Willa i Jolene. Jak się miewają?

– Doskonale. Cieszą się, że mogą spędzać tak wiele czasu z wnukami.

– Wyobrażam sobie. Twój tata niekiedy pokazuje ich zdjęcia i zawsze przy tej okazji pęka z dumy.

– To między innymi dlatego sprowadziłam się do Memphis. By dzieci mogły spędzać więcej czasu z dziadkami.

– Bardzo dobry powód. Ja również lubię małych chłopców. Brakuje mi ich w domu. To, że masz dwóch synków, przemawiało na twoją korzyść. Choć oczywiście cv, referencje od poprzedniego pracodawcy i rekomendacja twojego ojca nie zaszkodziły.

Wzięła z tacy herbatnik i odgryzła kęs, nie spuszczając przy tym wzroku ze Stelli.

– Potrzebuję osoby o doskonałym zmyśle organizacyjnym, kogoś twórczego i sumiennego, sympatycznego i praktycznie niezmordowanego. Lubię pracować z ludźmi, którzy zdołają dotrzymać mi kroku, a narzucam bardzo ostre tempo.

– Słyszałam o tym. – W porządku, pomyślała Stella, należy się zrewanżować podobną konkretnością. – Pani Harper, studiowałam ogrodnictwo i specjalizowałam się w zarządzaniu. Z wyjątkiem trzech lat, które poświęciłam wychowaniu synów, a także zajmowaniu się własnym ogrodem i ogrodami dwojga sąsiadów, zawsze pracowałam w swoim zawodzie. Od ponad dwóch lat – od śmierci męża – sama wychowuję dzieci i jednocześnie zarabiam na nasze utrzymanie. W obu dziedzinach dobrze sobie radzę. Potrafię dotrzymać pani kroku. Mogę dotrzymać kroku każdemu.

Być może, pomyślała Rosalind. To się jeszcze okaże.

– Pokaż mi swoje dłonie.

Nieco zirytowana tym życzeniem, Stella wyciągnęła ręce. Roz odstawiła filiżankę i zaczęła wodzić palcami po wnętrzu jej dłoni.

– Widzę, że umiesz pracować.

– Tak jest.

– Zmyliła mnie ta garsonka, skądinąd bardzo ładna. – Rosalind uśmiechnęła się i dokończyła herbatnika. – Przez ostatnie kilka dni padało. Zobaczmy, czy znajdziemy dla ciebie jakieś odpowiednie buty, żebyś nie zniszczyła tych swoich pięknych pantofelków. Oprowadzę cię po gospodarstwie.

Wielkie zielone kalosze były za duże i mało efektowne, ale rozmiękła ziemia i żwir bez wątpienia zniszczyłyby eleganckie szpilki.

Poza tym, jakie znaczenie miał jej wygląd, skoro mogła obejrzeć to, co zdołała tu stworzyć Rosalind.

„Eden" zajmował całą zachodnią połać posiadłości. Sklep ogrodniczy wychodził na południową drogę, a prowadzący do niego podjazd został pięknie i przemyślnie zaprojektowany. Mimo że był dopiero styczeń, Stella zdołała dostrzec, ile wysiłku i myśli twórczej włożono w odpowiednie wyeksponowanie roślin zimozielonych i drzew ozdobnych. Wznoszące się tu i ówdzie kopczyki kompostu zwiastowały pojawienie się, wraz z wiosennym słońcem, roślin bulwiastych – zarówno wieloletnich, jak i jednorocznych – kwitnących do późnej jesieni.

Po krótkim spacerze nie tylko marzyła o pracy w tym miejscu – po prostu nie chciała żadnej innej. Zrobiłaby niemal wszystko, żeby zdobyć tę posadę.

– Nie chciałam, żeby sprzedaż odbywała się w pobliżu domu – wyjaśniła Roz, tuż po tym gdy zaparkowała furgonetkę. – Nie miałam ochoty patrzeć na sklep, ilekroć wyglądałabym przez okno. Harperowie zawsze odznaczali się zmysłem do interesów. Nawet wtedy, gdy większość tych terenów porastała jedynie bawełna.

Stella z wrażenia wciąż nie mogła wykrztusić z siebie słowa, więc tylko skinęła głową. Rzeczywiście, z tego miejsca nie było widać domu – zasłaniał go niewielki zagajnik.

– Sklep jest otwarty przez okrągły rok – ciągnęła Roz. – Zajmujemy się sprzedażą wszystkiego, co ma jakikolwiek związek z ogrodnictwem: od roślin doniczkowych poczynając, na poradnikach i albumach kończąc. Najstarszy syn pomaga mi w zarządzaniu firmą, choć najszczęśliwszy jest w szklarni i na polach. W tej chwili pracuje u nas dwoje sprzedawców na pół etatu. Ale za kilka tygodni będziemy potrzebować znacznie więcej ludzi.

– A więc sezon tutaj rozpocznie się na początku marca.

– Tak jest.

Roz poprowadziła ją asfaltową alejką do niskiego, białego budynku z dużą, starannie utrzymaną werandą.

Wewnątrz, wzdłuż ścian, ciągnęły się dwie długie lady. Do środka wpadało wiele światła, przez co pomieszczenie wyglądało na przestronne i pogodne. Na półkach stały pojemniki z nawozami, preparatami wzmacniającymi, pestycydami oraz kuwety do kiełkowania nasion. Na kolejnych umieszczono kolorowe doniczki i skrzynki idealne na zioła lub rośliny ozdobne. Wszędzie wisiały dzwonki powietrzne. Wokół znajdowało się mnóstwo innych ogrodniczych akcesoriów.

Kobieta o śnieżnobiałych włosach odkurzała właśnie ekrany skupiające promienie słoneczne. Miała na sobie jasnoniebieski sweter haftowany w różyczki, a pod spodem schludną białą koszulę.

– Ruby, oto Stella Rothchild. Właśnie oprowadzam ją po terenie.

– Miło mi panią poznać.

Taksujące spojrzenie starszej kobiety zdradzało, że Ruby wie, iż Stella ubiega się o pracę.

– Jesteś córką Willa Dooleya, prawda? – spytała z uśmiechem.

– Tak.

– Z... z Północy?

Ku rozbawieniu Stelli zabrzmiało to tak, jakby pochodziła z jakiejś podejrzanej bananowej republiki.

– Owszem. Z Michigan. Ale urodziłam się w Memphis.

– Doprawdy? – Uśmiech stał się odrobinę cieplejszy. – To już coś na początek. Ale wyjechałaś, gdy byłaś jeszcze małym dzieckiem?

– Tak. Matka postanowiła się przeprowadzić na Północ.

– A ty się zastanawiasz, czy tu nie wrócić?

– Ja już tu wróciłam – poprawiła ją Stella.

– No cóż. – Te dwa słowa mówiły jasno: „jeszcze zobaczymy, jak to będzie". – Paskudna pogoda – ciągnęła Ruby. – W taki dzień najlepiej nie wysuwać nosa na dwór. Możesz się tu rozglądać do woli.

– Dziękuję. Ale prawdę mówiąc, najchętniej rozejrzałabym się w szklarni.

– W takim razie świetnie wybrałaś pracę. Roz, była tu Marilee Booker i kupiła dendrobium. Robiłam, co mogłam, żeby ją od tego odwieść, niestety bezskutecznie.

– Szlag by to trafił! Ta biedna roślina nie przeżyje nawet tygodnia.

– Hodowanie dendrobium nie nastręcza większych trudności – wtrąciła Stella.

– Nie dla Marilee. Ta kobieta uśmierciłaby nawet nieśmiertelnik. Powinna mieć formalny zakaz zbliżania się do czegokolwiek, co żyje – i to pod karą wieloletniego więzienia.

– Przykro mi, Roz – powtórzyła Ruby. – Ale obiecała mi, że gdy tylko roślina zacznie niedomagać, natychmiast przyniesie ją tu z powrotem.

– Nie rób sobie wyrzutów. – Roz machnęła ręką, po czym przeszła do następnego pomieszczenia.

Stały tu rośliny doniczkowe – od najbardziej popularnych, po najbardziej egzotyczne; a także rozmaite pojemniki – od maleńkich, niewiele większych od naparstka, do olbrzymich, przypominających średnicą włazy kanałowe. Znajdowały się tu ponadto jeszcze inne akcesoria ogrodowe – kamienne płyty odpowiednie do wykładania alejek, kraty do pnączy, fontanny i ławki.

– Wymagam od pracowników, żeby znali się na wszystkim po trochu – powiedziała Roz. – Gdyby zaś nie potrafili udzielić odpowiedzi na pytania klienta, powinni wiedzieć, gdzie szybko znaleźć odpowiednie informacje. W porównaniu z niektórymi przedsiębiorstwami prowadzącymi głównie sprzedaż hurtową, nie jesteśmy wielką firmą. Ponadto u nas ceny są wyższe niż w popularnych centrach handlowych. Dlatego koncentrujemy się na sprzedaży roślin rzadkich gatunków i wyjątkowej jakości, a także prowadzimy dział usług dla klientów. Co oznacza wizyty w domach.

– Czy ma pani dział zajmujący się konsultacjami u klienta?

– Jeżeli pojawia się jakiś problem z rośliną kupioną w naszym centrum, załatwiam to osobiście albo wysyłam Harpera. – Wsunęła ręce do kieszeni i zaczęła kołysać się na obcasach swoich powalanych błotem, ciężkich butów. – W poważniejszych przypadkach posyłam naszego architekta krajobrazu. Zabranie go od konkurencji kosztowało mnie fortunę. Na dodatek musiałam mu zagwarantować praktycznie wolną rękę. Ale on jest najlepszy, a ja chcę rozwijać ten dział.

– A jaki przyjęła pani *modus operandi*?

Roz odwróciła się i spojrzała na nią z rozbawieniem.

– Teraz już jestem pewna, że potrzebuję kogoś takiego, jak ty. Kogoś, kto jest w stanie z całą powagą wypowiedzieć słowa *modus operandi*. Niech się chwilę zastanowię. – Rozejrzała się dookoła, a potem otworzyła drzwi prowadzące do szklarni. – Powiedziałabym, że nasza działalność biegnie dwutorowo... a tak przy okazji, to właśnie tutaj hodujemy większość naszych jednorocznych roślin, które wywiesimy w koszach przed sklepem już w marcu. Po pierwsze, świadczymy usługi ogrodnikom amatorom. Zarówno tym początkującym, jak i doświadczonym, którzy wiedzą, czego chcą, a jednocześnie są skłonni poeksperymentować z nowościami. Mamy im wszystkim zapewnić wszelkie potrzebne rośliny, narzędzia i akcesoria, a także służyć radą i pomocą. Po drugie, interesują nas ludzie, którzy mają spore pieniądze i chcą upiększać swoje ogrody, ale brak im czasu lub chęci, by grzebać się w ziemi. Wówczas zjawiamy się u nich w domu, opracowujemy projekt, ściągamy rośliny, wynajmujemy odpowiednią siłę roboczą. I gwarantujemy klientowi w pełni satysfakcjonujące rezultaty.

– Rozumiem – odrzekła Stella, przesuwając jednocześnie oczami po długich stołach pełnych roślin, wiszących nad nimi spryskiwaczach, systemach odpływowych w betonowej podłodze.

– Po rozpoczęciu sezonu wystawiamy stoły na zewnątrz budynku. Wszyscy przejeżdżający mogą więc obejrzeć rośliny. Te, które potrzebują cienia, ustawiamy pod daszkami. Tutaj zaś hodujemy zioła. Natomiast w tamtych szklarniach trzymamy rośliny na nasiona, a w cieplarni młode sadzonki.

Wyszły znów na zewnątrz i ruszyły przed siebie żwirową alejką, obsadzoną krzewami i ozdobnymi drzewkami. Roz wskazała na osłoniętą żywopłotem przestrzeń.

– To miejsce zamknięte dla klientów, gdzie zajmujemy się uprawą nowych roślin i hybrydyzacją. W większości wypadków odbywa się to w zamkniętym pomieszczeniu, chociaż wygospodarowałam do tego celu również kawałek pola. Ponieważ jest tam staw, nie ma problemu z nawadnianiem.

Żwir skrzypiał im pod butami. Stella szybko kalkulowała, analizowała sytuację, planowała. Niczego już teraz tak nie pożądała jak tej posady.

Mogłaby tu bardzo wiele zdziałać. Wycisnąć własne piętno na imponujących podwalinach wzniesionych przez Rosalind. Bez trudu rozwinęłaby ten interes – ulepszyła, nadała mu wyrafinowany szlif.

O niczym lepszym nie mogłaby nawet marzyć.

Oczami wyobraźni widziała już, jak te kopulaste szklarnie, robocze stoły oraz wystawy uginają się od kwiatów i są oblegane przez klientów. Niosąc zapowiedzi rozwoju i nowych możliwości.

Roz otworzyła drzwi kolejnego pomieszczenia – cieplarni – gdzie kiełkowały rośliny i ukorzeniały się szczepy. Stella aż zamruczała z zachwytu. Uwielbiała ten zapach – ziemi i wilgoci. Powietrze było nią przesycone i Stella wiedziała, że jej włosy natychmiast staną się jeszcze bardziej niesforne, bez wahania weszła jednak do środka.

Młode sadzonki wychylały się ze wzbogaconej gleby. Wokół wisiały kosze ze świeżymi kiełkami. Po przeciwległej stronie znajdowały się rośliny hodowane na nasiona – rodzice tych rozwijających się maleństw.

Wszystkie pojemniki były starannie opisane, chociaż Stella bez trudu rozpoznawała wiele kwiatów, nawet nie patrząc na etykiety. Orliki i meksykańskie margerytki, petunie i penstemon. Tu, na głębokim Południu, już za parę tygodni będzie można przesadzić je na rabaty i do pojemników, wystawić na słońce lub ustawić w ocienionych zakątkach. Już za parę tygodni mocno się ukorzenią i rozkwitną.

A ona, Stella? Czy zdoła tu zapuścić korzenie? Czy także rozkwitnie? Czy rozkwitną tu jej chłopcy?

Uprawa roślin pociągała za sobą ryzyko. Ale samo życie było zdecydowanie bardziej ryzykownym przedsięwzięciem. Mądrzy ludzie szacowali ewentualne zagrożenia, minimalizowali je, a potem koncentrowali się na osiągnięciu celu.

– Chciałabym obejrzeć magazyny i biuro.

– Oczywiście. Czas, żebyśmy się stąd zbierały. Twoją garsonkę zaraz będzie można wyżymać.

Stella spojrzała po sobie, zerknęła na wielkie kalosze i wybuchnęła śmiechem.

– I pomyśleć, że zależało mi na profesjonalnym wyglądzie!

Roz pokiwała głową z aprobatą.

– Jesteś atrakcyjną kobietą, Stello, i masz dobry gust. To dobrze. Poświęciłaś czas i uwagę, by starannie ubrać się na nasze spotkanie. Ja nie zadałam sobie tego trudu. Ale doceniam twój wysiłek.

– To pani rozdaje karty, pani Harper. Może się pani ubierać, jak tylko się pani podoba.

– Fakt. – Roz ruszyła do drzwi i chwilę później wyszły na zewnątrz, gdzie właśnie zaczęła padać mżawka. – Chodźmy do biura. Nie ma sensu ciągnąć cię po całym terenie w deszczu. Jakimi jeszcze powodami się kierowałaś, gdy podjęłaś decyzję o przeprowadzce?

– Nic mnie właściwie nie trzymało w Michigan. Przeprowadziliśmy się tam z Kevinem po ślubie ze względu na jego pracę. Myślę... wydaje mi się, że po jego śmierci zostałam tam z przyzwyczajenia... a może dziwnie pojętej lojalności. Sama nie wiem. Lubiłam swoją pracę, ale nigdy nie nabrałam poczucia, że to moje miejsce na ziemi. Żyłam jedynie z dnia na dzień.

– Masz tam rodzinę?

– Nie. Nie w Michigan. Rodzice Kevina umarli jeszcze przed naszym ślubem. Moja matka mieszka w Nowym Jorku, ja jednak nie chciałabym tam mieszkać. Nie chciałabym, żeby chłopcy dorastali w takim miejscu. Poza tym, moje stosunki z matką są... dość skomplikowane. Jak to często bywa w wypadku matek i córek.

– Powinnam więc dziękować Bogu, że mam samych synów.

– Zapewne. – Stella ponownie parsknęła śmiechem. – Moi rodzice rozwiedli się, gdy byłam jeszcze bardzo mała. Ale pani, naturalnie, dobrze zna tę historię.

– O tyle, o ile. Jak już wspominałam, bardzo lubię twojego ojca i Jolene.

– Ja też. Dlatego zdecydowałam się tu przenieść. Ostatecznie urodziłam się w tym mieście. Co prawda nie zachowałam żadnych wspomnień, ale chcę wierzyć, że łączą mnie z Memphis jakieś duchowe więzi. Że odnajdę tu miejsce dla siebie i chłopców.

Przez sklep przeszły do małego pomieszczenia, tak zagraconego, że pedantyczna Stella mimowolnie się skrzywiła.

– Rzadko tu pracuję – powiedziała Roz. – Część dokumentów trzymam w biurze, część w domu. Kiedy już tu przyjdę, zazwyczaj od razu ciągnie mnie do szklarni i na pole. – Zrzuciła książki o ogrodnictwie z krzesła, wskazała Stelli, by usiadła, sama zaś usadowiła się na brzegu zarzuconego papierami biurka. – Znam swoje mocne strony i wiem, jak prowadzić interes. W niecałe pięć lat doszłam do tego, co teraz mam. Kiedy firma była mniejsza i właściwie tylko ja tu pracowałam, mogłam sobie pozwolić na pomyłki. Teraz w sezonie zatrudniam osiemnaście osób, które co tydzień liczą na wypłatę. Zależą ode mnie. Więc już nie mogę popełniać błędów. Wiem, jak hodować rośliny, jak je wyceniać, projektować ogrody, postępować z pracownikami i rozmawiać z klientami.

– To nie ulega wątpliwości – zgodziła się Stella. – Ale czemu w takim razie poszukuje pani kogoś takiego jak ja?

– Ponieważ wśród tych wszystkich rzeczy, na których się znam – i którymi od lat się zajmuję – są też takie, których nie lubię robić. Nie lubię zajmować się organizacją. A teraz już jesteśmy zbyt dużą firmą, żebym sama decydowała, jak i co sprzedawać. Potrzebuję świeżego spojrzenia, nowych pomysłów, kogoś o trzeźwym podejściu.

– Zrozumiałam. Życzy też pani sobie, by menedżer ogrodnictwa mieszkał w pani domu, przynajmniej przez kilka pierwszych miesięcy.

– To nie życzenie, tylko bezwzględny wymóg – odparła Rosalind tak stanowczo, że Stella w końcu zrozumiała, czemu niektórzy mogą uważać panią Harper za trudną. – Zaczynamy pracę wcześnie, kończymy późno. Chcę mieć najważniejszego pracownika zawsze pod ręką, w każdym razie do czasu, aż złapiemy wspólny rytm. Memphis jest dość daleko, więc o ile nie kupisz domu w obrębie paru kilometrów i to jak najszybciej, musisz zamieszkać ze mną.

– Mam dwóch żywych, dokazujących synów i psa.

– Bardzo lubię dokazujących chłopców i nie mam nic przeciwko psom, jeżeli tylko nie kopią dołów. Dopiero jeśli twój podopieczny spróbuje ryć nory w moim ogrodzie, zaczną się problemy. Dom jest bardzo duży. Ty i twoi synowie będziecie mieli sporo miejsca dla siebie. Zaoferowałabym ci domek gościnny, ale nawet dynamitem nie udałoby mi się wykurzyć stamtąd Harpera, mojego najstarszego syna. A więc, czy chcesz tę posadę, Stello?

Stella wzięła głęboki oddech. Przecież skalkulowała ryzyko, już gdy tutaj jechała. I doszła do wniosku, że czas na nowe wyzwania. Żadne wiążące się z tą sprawą lęki nie mogły przeważyć korzyści.

– Tak. Tak, pani Harper. Bardzo chciałabym podjąć tę pracę.

– W takim razie jest twoja. – Roz wyciągnęła ku niej dłoń. – Jutro możesz przywieźć swoje rzeczy. Najlepiej z samego rana. Weź też sobie kilka dni wolnych, zadbaj, by chłopcy zaaklimatyzowali się w nowym miejscu.

– Dziękuję bardzo. Gavin i Luke będą bardzo podekscytowani przeprowadzką, ale i nieco przerażeni. – Podobnie jak ja, dodała w myślach. – Muszę jednak być z panią do końca szczera, pani Harper. Jeżeli chłopcy w rozsądnym okresie nie zaaprobują tego miejsca, będę musiała zmienić swoją decyzję.

– Gdybym miała co do tego jakiekolwiek wątpliwości, nigdy bym cię nie zatrudniła. I, proszę, mów mi „Roz".

Żeby uczcić swój sukces, po drodze do domu ojca kupiła butelkę szampana i musującego cydru. Deszcz oraz niespodziewany objazd sprawiły, że utknęła w paskudnym korku. I wtedy dotarło do niej, że jakkolwiek może się to wydawać dziwaczne, mieszkanie w miejscu pracy ma wyjątkowo dużo zalet.

Na Boga, a więc jednak zdobyła tę posadę! Z jej punktu widzenia – wymarzoną. Choć, oczywiście, nie miała do końca świadomości, jak będzie wyglądała współpraca z Rosalind „mów mi Roz" Harper, i musiała jeszcze wiele poczytać na temat cyklu wegetacyjnego w tym obszarze klimatycznym. Do tego dochodził problem pracowników: czy zechcą przyjmować polecenia od kogoś zupełnie im obcego, na dodatek Jankeski?

Mimo tych obaw nie mogła się już doczekać, kiedy zabierze się do działania.

Chłopcy też będą mieli mnóstwo przestrzeni w tej... rezydencji – bo chyba nie można nazwać inaczej tego domu. Poza tym Stella nie mogła w tej chwili kupić własnego domu. Potrzebowała czasu, by poznać okolicę i lokalną społeczność. A nie ulegało wątpliwości, że w domu ojca panowała straszna ciasnota. I on, i Jolene okazywali niezwykłą gościnność i życzliwość, ale przecież tak naprawdę nie mogli się gnieździć w pięć osób w trzypokojowym domu.

Stella zaparkowała swoją wiekową terenówkę tuż za eleganckim, sportowym autem macochy. Chwyciła torebkę i biegiem ruszyła przez deszcz w stronę drzwi.

Zapukała. Miała co prawda własny klucz, ale zawsze czuła się zbyt skrępowana, by uczynić z niego użytek.

Jolene otworzyła drzwi. W obcisłym czarnym stroju do jogi wyglądała wyjątkowo szczupło i atrakcyjnie jak na osobę dobiegającą sześćdziesiątki.

– Przepraszam, przerwałam ci ćwiczenia.

– Dzięki Bogu, właśnie skończyłam. – Jolene otarła twarz niewielkim białym ręcznikiem, potrząsając przy tym gęstymi, miodowoblond włosami. – Zapomniałaś klucza, skarbie?

– Nie. Wybacz, jakoś nie mogę się zdobyć na to, by z niego swobodnie korzystać. – Stella szybko weszła do holu. – Podejrzana cisza. Czyżbyś przykuła chłopców do rur w piwnicy?

– Twój tato zabrał ich do Peabody, aby popatrzyli na kaczki. Uznałam, że wielką przyjemność sprawi im spędzenie czasu we trzech, postanowiłam więc zostać w domu w towarzystwie kasety do ćwiczeń. Pies drzemie na ganku. Ty zaś wyglądasz na bardzo zadowoloną.

– To naturalne. Właśnie zdobyłam wymarzoną posadę.

– Wiedziałam! Wiedziałam, że ci się uda! Moje gratulacje! – Jolene wyciągnęła ramiona i z całej siły uściskała pasierbicę. – Ani przez moment nie wątpiłam w twój sukces. Roz Harper to wyjątkowo inteligentna kobieta. Bez wątpienia umie docenić prawdziwy skarb, gdy go ma pod własnym nosem.

– Co nie zmienia faktu, że wciąż jeszcze mam serce w gardle. Teoretycznie powinnyśmy poczekać na tatę i chłopców, ale... – Stella wyciągnęła z torby butelkę – ...może byśmy od razu wypiły kieliszek szampana dla uczczenia mojej nowej pracy?

– Jeśli nalegasz... – Jolene objęła ją ramieniem i poprowadziła w stronę salonu. – A teraz powiedz mi, co sądzisz o Roz.

– W kontakcie osobistym wzbudza mniejszy strach niż przez telefon. – Stella zaczęła otwierać butelkę, natomiast Jolene sięgnęła po wysmukłe kieliszki. – Choć jest bardzo pewna siebie, czasami niemal obcesowa. A ten jej dom!

– Cudo, prawda? – Jolene roześmiała się, gdy korek wystrzelił z butelki. – Och! Cóż za dekadencki odgłos w środku popołudnia. Harper House jest w rodzinie Roz od pokoleń. Ona sama przeniosła się tam po śmierci rodziców.

– Jolene, opowiedz mi wszystko, co wiesz, proszę. Tata tego nie zrobi.

– Chcesz mnie spoić szampanem, by usłyszeć kilka plotek? Oj, dziękuję, skarbie. – Opadła na wysoki stołek i uniosła w górę kieliszek. – Najpierw wypiję za ciebie i twoje nowe, wspaniałe życie.

Stella dotknęła kieliszkiem kieliszka Jolene.

– Umm – mruknęła. – Doskonały trunek. A teraz opowiadaj.

– Rosalind bardzo wcześnie wyszła za mąż, miała zaledwie osiemnaście lat. Za Johna Ashby'ego: z doskonałej rodziny, z tej samej warstwy społecznej co Harperowie. A na dodatek było to małżeństwo z miłości; w owym czasie właśnie zakochałam się w twoim ojcu, a kobieta zawsze potrafi rozpoznać taki stan u innej kobiety. Roz urodziła się, gdy jej rodzice nie byli już ludźmi pierwszej młodości. Ojciec przekroczył pięćdziesiątkę, mama zbliżała się do czterdziestki. Matka zresztą od tamtej pory już zawsze niedomagała lub też z lubością odgrywała rolę chorowitej damy – opinia w zależności od tego, z kim rozmawiasz na ten temat. W każdym razie, rodzice Roz umarli w odstępie dwóch lat jedno po drugim. Jak mi się zdaje, ona wówczas była w ciąży z najmłodszym synem. To znaczy... z Austinem... o ile się nie mylę. Wtedy wraz z Johnem przenieśli się do Harper House. John zginął w wypadku, gdy Austin był jeszcze maluchem. Ty zapewne wiesz, jak musiało jej być ciężko.

– Owszem.

– Przez następnych parę lat nie udzielała się towarzysko. A kiedy w końcu zaczęła się pokazywać na przyjęciach, wszyscy wdali się w spekulacje: czy ponownie wyjdzie za mąż? kiedy? za kogo? Widziałaś ją. To piękna kobieta.

– Tak, wyjątkowo.

– Na dodatek tutaj jej pochodzenie to prawdziwy skarb. Przy takim drzewie genealogicznym i z taką urodą mogłaby mieć każdego mężczyznę: młodego, starego, wolnego, żonatego, bogatego czy biednego. Ale Roz z nikim się nie wiązała. Skoncentrowała się na wychowaniu synów.

Pozostała samotna, pomyślała Stella, sącząc powoli szampana. Jakże dobrze rozumiała ten wybór.

– Pilnie chroniła swoją prywatność – ciągnęła Jolene – frustrując tym całą śmietankę Memphis. Największy szum podniósł się wtedy, gdy wyrzuciła z pracy obu ogrodników. Ponoć wygoniła ich z posiadłości widłami.

– Naprawdę? – Stella była pod wrażeniem.

– W każdym razie tak słyszałam – i taka wersja wydarzeń zapadła w zbiorową pamięć naszego miasta. Nikt już się nie zastanawia, czy to prawda, czy nie. My cenimy sobie barwną opowieść i zawsze będziemy ją przedkładać nad prozaiczną rzeczywistość. Tak czy owak, podobno owi ogrodnicy wytrzebili jakieś ulubione rośliny Roz. Po owym incydencie nie zatrudniła już nikogo do opieki nad ogrodem – wszystkim zajęła się osobiście. Pięć lat później się dowiedzieliśmy, że założyła przynoszącą spore dochody firmę ogrodniczą w zachodniej części swojej posiadłości. Trzy lata temu ponownie wyszła za mąż i niemal natychmiast się rozwiodła. Skarbie, co byś powiedziała na kolejny kieliszek tego doskonałego szampana?

– Świetny pomysł. – Stella ponownie napełniła kieliszki. – A o co jej poszło z tym jej drugim mężem?

– Hm. To był wyjątkowo gładki facet. Niebiańsko przystojny i jeszcze bardziej czarujący. Bryce Clerk. Twierdził, że pochodzi z Savannah. Osobiście jednak nie uwierzyłabym żadnemu jego słowu, nawet gdyby mi za to płacono w złocie. Nie zmienia to faktu, że oboje wyglądali wspaniale. Problem w tym, że Bryce lubił wyglądać wspaniale w towarzystwie najprzeróżniejszych kobiet i nie zamierzał ograniczać swoich upodobań z powodu jakiejś ślubnej przysięgi. Toteż Roz szybko wykopała go ze swojego domu i życia.

– Punkt dla niej.

– Rzeczywiście. Rosalind Harper nie należy do osób, które dają się wodzić za nos.

– To całkiem oczywiste.

– Jest bardzo dumna, ale nie próżna, zdecydowana, ale nie zawzięta – choć zapewne niektórzy nie zgodziliby się z tą oceną. Wspaniała przyjaciółka i groźny przeciwnik. Ty jednak, Stello, z powodzeniem sobie z nią poradzisz. Ty potrafiłabyś sobie poradzić z każdym.

– No, cóż. To się dopiero okaże.

# 3

Samochód był po brzegi załadowany bagażami. W teczce znajdowały się notatki i mnóstwo przeróżnych szkiców. Bardzo nieszczęśliwy pies zdążył już wyrazić swój pogląd na przeprowadzkę, wymiotując na przednie siedzenie. Z tyłu zaś siedziało dwóch małych chłopców, walcząc ze sobą bez litości.

Stella zjechała na pobocze, by załatwić problem psa, po czym – mimo styczniowego chłodu – pootwierała wszystkie okna. Parker, ich bostoński terier, ułożył się na podłodze auta, przedstawiając sobą wyjątkowo żałosny widok.

Nie wiedziała, o co właściwie kłócili się chłopcy, ale ponieważ do tej pory nie doszło do wymiany ciosów, postanowiła nie ingerować. Zdawała sobie sprawę, że synowie też są przejęci i zdenerwowani przeprowadzką.

Już kolejny raz Stella wyrywała ich ze znajomego środowiska. Pocieszała się jedynie, że synowie rozkwitną na tym nowym gruncie. Gdyby nie ta nadzieja, czułaby się równie fatalnie jak Parker.

– Nienawidzę cię, śmierdzielu – oznajmił ośmioletni Gavin.

– A ja nienawidzę twojego tłustego, ohydnego tyłka – zrewanżował się sześcioletni Luke.

– A ja nie mogę patrzeć na twoje obrzydliwe, olbrzymie uszy.

– A ja na całą twoją paskudną gębę!

Stella westchnęła ciężko i włączyła głośniej radio.

Nie odzywała się aż do momentu, gdy dotarli do podjazdu prowadzącego do Harper House. Wówczas zatrzymała samochód i siedziała w milczeniu, nie zwracając uwagi na krzyki dochodzące z tyłu i psa wywieszonego przez okno.

Po chwili wyłączyła radio. Głosy chłopców stawały się coraz bardziej przytłumione i w końcu po ostatnim: „a ja nienawidzę ciebie całego" zapanowała cisza.

– Po długim namyśle doszłam do wniosku, że wobec pani Harper powinniśmy zastosować specjalną sztuczkę – powiedziała wreszcie Stella neutralnym tonem.

Gavin od razu podchwycił jej słowa.

– Jaką sztuczkę?

– Bardzo przemyślną. Dlatego nie mam pewności, czy uda nam się przeprowadzić plan. Pani Rosalind Harper jest bardzo mądra. Więc żeby ją przechytrzyć, musielibyśmy się wykazać nie lada sprytem.

– Ja umiem być sprytny – zapewnił Luke.

– No dobrze. W takim razie wyjaśnię wam, co wymyśliłam.

Odwróciła się i spojrzała synom prosto w oczy. Po raz tysięczny spostrzegła, jak niezwykłą mieszanką genetyczną są chłopcy. Jej niebieskie oczy w twarzy Luke'a. Zielonoszare, takie same jak Kevina, w twarzy Gavina. Usta Gavina, niemal jej własne, a u Luke'a – usta ojca. Jej cerę otrzymał Luke (nieszczęsne dziecko!), a koloryt Kevina przypadł Gavinowi.

Teraz obaj byli już dostatecznie zaintrygowani.

– Oj! – Stella ze smutkiem potrząsnęła lokami. – To chyba jednak niewykonalne.

Z tyłu dobiegły ją żarliwe protesty i gorące błagania przy akompaniamencie żwawych podskoków na siedzeniach, co doprowadziło Parkera do histerii. Zaczął gwałtownie szczekać.

– Och, no dobrze. – W obronnym geście uniosła dłonie. – A więc zrobimy tak: podjedziemy do domu i spokojnie podejdziemy do drzwi. Kiedy już znajdziemy się w środku, będziecie musieli się wykazać niezwykłą przebiegłością.

– Damy radę! – wykrzyknął Gavin.

– No, nie wiem... Bo będziecie musieli udawać... to naprawdę bardzo trudne... Będziecie musieli udawać, że jesteście miłymi, dobrze wychowanymi chłopcami.

– Poradzimy sobie! My... – Luke wykrzywił twarz.

– Ja natomiast będę musiała udawać, że nie dziwi mnie widok grzecznych, układnych synów. Czy sądzicie, że uda nam się taka sztuczka?

– Może nam się tu nie spodobać – wymamrotał Gavin.

– Może. Ale to się dopiero okaże.

– Ja tam bym wolał mieszkać z dziadkiem i babcią Jo w ich domu – oznajmił Luke, wyginając usta w podkówkę. – Czy naprawdę musimy się od nich wynieść?

– Naprawdę. Będziemy ich często odwiedzać. Najczęściej, jak to możliwe. Pamiętacie, że przeprowadzka miała być dla nas wielką przygodą. Jeżeli się postaramy – jeżeli naprawdę wszyscy bardzo się postaramy – a i tak będziemy się tu czuć nieszczęśliwi, zamieszkamy gdzie indziej.

– Ludzie w tym mieście mówią w dziwny sposób – poskarżył się Gavin.

– Nie dziwny, tylko inny.

– A na dodatek tu nigdy nie pada śnieg. Jakim cudem ulepimy bałwana i pozjeżdżamy na sankach, jeśli nie będzie zwykłego, głupiego śniegu?

– Rzeczywiście, tu mnie masz. Ale jestem pewna, że odkryjecie mnóstwo innych ciekawych zajęć.

Czemu wcześniej nie pomyślała, że chłopcom może brakować białego Bożego Narodzenia?

Gavin tymczasem przybrał wojowniczą minę.

– Jeśli ona okaże się wredna, na pewno tu nie zostanę.

– W porządku. – Stella włączyła silnik i wjechała w żwirową aleję.

Chwilę później Luke wykrzyknął:

– Ale duży dom!

Stella nie wiedziała, co o tym myśleć. Czyżby ta dwupiętrowa budowla przerażała jej chłopców? Czy kiedykolwiek docenią jej estetyczne walory – jasnożółty piaskowiec, majestatyczne kolumny, tarasy i bliźniacze schody, prowadzące na samą górę? Czy może jedynie będą widzieli wielką, onieśmielającą bryłę, kilkakrotnie przewyższającą rozmiarami ich uroczy domek w Southfield?

– To bardzo stary dom – pouczyła synów. – Ma prawie dwieście lat. I od samego początku zamieszkiwała tu rodzina pani Harper.

– Czy ona też ma prawie dwieście lat? – zainteresował się Luke.

Jego pytanie spotkało się natychmiast z ostrym kuksańcem i pogardliwym parsknięciem brata.

– Ty głupolu. Nie może mieć tyle lat, bo już by dawno umarła. I do tej pory zjadłyby ją robaki...

– Muszę wam przypomnieć, że grzeczni, dobrze wychowani chłopcy nie nazywają swoich braci „głupolami". Widzicie te trawniki? Będziecie mieli mnóstwo miejsca do zabawy. A i Parkerowi zapewne spodoba się taki wielki wybieg. Będziecie jednak musieli się trzymać z daleka od rabat kwiatowych, tak samo jak w Michigan – uprzedziła ich natychmiast. – I musimy zapytać panią Harper, gdzie tak naprawdę wolno wam się bawić.

– Ale wielkie drzewo – mruknął Luke. – Naprawdę olbrzymie.

– To jawor, synku. Założę się, że jest nawet starszy od domu.

Zatrzymała przed wejściem, podziwiając japoński klon i złocisty cedr, otoczone azaliami, po czym przypięła smycz do obroży Parkera.

– Gavin, zajmiesz się psem. Przyjdziemy po nasze rzeczy, kiedy już się przywitamy z panią Harper.

– Czy ona będzie nami rządzić?

– Tak. Nieszczęsny i straszny los dzieci polega na tym, że rządzą nimi dorośli. Ponieważ jednak pani Harper płaci mi pensję, będzie mogła również mnie wydawać różne polecenia. A więc jedziemy na tym samym wózku.

Wysiedli z samochodu i Gavin chwycił kurczowo smycz Parkera.

– Ja już jej nie lubię – oznajmił stanowczo.

– To właśnie podoba mi się w tobie najbardziej, Gavinie. – Stella zmierzwiła jasne włosy starszego syna. – Zawsze wykazujesz się niezwykle pozytywnym myśleniem. No, dobrze. Ruszamy. – Chwyciła chłopców za ręce, po czym skierowali się do zadaszonego wejścia.

W tym samym momencie białe, dwuskrzydłowe drzwi otwarły się na oścież.

– Najwyższy czas! – David rozłożył szeroko ramiona. – Mężczyźni! Wreszcie nie będę tu w mniejszości!

– Gavin, Luke, to jest pan... przepraszam, Davidzie, ale nie znam twojego nazwiska.

– Wentworth. Ale zostańmy po prostu przy Davidzie. – Ukucnął i spojrzał na rozszczekanego Parkera. – A tobie o co chodzi, przyjacielu?

Parker natychmiast oparł mu się łapami o kolana i zaczął go serdecznie lizać po twarzy.

– No, widzisz. Tak jest o wiele lepiej. Wchodźcie, proszę. Roz zaraz się zjawi. Rozmawia przez telefon z jakimś dostawcą.

Znaleźli się w przestronnym holu. Chłopcy aż otworzyli usta z wrażenia.

– Odjazdowe, no nie?

– Czy to kościół? – spytał Luke.

– Nieee – odparł David z uśmiechem. – Są tu różne cuda, ale to tylko dom. Wybierzemy się na wyprawę po nim, ale najpierw wypijemy gorącą czekoladę, żebyście się pokrzepili po długiej podróży.

– David przyrządza doskonałą czekoladę – oznajmiła Roz, schodząc po łagodnie opadających schodach dzielących hol na dwie części. Miała na sobie to samo robocze ubranie, co poprzedniego dnia. – Z mnóstwem bitej śmietany.

– Pani Harper, oto moi chłopcy. Gavin i Luke.

– Miło cię poznać, Gavinie. – Roz wyciągnęła rękę.

– A to Parker – szybko poinformował Gavin. – Nasz pies. Ma półtora roku.

– Niezły z niego przystojniak. Cześć, Parker... – Roz przyjaźnie poklepała psa po łbie.

– Ja jestem Luke. Mam sześć lat i umiem napisać swoje imię.

– Wcale nie – rzucił Gavin z pogardą. – On zna tylko drukowane litery.

– Od czegoś zawsze trzeba zacząć, prawda? Bardzo miło cię poznać, Luke. Mam nadzieję, że spodoba ci się w moim domu.

– Pani wcale nie wygląda staro – oznajmił Luke, na co David parsknął śmiechem.

– Och, dziękuję uprzejmie. Przyznaję, że ogólnie rzecz biorąc, nie czuję się staro.

Serce Stelli podskoczyło do gardła, zmusiła się jednak do uśmiechu.

– Powiedziałam chłopcom, jak wiekowy jest ten dom. Wspomniałam również, że pani rodzina zamieszkuje tu od jego powstania. Luke'owi wszystko się pomieszało.

– Cóż, ja nie jestem tak stara, jak ta budowla. Może jednak teraz zajmiemy się czekoladą. Co ty na to, Davidzie? Rozsiądziemy się w kuchni i zaznajomimy ze sobą nawzajem.

– Czy David jest pani mężem? – zainteresował się Gavin. – I czemu nosicie inne nazwiska?

– Roz nigdy by mnie nie zechciała – żałośnie jęknął David, zagarniając chłopców w stronę kuchni. – Za to uwielbia łamać mi serce.

– Nie wierzcie mu, on tylko żartuje – odrzekła Roz. – Dave zajmuje się domem, a właściwie wszystkimi codziennymi sprawami. I oczywiście mieszka tu razem ze mną.

– Czy ona też tobą rządzi? – Gavin pociągnął go za rękę. – Mama mówi, że ona może rządzić nami wszystkimi.

– Niekiedy pozwalam jej w to wierzyć – odparł szeptem David, gdy weszli do kuchni, w której były szafki z różanego drewna z granitowymi blatami.

Pod oknem znajdowała się półkolista kanapa pokryta granatową skórą, z haczyków zwieszały się wypolerowane, miedziane rondle, a na półkach i parapecie stały niebieskie pojemniki z ziołami.

– To moje królestwo – oznajmił David. – I tutaj tylko ja rządzę. Musicie to sobie dobrze zapamiętać. Lubisz gotować, Stello?

– Myślę, że „lubisz" to nie jest najodpowiedniejsze słowo. Za to jestem pewna, że moje skromne umiejętności nie zasługują na tak wspaniałą kuchnię. – Powiodła wzrokiem po olbrzymich lodówkach i zamrażarkach, kilku piekarnikach oraz blatach do pracy.

Na szczęście znajdowały się tu też rzeczy nadające pomieszczeniu ciepłą atmosferę. Ceglany kominek, w którym płonął ogień, staroświecki kredens pełen pięknej porcelany, tulipany i hiacynty kwitnące w doniczkach ustawionych na solidnym stole, przerobionym z kloca rzeźniczego.

– Ja uwielbiam pichcić. Choć marnuję mój niezwykły talent u Roz, co jest wysoce frustrujące. Ona z powodzeniem mogłaby się żywić zimną owsianką. A Harper prawie nigdy tu nie zagląda.

– Harper, czyli mój najstarszy syn. Ten z domku gościnnego. Zapewne kiedyś go poznacie.

– To szalony naukowiec – oświadczył David, wrzucając do rondelka kawałki czekolady.

– Czy robi potwory? Jak Frankenstein? – spytał z obawą Luke i szybko chwycił matkę za rękę.

– Frankenstein to tylko fikcyjna postać – przypomniała mu Stella. – Syn pani Harper zajmuje się roślinami.

– Może swego czasu wyhoduje jakiegoś gadającego giganta.

Gavin, wyraźnie zachwycony, przysunął się do Davida.

– Na pewno nie – roześmiał się głośno.

– „Więcej jest rzeczy w niebie i na ziemi..."*, jak powiedział Szekspir. Przysuń tu stołek, mój młody przyjacielu. Pozwalam ci popatrzeć, jak mistrz przyrządza najlepszą na świecie gorącą czekoladę.

– Wiem, że chciałabyś jak najszybciej wrócić do pracy w szklarni – Stella zwróciła się w stronę Roz – ale przywiozłam ze sobą kilka notatek i szkiców, które sporządziłam wczorajszego wieczoru, i które chętnie bym przedstawiła w dogodnym dla ciebie czasie.

– Kujon.

– Raczej entuzjastka.

Luke tymczasem puścił jej dłoń i przysiadł na stołku, zajmowanym już przez brata.

– Jeszcze dzisiaj mam się spotkać z dyrektorką szkoły. Jeżeli wszystko pójdzie gładko, chłopcy już jutro rozpoczną naukę. Pomyślałam, że popytam w szkole o odpowiednią opiekę popołudniową...

– Ej! – David oderwał się od ubijania w rondlu śmietany z czekoladą. – Teraz to są moi ludzie. Będą bezpłatną siłą roboczą i zapewnią mi rozrywkę.

– Nie mogę zrzucać na ciebie...

– Chętnie zostaniemy z Davidem – przerwał matce Gavin. – On jest w porządku.

* „Hamlet" I, 5, przeł. M. Słomczyński.

– Obawiam się, że...

– Oczywiście, mam pewien ważny warunek – oznajmił David, dorzucając cukier do garnka. – Jeżeli chłopaki nie lubią PlayStation, wycofuję ofertę.

– Ja lubię PlayStation – wyznał natychmiast Luke.

– Lubienie nie wystarczy. Wy musicie to kochać.

– Kochamy, kochamy! – zadeklarowali jednogłośnie chłopcy, podskakując na stołku.

– Stello, może zanim oni przyrządzą tę czekoladę, my wniesiemy twoje bagaże? – zaproponowała Roz.

– Oczywiście. Parker...

– Psu będzie tu najlepiej – wtrącił David.

– David doskonale potrafi zaopiekować się dziećmi – powiedziała Roz, gdy tylko wyszły z kuchni.

– To widać. – Stella złapała się na tym, że znowu kręci paskiem od zegarka. – Ale mam wrażenie, że mu się narzucamy. Zapłacę oczywiście za zajmowanie się chłopcami, jednak...

– Załatwicie to jakoś między sobą. Chciałam ci tylko powiedzieć – jak matka matce – że Davidowi można zaufać. Dopilnuje chłopców, zorganizuje im zabawę i choć zapewne nie powstrzyma ich od rozmaitych psot, nie pozwoli, by wpadli w tarapaty. David właściwie wychował się w tym domu. Traktuję go jak czwartego syna.

– Takie rozwiązanie byłoby bardzo wygodne. Nie musiałabym ciągać chłopców po jakichś opiekunkach.

Kolejnych obcych ludziach, dorzuciła w myślach.

Z kuchni tymczasem dały się słyszeć głośne chichoty dzieci.

– Cudowny dźwięk – stwierdziła Roz. – Bardzo mi go brakowało. No dobrze, zabierajmy się do noszenia.

– Musisz wyznaczyć reguły – powiedziała Stella. – Powiedzieć, gdzie chłopcy mogą biegać, gdzie się bawić, a gdzie w żadnym wypadku nie powinni się pokazywać. Oni potrzebują określonych zasad i dyscypliny. Są do tego przyzwyczajeni. Tak było w domu... to znaczy w Michigan.

– Zastanowię się nad tym. Chociaż zapewne David – pomimo faktu, że to ja jestem od „rządzenia" wami wszystkimi – ma własne koncepcje w tej sprawie. A tak przy okazji, uroczy ten wasz psiak. – Wytaszczyła z terenówki dwie wielkie walizy. – Mój pies zdechł w zeszłym roku i jakoś nie miałam serca, by sprawić sobie następnego. Ale to przyjemnie, gdy po domu kręci się zwierzak. Daliście mu fajne imię.

– Parker... na cześć Petera Parkera. To jest...

– Spiderman. Przecież sama wychowałam trzech synów.

– Naturalnie. – Stella chwyciła kolejną walizę i kartonowe pudło. Poczuła w mięśniach ból, a tymczasem zdawało się, że Roz dźwiga bagaże bez najmniejszego wysiłku.

– Czy mogłabyś mi powiedzieć, kto jeszcze mieszka w tym domu?

– Tylko David.

– Naprawdę? Jeśli się nie mylę, na dzień dobry wspomniał, że jest tutaj w mniejszości.

– Ach, tak. Zapewne miał na myśli Oblubienicę. To rezydujący w naszym domu duch.

– Rezydujący...

– Stary dom bez ducha nie byłby wiele wart, nie sądzisz?

– Interesujący punkt widzenia.

Roz zapewne chciała dodać temu miejscu kolorytu, ubarwić rodzinną legendę.

– Zamieszkacie w zachodnim skrzydle. Wydaje mi się, że sypialnie, które dla was przeznaczyłam, będą odpowiednie. Ja zajmuję skrzydło wschodnie, a David – pokoje położone za kuchnią. Każdy będzie miał zapewnioną pełną prywatność, co w moim przekonaniu jest podstawą dobrych stosunków międzyludzkich.

– To najpiękniejszy dom, jaki widziałam w życiu.

– Rzeczywiście, jest piękny. – Roz zatrzymała się na moment i wyjrzała przez okno wychodzące na ogród. – W zimie robi się jednak wilgotny, a poza tym wciąż musimy wzywać hydraulika lub elektryka. Ale kocham to miejsce, choć niektórzy zapewne sądzą, że tak wielka rezydencja dla samotnej kobiety to marnotrawstwo wołające o pomstę do nieba.

– Przecież to twój rodzinny dom.

– No właśnie. I bez względu na wszystko, tym właśnie pozostanie. A oto wasza kwatera. Każdy pokój wychodzi na taras. Sama zdecydujesz, czy zablokować drzwi w pokoju chłopców. Uznałam, że w tym wieku i w nowych warunkach będą chcieli zamieszkać razem, przynajmniej na początku.

– Trafiłaś w dziesiątkę. – Stella weszła do pokoju. – Och, będą zachwyceni. Mnóstwo przestrzeni i światła. – Postawiła karton i walizkę na jednym z bliźniaczych łóżek. – Ale te antyki... – Powiodła palcem po pięknej komodzie. – Jestem przerażona.

– Meble są po to, żeby ich używać. Oczywiście te cenne powinno się traktować z należnym szacunkiem.

– Już ja odpowiednio pouczę chłopców, możesz mi wierzyć.

Błagam, Boże, nie pozwól, żeby coś zniszczyli!

– Twój pokój znajduje się obok, można przejść przez łazienkę. – Roz wskazała głową na białe drzwi. – Pomyślałam, że zechcesz być blisko chłopców.

– Wspaniale.

Stella weszła do łazienki. Na marmurowym podwyższeniu, naprzeciwko tarasowych drzwi z roletami, stała wanna o wygiętych nóżkach, przypominających szpony orła. Ubikację umieszczono w wysokiej kabinie z drewna sosnowego, a spłukiwało się ją za pomocą rączki umieszczonej na łańcuszku... Ależ chłopcy będą zachwyceni!

Obok umywalki, na grzejniku z brązu, wisiały grube, zielone ręczniki.

Jej pokój był zalany łagodnym, zimowym światłem. Punkt centralny stanowił biały, marmurowy kominek, nad którym wisiał obraz przedstawiający ogród w pełnym rozkwicie.

Na łóżku z tiulowymi, białoróżowymi zasłonami leżało dużo jedwabnych poduszek w delikatnych, pastelowych kolorach. Komoda z lustrem była wykonana z mahoniu, podobnie jak urocza toaletka i bogato rzeźbiona szafa.

– Czuję się jak Kopciuszek na balu.

Roz postawiła walizki.

– Mam nadzieję, że będzie wam wygodnie i że twoi chłopcy będą tu szczęśliwi, ponieważ wkrótce zamierzam zaprząc cię do roboty. To wielki dom. Pewnego dnia David cię po nim oprowadzi. W każdym razie nie będziemy na siebie wpadać. – Podwinęła rękawy koszuli i rozejrzała się po pokoju. – Nie należę do szczególnie towarzyskich osób, choć z przyjemnością przebywam z ludźmi, których darzę sympatią. Wydaje mi się, że ciebie polubię, Stello. Bo twoich synów już zdążyłam polubić. – Zerknęła na zegarek. – No, dobrze. Lecę na tę czekoladę – to coś, czego nigdy nie potrafię sobie odmówić – a potem zabieram się z powrotem do pracy.

– Chciałabym jeszcze dzisiaj z tobą porozmawiać, przedstawić ci kilka pomysłów.

– Dobrze. Znajdziesz mnie gdzieś na terenie.

Po spotkaniu w szkole Stella ruszyła na poszukiwania Roz. Zamierzała zabrać ze sobą chłopców, ale nie miała serca odrywać ich od Davida.

Tym razem ubrała się o wiele stosowniej: włożyła buty z wysoką cholewką, wytarte dżinsy i obszerny czarny sweter, po czym z teczką w ręku skierowała się ku sklepowi.

Za ladą stała ta sama siwowłosa kobieta, tyle że tym razem obsługiwała klientkę. Na kontuarze stała mała diffenbachia w wiśniowej doniczce, a także cztery bambusowe pnącza związane ozdobnym sznurkiem, już włożone do płaskiego, kartonowego pudełka. Na zapakowanie czekały woreczek kamieni i prostokątny, szklany pojemnik.

Doskonale.

– Czy jest tu Roz? – spytała Stella.

– Och – Ruby machnęła ręką w stronę szklarni – gdzieś tam na pewno ją znajdziesz.

Stella skinęła głową na radiotelefon.

– Czy Roz ma ze sobą odbiornik?

Ten pomysł wyraźnie rozbawił Ruby.

– Uch... raczej nie sądzę.

– Dobra. W takim razie ruszam na łowy. Tak nawet będzie zabawniej.

Przed wyjściem zwróciła się w stronę klientki.

– Łatwe w hodowli i atrakcyjne. – Skinęła głową na bambusy. – Będą doskonale wyglądać w tym pojemniku.

– Wymyśliłam, że ustawię je w łazience. Ładny i zabawny element.

– Świetny pomysł. Taka kompozycja byłaby też doskonałym prezentem. O wiele oryginalniejszym od ciętych kwiatów.

– Że też sama o tym nie pomyślałam! Naturalnie. Wezmę więc jeszcze jeden taki zestaw.

Stella posłała klientce promienny uśmiech, po czym skierowała się w stronę szklarni, gratulując sobie w duchu drobnego sukcesu marketingowego.

Nie spieszyła się z odnalezieniem Roz – chciała osobiście sprawdzić stan zapasów, popatrzeć na okna wystawowe, rozeznać się w ciągach komunikacyjnych. I zrobić kilka kolejnych notatek.

Zatrzymała się na dłużej w cieplarni, by sprawdzić stan młodych sadzonek, wschodzących kiełków i roślin matecznych.

Godzinę później dotarła do sekcji szczepów i hybrydyzacji. Usłyszała dochodzące z wnętrza szklarni dźwięki muzyki – chyba The Corrs.

Zajrzała do środka. Wzdłuż obu ścian stały długie stoły, a dwa kolejne zestawiono razem na środku. W ciepłym powietrzu unosił się zapach silikatu i torfu.

Wszędzie wokół znajdowały się donice ze świeżymi krzyżówkami. Z krawędzi stołów zwieszały się tabliczki, przypominające szpitalne karty przy łóżkach pacjentów. W kącie stał komputer, a na monitorze, w rytm muzyki, wirowały kolorowe wzory.

Na tacach leżały skalpele, nożyczki, wosk i taśma do mocowania świeżych szczepów.

W głębi szklarni Roz pochylała się nad mężczyzną pochłoniętym jakąś precyzyjną pracą.

– To nie potrwa dłużej niż godzinę, Harperze. Ostatecznie ogrodnictwo należy również do ciebie. Musisz się więc z nią spotkać i wysłuchać, co ma do powiedzenia.

– Tak, zrobię to, oczywiście, ale, do cholery, jestem teraz zajęty. To ty chciałaś, żeby tu zarządzała, więc po prostu pozwól jej zarządzać. Mnie to nie interesuje.

– Istnieje jeszcze coś takiego jak dobre maniery – rzuciła Roz z irytacją. – Proszę cię więc, żebyś chociaż godzinę udawał, że udało mi się wpoić ci kilka z nich.

Ta uwaga natychmiast przypomniała Stelli o wszystkich pouczeniach, jakimi częstowała własnych synów. Parsknęła śmiechem, lecz na szczęście szybko pokryła wesołość udawanym atakiem kaszlu.

– Przepraszam, że przeszkadzam, ale chciałam... – Przystanęła przy jednej z doniczek i zaczęła się przyglądać świeżo przeszczepionym pędom. – Nie poznaję tej rośliny.

– Wawrzynek wilcze łyko – rzucił Harper, ledwo zaszczycając Stellę przelotnym spojrzeniem.

– Ach, tak. Zimozielona odmiana. Widzę, że wolisz zrazy od oczek.

Harper gwałtownie zwrócił się w jej stronę. Był uderzająco podobny do matki – te same silnie zarysowane kości policzkowe i ciepłe w kolorze oczy. Włosy miał zdecydowanie dłuższe niż Roz, ściągnięte w kucyk kawałkiem rafii. Był równie wysoki i smukły jak ona, i podobnie ubrany.

– Wiesz coś o szczepieniu?

– Poznałam tylko podstawy. Choć kiedyś samodzielnie eksperymentowałam z kameliami i mogę powiedzieć, że odniosłam sukces. Mam na imię Stella. Miło cię poznać, Harperze.

Wytarł dłoń o dżinsy, zanim wyciągnął ją w stronę Stelli.

– Mama mówi, że zamierzasz nas zreorganizować.

– Takie są ogólne założenia. Mam nadzieję, że dla nikogo z nas nie będzie to szczególnie bolesne. Nad czym teraz pracujesz? – Pochyliła się nad doniczkami. Nad zaszczepionymi roślinami rozpięto na czterech palikach przezroczyste plastikowe torebki.

– Nad gypsophilią. Chcę uzyskać niebieską odmianę.

– Niebieski, mój ulubiony kolor. Nie będę ci w takim razie przeszkadzać. – Stella zwróciła się w stronę Roz. – Czy mogłybyśmy gdzieś się zaszyć i przedyskutować kilka moich pomysłów?

– W szklarni z jednorocznymi. W biurze wciąż ten sam bałagan. Harper?

– Dobra, okay. Zaraz do was przyjdę. Poświęcę wam pięć minut.

– Harper…

– W porządku. Dziesięć. Ale to moja ostateczna oferta.

Roz ze śmiechem klepnęła syna lekko po głowie.

– Niech ci będzie. Tylko żebym nie musiała tu po ciebie przychodzić.

– Zrzęda. Jędza i zrzęda – zaczął mruczeć pod nosem, ale z rozbawieniem w głosie.

Kiedy wyszły na zewnątrz, Roz westchnęła teatralnie.

– Jak już tam wejdzie, to trzeba go dźgać widłami w tyłek, żeby się w końcu ruszył. On jedyny z moich synów interesuje się ogrodnictwem. Austin jest reporterem, pracuje w Atlancie. Natomiast Mason jest lekarzem – a właściwie wkrótce nim zostanie – właśnie kończy staż w Nashville.

– Musisz być z nich bardzo dumna.

– Jestem. Niestety, bardzo rzadko ich widuję. A choć Harpera mam teoretycznie pod ręką, muszę go ścigać, żeby zechciał zamienić ze mną kilka słów.

– Jest bardzo do ciebie podobny.

– Wszyscy tak twierdzą. Ja tego nie zauważam. Twoi chłopcy zostali z Davidem?

– Musiałabym ich końmi od niego odciągać.

Weszły do szklarni i Roz przysiadła na brzegu jednego ze stołów.

– No dobrze, pokaż, co tu masz.

– Przygotowałam kilka propozycji. – Stella otworzyła teczkę.

Roz spojrzała na plik papierów i nieznacznie się skrzywiła.

– Wykonałam też wstępne szkice ilustrujące, w jaki sposób mogłybyśmy zmienić układ przestrzenny, by zwiększyć sprzedaż i lepiej wyeksponować akcesoria. Twoje przedsiębiorstwo ma doskonałą lokalizację, świetną architekturę krajobrazu i atrakcyjny wystrój.

– Czuję, że zbliża się jakieś „ale".

– Ale… Centrum sprzedaży detalicznej jest nieco chaotycznie zorganizowane. Po pewnych zmianach tworzyłoby lepszy ciąg komunikacyjny ze szklarniami. A oto plan zmian funkcjonalno-strukturalnych.

– Funkcjonalno-strukturalnych? O mój Boże!

– Spokojnie, to wcale nie jest takie straszne, jak się zdaje. Potrzebujemy przejrzystego łańcucha odpowiedzialności personalnej za poszczególne działy. To znaczy: za sprzedaż, dostawy, produkcję i rozwój hodowli roślin. Ty, oczywiście, jesteś doświadczonym i utalentowanym ogrodnikiem, mnie więc będziesz potrzebować do zarządzania sprzedażą i dostawami. Jeżeli uda nam się zwiększyć sprzedaż, tak jak to pokazałam...

– Opracowałaś tabele. – W głosie Roz zabrzmiała nuta podziwu. – I wykresy. Nagle... ogarnął mnie strach.

– Wcale w to nie wierzę – odparła Stella ze śmiechem, patrząc jej prosto w oczy. – No dobrze, może trochę. Spójrz jednak na ten schemat. Mamy tu szefa zaopatrzenia – to ja, no i oczywiście ty, we wszystkich sprawach bowiem decydujący głos należy do ciebie. Ta gałąź – to hodowla roślin. Za to odpowiedzialna jesteś ty, zapewne do spółki z Harperem. A tu sprzedaż – to też moja działka, przynajmniej na razie. Musimy znaleźć kogoś, kto przejmie nadzór nad pracami u klienta. W tej rubryce natomiast przedstawiłam przewidywane zatrudnienie dodatkowych pracowników oraz zakres obowiązków wszystkich zatrudnionych.

– W porządku. Zapewne przeczytanie tego wszystkiego przyprawi mnie o ból głowy. Zanim jednak zagrzebię się w papierach, chcę ci powiedzieć, że choć rozważam zatrudnienie większej liczby pracowników, nadzorem nad pracami u klientów zajmie się nasz architekt krajobrazu, Logan. Doskonale sobie radzi w tej dziedzinie. Ja natomiast będę pilnie doglądać także zaopatrzenia. Ostatecznie nie zakładałam tego interesu po to, by siedzieć z założonymi rękami i przyglądać się, jak pracują inni.

– Świetnie. W takim razie w niedługim czasie powinnam zobaczyć się z Loganem, żebyśmy mogli skoordynować nasze koncepcje.

Roz uśmiechnęła się szelmowsko.

– To będzie wyjątkowo interesujące spotkanie.

– Teraz zaś może przejrzymy moje szkice reorganizacji punktu sprzedaży? Lepiej zrozumiesz, co mam na myśli, a mnie będzie łatwiej wszystko wyjaśnić.

Łatwiej? – pomyślała Roz. Ogarnęło ją niepokojące przeświadczenie, że od tej pory już nic nie będzie łatwe.

Za to, do cholery, zapewne nikt nie będzie narzekać na nudę.

# 4

Wszystko działało jak w zegarku. Stella pracowała wiele godzin dziennie, ale na tym etapie zajmowała się głównie planowaniem i reorganizacją. A te sprawy lubiła najbardziej. Tym bardziej że miała już jasną wizję, jak wszystko powinno wyglądać i funkcjonować.

Niektórzy mogliby uznać taką skłonność do porządkowania i robienia szczegółowych planów za wadę – szczególnie gdy sami nie do końca pojmowali całość zamierzeń, Stella jednak była przekonana, że życie jest dużo łatwiejsze, gdy wszystko znajduje się na właściwym miejscu.

Jej dzieciństwo było naznaczone chaosem – pełne sprzeczności i zagubienia. Właściwie straciła ojca, mając zaledwie trzy lata, po rozwodzie rodziców. Jedyna rzecz, którą pamiętała z Memphis, to płacz za tatą.

Od tamtej pory ścierała się z matką niemal o wszystko – zaczynając od koloru ścian czy sposobu spędzania wakacji, a na finansach kończąc.

Ci sami ludzie, którzy sądzili, że jej zmysł do porządkowania świata jest wadą, mogliby utrzymywać, iż tak dzieje się zawsze, gdy pod jednym dachem mieszkają dwie kobiety o silnych charakterach. Ale Stella wiedziała swoje. Sama była praktyczna i zorganizowana, matka natomiast roztargniona i impulsywna – co doprowadziło ją do trzech małżeństw i trzech rozwodów.

Carla uwielbiała miejski zgiełk, flirty i romanse. Stella wolała spokojne, ustabilizowane życie. Owszem, na swój sposób również była romantyczką, ale nawet do uczuć podchodziła z rozwagą.

Może właśnie dlatego zakochała się w Kevinie. Stworzyli związek pełen ciepła, radości i spokoju. Oboje chcieli tych samych rzeczy w życiu: domu, rodziny, wspólnej przyszłości. Kevin ją uszczęśliwiał – przy nim czuła się bezpieczna. I teraz bardzo jej go brakowało.

Niekiedy zastanawiała się, co by powiedział na jej przeprowadzkę do Memphis, i szybko dochodziła do wniosku, że zaufałby jej instynktowi. Zawsze wierzył w jej rozsądek i zdolności. Wierzyli w siebie nawzajem.

Kevin był jej opoką – zapewnił solidną podstawę, na której Stella mogła budować swoje życie po dzieciństwie pełnym niepokojów i buntu.

Ale ślepy los zgruchotał tę bazę – zabrał mężczyznę, którego kochała. Jej najlepszego przyjaciela. Ojca jej dzieci.

Na początku rozpaczała, szybko jednak pojęła, że teraz ona musi stać się opoką dla chłopców, musi zapewnić im dobre, stabilne życie.

Kiedy Gavin i Luke zasnęli, a w kominku jeszcze płonął ogień (już pierwszego wieczoru postanowiła, że we własnym domu też będzie miała kominek w sypialni), rozsiadła się na łóżku z laptopem na kolanach. Może nie było to najbardziej profesjonalne miejsce do pracy, ale Stella uznała, że nie powinna prosić Roz o dodatkowy pokój na domowe biuro. Przynajmniej na razie.

Szybko przebiegła przez listę dostawców, z którymi zamierzała się nazajutrz skontaktować telefonicznie, raz jeszcze przejrzała plany nowej ekspozycji akcesoriów ogrodowych i roślin doniczkowych. Sprawdziła, czy nowy, kolorystyczny system znakowania cen jest już gotowy do wdrożenia. Postanowiła w najbliższych dniach zainstalować komputerowy program przyspieszający wystawianie i rozliczanie faktur.

Musi też niezwłocznie pomówić z Roz na temat zatrudnienia pracowników sezonowych – ustalić ich liczbę oraz obowiązki.

A przede wszystkim musi wreszcie dorwać tego architekta krajobrazu. Żaden człowiek nie jest chyba tak zajęty, by nie mieć czasu na oddzwonienie przez cały cholerny tydzień. Zapisała w notesie wielkimi literami „Logan Kitridge", po czym jeszcze podkreśliła nazwisko grubą kreską.

Zerknęła na zegarek i doszła do wniosku, że następnego dnia będzie lepiej pracować, jeśli przez noc dobrze się wyśpi.

Przeniosła laptop na komodę i podłączyła do ładowarki. Potem starannie zmyła makijaż i zaczęła pilnie oglądać twarz w lustrze, sprawdzając, czy nie pojawiły się nowe zmarszczki. Następnie równie starannie wklepała emulsję nawilżającą, a także krem wokół oczu i ust, które trzymała równiutko ustawione na toaletce.

Jakże żałowała, że nie jest piękniejsza – nie ma bardziej regularnych rysów i innego koloru włosów. Kiedyś próbowała je nawet ufarbować na ciepły brąz, ale skończyło się to katastrofą. Cóż, będzie więc musiała żyć z tym, czym obdarzyła ją matka natura.

Gdy tak wpatrywała się w lustro, niespodziewanie odniosła wrażenie, że z pokoju chłopców dobiega cichy śpiew. Ktoś nucił łagodnym, rozmarzonym głosem jakąś senną kołysankę.

Zastanawiając się, co na Boga skłoniło Roz do śpiewania Gavinowi i Luke'owi po jedenastej w nocy, ruszyła w stronę drzwi łączących pokoje.

Gdy je otworzyła, nucenie ustało. W łagodnym świetle nocnej lampki z Harrym Potterem na abażurze zobaczyła swoich synków pogrążonych we śnie.

– Roz? – spytała szeptem i weszła do środka.

Nie ujrzała Rosalind, poczuła natomiast dojmujący chłód. Szybko sprawdziła drzwi wychodzące na taras, ale były szczelnie zamknięte, a blokada nie została zdjęta. Podobnie rzecz się miała ze wszystkimi oknami.

Stella ściągnęła w zamyśleniu brwi. Była gotowa przysiąc, że słyszała dochodzący stąd śpiew. Że wchodząc tu, poczuła coś dziwnego. Teraz jednak po chłodzie nie pozostało ani śladu, a w pokoju rozlegały się jedynie rytmiczne oddechy dzieci.

Stella otuliła chłopców szczelniej kołdrami i delikatnie ucałowała każdego w czoło.

Po czym wyszła, cicho zamykając za sobą drzwi.

Następnego ranka działo się tak wiele, że całkiem zapomniała o wieczornej przygodzie. Najpierw Luke nie mógł znaleźć swojej ulubionej, przynoszącej szczęście koszuli. Potem Gavin wdał się w pojedynek zapaśniczy z Parkerem w czasie porannego spaceru i trzeba go było szybko przebrać. W rezultacie Stella z trudem zdołała wypić kilka łyków kawy przed wyjściem.

– Powiesz Roz, że dzisiaj wcześniej zaczęłam pracę? – poprosiła Davida. – Chcę przygotować ekspozycję na otwarcie o dziesiątej.

– Roz wyszła godzinę temu.

– Godzinę temu?! – Stella zerknęła na zegarek. Dotrzymanie kroku szefowej stało się jej życiową ambicją, do tej pory jednak wciąż niespełnioną. – Czy ona w ogóle sypia?

– Znasz to powiedzenie, że tylko ranny ptaszek zawsze złapie smakowitego robaczka? Ona wstaje o takiej porze, że może go nie tylko złapać, ale ugotować w pysznym śliwkowym sosie na śniadanie.

– Fuj. Ohyda. Muszę lecieć. – Ruszyła ku drzwiom, zatrzymała się jednak przed wyjściem. – David, czy z dziećmi wszystko w porządku? Powiedziałbyś mi, gdyby coś było nie tak, prawda?

– Oczywiście. Możesz być pewna, że zapewniam im wspaniałe rozrywki. Na przykład dzisiaj po szkole będą musieli wynaleźć w domu jak najwięcej przedmiotów, którymi można wydłubać komuś czy sobie oko. Potem przejdziemy do materiałów łatwo palnych.

– Dzięki. Bardzo mnie pocieszyłeś. – Schyliła się i poklepała Parkera po łbie na do widzenia. – Miej oko na tego faceta – przykazała psu.

Logana Kitridge'a gonił czas. Ostatnie deszcze uniemożliwiły mu pracę we własnym ogrodzie i teraz najprawdopodobniej będzie musiał – już kolejny raz – odłożyć realizację kilku bardziej skomplikowanych elementów projektu, bo inaczej nie zdoła się wywiązać ze swoich zawodowych obowiązków.

W gruncie rzeczy nie przejmował się tak bardzo, że prace na jego własnym terenie rozciągną się w czasie. Osobiście uważał, że kształtowanie krajobrazu jest nigdy niekończącym się procesem. I tak właśnie powinno być. Poza tym, kiedy pracuje się z naturą, to natura dyktuje warunki. A to kapryśny i wymagający, choć wyjątkowo fascynujący zarządca.

Trzeba trwać nieustannie w pogotowiu, godzić się na kompromisy i być elastycznym w działaniu. Planowanie w kategoriach absolutnych w żadnym razie nie wchodziło w grę, jeżeli człowiek nie chciał nieustannie się denerwować – a Logan uważał, że i bez tego na świecie dość jest frustrujących rzeczy.

Skoro jednak natura postanowiła obdarzyć go pogodnym dniem, zdecydował, że część czasu wykorzysta na pracę we własnym ogrodzie. A to oznaczało również pracę w samotności – co zresztą lubił najbardziej. Będzie musiał jednak wykroić sobie trochę czasu, by wpaść do klienta i sprawdzić, jak się spisuje jego dwóch pracowników.

Oznaczało to również zajrzenie do Roz, by wziąć z centrum drzewa, które wybrał do swojego prywatnego ogrodu. Zawiezie je od razu do siebie, by wsadzić do ziemi jeszcze przed południem.

No może przed wybiciem pierwszej. Lub najdalej drugiej.

W żadnym razie jednak nie mógł znaleźć czasu dla tej nowej pani menedżer, którą właśnie zatrudniła Roz. Logan nie pojmował, po co w ogóle szefowa chciała mieć kogoś na takim stanowisku i czemu, do diabła, na dodatek przyjęła Jankeskę! Przecież Rosalind Harper doskonale prowadziła własny interes i ostatnią osobą, jakiej potrzebowała, była jakaś baba, która z pewnością tylko schrzani sprawnie działający system.

Logan lubił współpracę z Roz. Była rzeczową kobietą i nigdy nie wściubiała nosa w dziedzinę, którą mu powierzyła. Podobnie jak on kochała swoją pracę i miała do niej prawdziwy talent. Kiedy przedstawiało jej się różne sugestie, słuchała uważnie i starannie analizowała argumenty.

Do tego dobrze płaciła i nie czepiała się szczegółów.

Teraz Logan już wiedział – był tego absolutnie pewien – że ta nowa zacznie uprzykrzać mu życie. W ciągu ostatnich kilku dni codziennie zostawiała mu na sekretarce wiadomości na temat jakichś cholernych godzin pracy, systemu fakturowania i inwentaryzacji sprzętu.

Zawsze miał gdzieś podobne ceregiele i nie zamierzał zmieniać swojego nastawienia.

Do diabła, on i Roz współpracowali harmonijnie i potrafili zadowolić klientów. Po co więc zmieniać coś, co dobrze funkcjonowało?

Przejechał swoją ciężarówką przez parking, minął pryzmy ściółki i piasku oraz sągi drewna budowlanego, po czym zatrzymał przy rampie załadunkowej.

Już jakiś czas temu wybrał i oznakował te egzemplarze, które wpadły mu w oko, postanowił jednak raz jeszcze się rozejrzeć. Dojrzał parę młodziutkich świerków kanadyjskich i pomyślał, że może je też zabierze.

Harper zrobił dla niego parę szczepek wierzby i przygotował peonie. Będzie można je zasadzić już na wiosnę, razem z kilkoma hybrydami krzewinek, które pomogła mu wyhodować Roz.

Kiedy jednak zaczął się przechadzać wśród rzędów posadzonych w donicach drzewek i krzewów, od razu się zorientował, że coś jest nie w porządku. Nic nie stało na swoim miejscu! Gdzie podziały się jego derenie? Gdzie, do diabła, rododendrony i wawrzyny, które dla siebie wybrał? Gdzie jego cholerna magnolia?

Ze złością spojrzał na wierzbę amerykańską, po czym starannie zaczął przeszukiwać cały sektor.

Wszystko pozamieniane miejscami. Drzewa i krzewy nie były już połączone w interesujące, eklektyczne grupy, ale ustawione pod sznurek niczym armia rekrutów. I do tego, na rany Chrystusa, w porządku alfabetycznym! Według ich cholernych łacińskich nazw systemowych.

W końcu znalazł swoje drzewa i – kipiąc z wściekłości – załadował je na ciężarówkę. Klnąc pod nosem, postanowił także, że od razu wykopie rośliny, które wybrał dla siebie, ale jeszcze zostawił na rabacie. U niego będą o wiele bezpieczniejsze.

Przedtem jednak znajdzie Roz i zrobi porządek z tym bałaganem.

Stojąc na drabinie, uzbrojona w szczotkę i wiadro pełne pienistego detergentu, Stella energicznie szorowała najwyższą półkę regału, który właśnie opróżniła. Jeszcze trochę wysiłku i będzie mogła ułożyć towar. Postanowiła, że znajdą się tu – ustawione według kolorów – doniczki w różnych rozmiarach oraz inne akcesoria: wiązki rafii, dekoracyjne spryskiwacze, kamienie dla florystów i tym podobne.

To powinno pobudzić klientów do zakupów pod wpływem impulsu – czystego, wizualnego bodźca.

Wszystkie pożywki, nawozy, preparaty odstraszające szkodniki przesunie pod boczną ścianę. Klienci przychodzą specjalnie po te podstawowe artykuły, więc nie ma potrzeby szczególnie ich eksponować. Żeby do nich dotrzeć, trzeba będzie przejść przez miejsce, które zamierzała zapełnić dzwonkami powietrznymi. Postanowiła też, że ustawi tu ławkę i wielki, kamienny pojemnik na dodatki zielne. Kiedy wprowadzi już te wszystkie zmiany, klienci będą przechodzić przez sekcję z roślinami doniczkowymi do sekcji z donicami odpowiednimi na patio i tarasy, aby dopiero na końcu dotrzeć do roślin rabatowych.

Usłyszała za plecami odgłos zbliżających się kroków i odgarnęła włosy z twarzy.

– Jest coraz lepiej – rzuciła. – Wiem, że jeszcze tego nie widać...

Na jego widok urwała w pół zdania.

Nawet stojąc na drabinie, czuła się jak karzełek. Ten facet z pewnością miał ze dwa metry wzrostu, był potężny, muskularny i żylasty. Nosił wyblakłe dżinsy poplamione na jednej nogawce i biały t-shirt pod flanelową koszulą. Jego buty sprawiały wrażenie tak zniszczonych, że już dawno temu powinien się nad nimi zlitować i urządzić im przyzwoity pochówek. Włosy miał tego samego ciepłobrązowego koloru, na jaki kiedyś ufarbowała swoje.

Nie nazwałaby go pięknym mężczyzną – wszystko w jego twarzy było surowe i kanciaste – od ostrego nosa i wydatnych kości policzkowych po mocno zarysowaną szczękę i wyraz oczu. Były zielone, ale w innym odcieniu niż oczy Kevina. Pod prostą linią gęstych brwi zdawały się jarzyć.

Uśmiechnęła się, zastanawiając się przy tym gorączkowo, gdzie jest Roz lub Harper.

– Przepraszam, ale jeszcze nie pracujemy. Czy mogłabym panu w czymś pomóc?

Jak dobrze znał ten chłodny głos. Dźwięczał w tych wszystkich denerwujących wiadomościach na temat planów organizacyjnych i zwiększania wydajności.

Słuchając głosu, zupełnie inaczej sobie wyobrażał tę kobietę. W każdym razie na pewno nie spodziewał się rudzielca z szopą kręconych włosów, związanych jakąś idiotyczną chustką, ani tego wyrazu nieufności w dużych niebieskich oczach.

– Poprzestawiałaś moje drzewa!

– Przepraszam?

– Rzeczywiście, masz za co przepraszać. Żebyś więcej tego nie robiła.

– Nie mam pojęcia, o czym pan mówi. – Na wszelki wypadek zacisnęła mocniej palce na rączce wiadra i zeszła z drabiny. – Czy zamawiał pan jakieś drzewa? Jeśli zechce pan podać swoje nazwisko, może uda mi się odszukać zamówienie. Właśnie wprowadzamy nowy system, więc...

– Ja nie muszę niczego zamawiać. A na dodatek cholernie nie podoba mi się ten twój nowy system. Co ty tu w ogóle wyprawiasz? Jak mam teraz cokolwiek znaleźć?

– Myślę, że będzie najlepiej, jeśli wróci pan, jak już otworzymy. W zimie zaczynamy pracę o dziesiątej. Gdyby podał mi pan swoje nazwisko... – Przesunęła się w kierunku telefonu.

– Kitridge, i ty powinnaś wiedzieć to najlepiej, skoro niemal od tygodnia zawracasz mi głowę.

– Nie mam pojęcia... ach, tak. Kitridge. – Słysząc znajome nazwisko, Stella nieco się rozluźniła. – Architekt krajobrazu. W żadnym razie nie zawracałam panu głowy – oświadczyła gniewnie, gdy wreszcie pojęła, z kim rozmawia. – Próbowałam się z panem skontaktować, żebyśmy mogli umówić się na spotkanie. Nie był pan jednak łaskaw odpowiedzieć na moje telefony. Mam nadzieję, że w stosunku do klientów nie jest pan tak arogancki jak w stosunku do współpracowników.

– Arogancki? Siostro, ty jeszcze nie wiesz, co to znaczy być aroganckim.

– Mam dwóch synów, wiem więc dostatecznie dużo. Roz zatrudniła mnie, żebym wprowadziła w „Edenie" jakiś ład i porządek, żeby nie musiała myśleć o problemach systemowych...

– Systemowych? – Uniósł w górę oczy, jakby wołał o pomstę do nieba. – Jezu, czy ty zawsze gadasz w taki sposób?

Stella wzięła głęboki oddech, by uspokoić nerwy.

– Panie Kitridge, mam tu do wykonania określoną pracę. Do moich obowiązków należy również zajmowanie się działem architektury krajobrazu. A jest to dziedzina bardzo ważna, przynosząca spore dochody.

– Święta prawda. Tyle że to moja cholerna sekcja.

– Która przypomina obłąkany cyrk. To kpina, nie zarządzanie. Co chwila natykam się na jakieś odręcznie nabazgrane zamówienia i faktury – jeśli w ogóle te świstki można nazwać fakturami.

– I co z tego?

– To, że gdyby zechciał pan odpowiedzieć na moje telefony, miałabym szansę panu wyjaśnić, jak od tej pory będzie funkcjonować ta sekcja.

– Doprawdy? – Pomimo miękkiej wymowy południowca, w tonie mężczyzny zabrzmiała złowieszcza nuta.

– Owszem. Nowy system sprawdza się doskonale. Skomputeryzowane fakturowanie, inwentaryzacja zasobów oraz list klientów – wszystko to zaoszczędzi panu wiele czasu, poza tym...

Logan leniwie szacował ją wzrokiem. Była od niego co najmniej trzydzieści centymetrów niższa i pięćdziesiąt kilogramów lżejsza. Miała ponętne, wyjątkowo pełne usta, które chyba nigdy się nie zamykały. Jakże można tyle gadać?

– Jakim cudem, do cholery, ślęczenie pół dnia przed komputerem miałoby mi czegokolwiek zaoszczędzić?

– Tak właśnie będzie, gdy tylko do komputera zostaną wprowadzone odpowiednie dane. Natomiast teraz, jak mi się zdaje, wszystkie najważniejsze informacje upycha pan na karteluszkach i po kieszeniach lub przechowuje jedynie w swojej pamięci.

– I co z tego? Jeżeli mam coś w kieszeni, bez trudu mogę to znaleźć w dowolnej chwili. Z moją pamięcią jak na razie też wszystko jest w porządku.

– Tylko że jutro może pan wpaść pod ciężarówkę i następnych pięć lat spędzić w stanie śpiączki. – Piękne usta rozciągnęły się w lodowatym uśmiechu. – I z czym wówczas zostaniemy?

– Jeśli znajdę się w stanie śpiączki, nie będę się musiał tym przejmować. A teraz chodź ze mną.

Chwycił ją za rękę i pociągnął w stronę drzwi.

– Chwileczkę! – wykrzyknęła, teraz już nie na żarty przestraszona.

– To sprawa zawodowa – oznajmił, szarpnięciem otwierając drzwi i wlokąc ją za sobą. – Nie zamierzam ciągnąć cię do jakiejś jaskini.

– W takim razie proszę mnie puścić.

Jego ręka była jak żelazne kleszcze. Poza tym stawiał tak długie, szybkie kroki, że aby nie zaryć nosem w żwir, musiała podążać za nim uchybiającym godności truchcikiem.

– Tylko spójrz na to – zarządził, wskazując gestem na sektor, w którym stały drzewka i krzewy.

– O co chodzi? – spytała zdyszana i całkiem zdezorientowana.

– Tu panuje kolosalny bałagan.

– Wręcz przeciwnie. Cały dzień spędziłam na doprowadzeniu tego działu do porządku. – Ból w mięśniach był najlepszym dowodem. – Nasz towar jest starannie posegregowany, więc gdy klient poszukuje ozdobnego drzewa, znajdzie je bez najmniejszego trudu. Gdy natomiast chciałby kupić krzew kwitnący wiosną lub...

– Te wszystkie rośliny stoją jak pod sznurek. Czegoś ty, do cholery, używała, poziomicy? Jak teraz ktokolwiek może sobie wyobrazić, co ma zrobić, by różne gatunki dobrze ze sobą współgrały?

– To będzie należało do obowiązków pracowników – także pańskich. Jesteśmy od tego, by przedstawiać klientom różne opcje, a także zaspokajać ich życzenia. Jeżeli mieliby błądzić godzinami tylko dlatego, że nie mogą znaleźć głupiej hortensji...

– Po drodze jednak zapewne natknęliby się na kamelie lub tawuę, które mogłyby im również przypaść do gustu.

Niewątpliwie miał w pewnym sensie rację i ten argument należało wziąć pod uwagę. Stella ostatecznie nie była idiotką.

– Równie dobrze jednak mogą wyjść z pustymi rękami tylko dlatego, że nie znajdą szybko tego, na czym im najbardziej zależy. Dobrze wyszkoleni pracownicy powinni umiejętnie wybadać klienta, a także podsunąć mu dodatkowe propozycje. Jeden i drugi system ma swoje mocne i słabe punkty, ja jednak wolę ten, który właśnie zaczęłam tu wdrażać. A to do mnie należy ostateczne słowo w tej sprawie. Przynajmniej na razie. Więc jeśli zechciałby pan...

– Nie zechciałbym. – Odwrócił się i ruszył ku swojej ciężarówce.

– Proszę poczekać. – Puściła się za nim biegiem. – Musimy porozmawiać o nowych formularzach zakupów i nowym systemie fakturowania.

– Przyślij mi cholerne memo. Chyba tak właśnie nazywa się to w twoim świecie.

– Nie mam ochoty wysyłać panu żadnego cholernego memo. Poza tym, co pan wyprawia z tymi drzewkami?

– Zabieram je do domu. – Wskoczył do kabiny samochodu.

– Co to znaczy: „zabieram je do domu"? Nie mam na to żadnych dokumentów!

– Ja też. – Trzasnął drzwiami, po czym nieznacznie uchylił szybę. – Odsuń się, Rudzielcu. Chyba nie chcesz, żebym przejechał ci po palcach, co?

– Proszę posłuchać. Nie może pan zabierać towaru, kiedy tylko ma pan na to ochotę!

– Wyjaśnij tę kwestię z Roz. O ile ona ma tu jeszcze cokolwiek do powiedzenia. Jeśli nie, dzwoń na policję. – Włączył silnik, a gdy odskoczyła, wrzucił wsteczny bieg i odjechał z piskiem opon.

Zarumieniona z gniewu Stella weszła z powrotem do budynku. Rzeczywiście powinna dać mu popalić i zadzwonić na policję. Gdy już niemal sięgała po słuchawkę, Roz otworzyła drzwi.

– Czy to była ciężarówka Logana?

– Czy on ma bezpośredni kontakt z klientami?

– Oczywiście. A o co chodzi?

– W takim razie to szczęście, że nikt do tej pory nie pozwał cię do sądu. Wpada tutaj jak burza, po czym cały czas ma pretensje i klnie. Cholerny gbur! – Te słowa mruknęła pod nosem. – Nie aprobuje tego, nie pochwala tamtego, w zasadzie nic mu się nie podoba. A potem odjeżdża z ciężarówką pełną drzewek i krzewów.

Roz w zamyśleniu zaczęła rozcierać ucho.

– Przyznaję, że Logan miewa swoje humory.

– Humory? Co prawda widziałam tylko jeden z nich, ale to mi wystarczyło. – Stella gwałtownym ruchem zerwała chustkę przytrzymującą włosy.

– Zdaje się, że cię wkurzył.

– I to wyjątkowo. Roz, przecież ja tylko próbuję wykonywać swoją pracę.

– Wiem. I zdaje się, że do tej pory nie usłyszałaś ode mnie ani słowa skargi czy komentarza, który można by uznać za... pieprzoną gburowatość.

– Nie! Ależ skąd. W żadnym razie nie miałam na myśli... o, rany...

– Znaleźliśmy się wszyscy w szczególnym okresie – nazwijmy go przejściowym. Niektórzy szybko i gładko przystosowują się do zmian, innym zaś przychodzi to z trudem. Podobają mi się twoje pomysły i jestem gotowa sprawdzić je w praktyce. Logan natomiast zawsze robił wszystko po swojemu – co nigdy mi nie przeszkadzało. Współpraca między nami układała się zawsze harmonijnie.

– Załadował na samochód sporą partię towaru. Jak mam skutecznie monitorować zasoby, jeśli nie wiem, co zabrał i dlaczego? Roz, ja potrzebuję na wszystko potwierdzenia w dokumentach.

– Przypuszczam, że wziął rośliny, które wybrał do swojego prywatnego ogrodu. Jeśli zabrał coś innego, z pewnością mnie o tym poinformuje. Choć oczywiście, nie powinno to się odbywać w podobny sposób – dodała, zanim Stella zdążyła cokolwiek powiedzieć. – Porozmawiam z nim, ale myślę, że i ty powinnaś się wykazać nieco większą elastycznością. Już nie jesteś w Michigan. Tu życie toczy się na nieco innych zasadach. Ale nie chcę cię dłużej zanudzać. Widzę, że masz jeszcze wiele pracy.

– Roz? Wiem, że potrafię być strasznie upierdliwa, ale naprawdę zależy mi, by twój interes doprowadzić do jeszcze większego rozkwitu.

– Tak. Zdaję sobie doskonale sprawę z jednego i drugiego.

Gdy Stella została sama, przez jakiś czas jeszcze płonęła gniewem. Chwyciła wiadro i ponownie weszła na drabinę. Przez niespodziewane spotkanie z Loganem Kitridge'em zawaliła swój harmonogram zajęć.

– Nie znoszę jej – oznajmił Logan, rozsiadłszy się w salonie Roz ze szklanką piwa w dłoni. – Jest zimna, apodyktyczna, zarozumiała i krzykliwa. – Na widok uniesionych sceptycznie brwi swej pracodawczyni wzruszył ramionami. – No, dobra, może nie jest krzykliwa. Ale i tak cała reszta jest nie do zniesienia.

– Ja natomiast bardzo ją lubię. Cenię jej entuzjazm i zaangażowanie. Poza tym potrzebuję kogoś, kto zajmie się szczegółami, Loganie. Ten interes zaczyna mnie przerastać. Dlatego chciałabym, żebyście oboje spróbowali spotkać się gdzieś w pół drogi.

– Ta kobieta nie uznaje żadnych półśrodków. To ekstremistka. A ja nie ufam takim kobietom.

– Mnie jednak ufasz.

Zapatrzył się smętnie w swoje piwo. To była prawda. Gdyby nie miał zaufania do Roz, nigdy nie zacząłby u niej pracować, bez względu na to, jak lukratywnymi ofertami machałaby mu przed nosem.

– Ona wkrótce zażąda, byśmy wszystkie dokumenty składali w trzech kopiach i na dodatek pisemnie oświadczali, o ile centymetrów przycięliśmy gałęzie jakiegoś cholernego krzaka – odezwał się w końcu.

– Jestem przekonana, że do tego nie dojdzie – rzuciła uspokajającym tonem Roz, po czym oparła nogi na niskim stoliku i pociągnęła spory łyk piwa.

– Roz, jeśli już musiałaś zatrudnić jakiegoś menedżera, czemu nie zdecydowałaś się na kogoś z Memphis? Na kogoś, kto rozumie naszą mentalność i zwyczaje?

– Bo chciałam zatrudnić właśnie ją. I kiedy już zejdzie do nas, będziemy się wszyscy zachowywać jak na cywilizowanych ludzi przystało, a potem zjemy wspólnie kolację w miłej atmosferze. Nie obchodzi mnie, czy się lubicie. Ale musicie nauczyć się pokojowo ze sobą współdziałać.

– Trudno. Ty jesteś tu szefem.

– To prawda. – Poklepała go przyjaźnie po udzie. – Harper też przyjdzie. Zmusiłam go do tego poważnymi groźbami.

Logan dumał ponuro jeszcze przez chwilę.

– Naprawdę ją lubisz? – zapytał w końcu.

– Naprawdę. Poza tym brakowało mi towarzystwa jakiejś kobiety. W każdym razie kobiety, która nie jest bezmyślną idiotką. Stella przeszła ostatnio trudny okres w życiu, Loganie. Straciła męża w tak młodym wieku... dobrze wiem, co to znaczy. A mimo to się nie załamała, ruszyła odważnie naprzód. Dlatego, owszem, lubię ją.

– W takim razie, przez wzgląd na ciebie, postaram się ją jakoś tolerować.

– Potrafisz być doprawdy słodki. – Roz roześmiała się i cmoknęła go w policzek.

– Tylko dlatego, że cię uwielbiam.

Stella podeszła do drzwi akurat w chwili, gdy Logan ściskał dłoń Roz i głęboko patrzył jej w oczy.

Szlag by to trafił, pomyślała. Wdała się w kłótnię, obrzuciła inwektywami kochanka swojej pracodawczyni, a potem jeszcze długo na niego narzekała.

Pomimo ostrego działania adrenaliny, lekko popchnęła przed siebie chłopców i wkroczyła do salonu, zmuszając się do promiennego uśmiechu.

– Przepraszam za spóźnienie, ale w trakcie odrabiania lekcji wystąpił drobny kryzys. Witam pana, panie Kitridge. Chciałabym przedstawić moich chłopców. Oto Gavin i Luke.

– Jak leci? – spytał Logan, miło zaskoczony wyglądem dzieci. Sprawiały wrażenie całkiem normalnych, on tymczasem byłby wcześniej przysiągł, że ta kobieta jest w stanie wyprodukować jedynie ugrzecznione półautomaty.

– Rusza mi się ząb – oznajmił Luke.

– Tak? No to niech mu się przyjrzę. – Logan odstawił piwo i z poważną miną zaczął się przyglądać, jak ząb Luke'a chwieje się pod naciskiem języka. – Super. Wiesz, co? W mojej skrzynce z narzędziami na pewno znajdą się jakieś obcęgi. Jedno dobre szarpnięcie i będzie po kłopocie.

– Pan Kitridge tylko żartuje – wtrąciła natychmiast Stella, zwracając się w stronę chłopca, który tymczasem wpatrywał się w mężczyznę zafascynowany. – Twój ząb sam wypadnie w odpowiednim czasie.

– A kiedy wypadnie, przyjdzie po niego Zębowa Wróżka i zostawi mi w zamian dolca.

Logan z trudem zachował powagę.

– Dolca, powiadasz? To niezły interes.

– Kiedy ząb wypada, to leci trochę krwi, ale ja się wcale nie boję.

– Pani Roz? Czy możemy iść do kuchni, do Davida? – spytał Gavin, zerkając na Stellę spod oka. – Mama powiedziała, że musimy najpierw zapytać panią o pozwolenie.

– Jasne, biegnijcie.

– Tylko żadnych słodyczy przed kolacją! – zawołała za chłopcami Stella.

– Logan, może nalejesz Stelli kieliszek wina?

– Proszę nie wstawać. Sama się obsłużę.

Teraz, w salonie, nie wyglądał już na aroganckiego dupka. Nic dziwnego, że Rosalind uważała go za pociągającego mężczyznę. Oczywiście, jeśli gustowało się w takich supersamcach.

– Czy mi się wydawało, czy Harper też miał się zjawić? – spytała Stella.

– Na pewno w końcu przyjdzie – odrzekła Roz. – Najpierw jednak się przekonajmy, czy umiemy być mili dla siebie nawzajem. Myślę, że powinniśmy zająć się tym przed kolacją, by potem cieszyć się posiłkiem i nie narazić na niestrawność. A więc do rzeczy. Stella zarządza zaopatrzeniem i sprzedażą, dba o to, by wszystko funkcjonowało gładko z dnia na dzień. I ja, i ona – przynajmniej na razie – będziemy zarządzać personelem, natomiast Harper wraz ze mną będzie odpowiedzialny za rośliny.

Pociągnęła łyk piwa i spojrzała po twarzach pozostałych – chociaż dobrze wiedziała, że nikt nie ośmieli się wejść jej w słowo.

– Logan zarządza samodzielnie działem architektury krajobrazu. W związku z tym cieszy się pewnymi przywilejami: może składać specjalne zamówienia, ma pierwszeństwo wyboru roślin spośród naszych zasobów, organizuje zakup bądź wynajem koniecznego sprzętu i materiałów. Natomiast zmiany wprowadzone przez Stellę – które, nawiasem mówiąc, zostały w pełni przeze mnie zaaprobowane – mają być respektowane przez wszystkich pracowników. Przynajmniej do czasu, aż uznam, że coś nie spełnia swojego zadania bądź nie odpowiada mi osobiście. Czy jak do tej pory wszystko jasne?

– Całkowicie – oświadczyła chłodno Stella.

Logan jedynie wzruszył ramionami.

– To zaś oznacza, że będziecie musieli ściśle ze sobą współpracować w dziedzinach, które – siłą rzeczy – w takim czy innym stopniu się zazębiają. Sama zbudowałam „Eden" od podstaw, i mogłabym nim zarządzać, gdybym została do tego zmuszona. Tyle że wolałabym tego nie robić. Chciałabym mieć u boku was oboje oraz Harpera, abyśmy wspólnie mogli dzielić między siebie odpowiedzialność i obowiązki. Możecie sprzeczać się do woli, mnie to nie przeszkadza. Natomiast bezwzględnie musicie wypełniać swoje zadania.

Jednym długim łykiem dopiła piwo.

– Jakieś pytania? Uwagi? – Zgodnie z przewidywaniami, odpowiedziała jej cisza. – Doskonale. W takim razie siadajmy do kolacji.

# 5

Ostatecznie ten wieczór okazał się całkiem przyjemny. Żaden z synów nie porozrzucał jedzenia na obrus ani nie zaczął głośno mlaskać, co według standardów Stelli zawsze zasługiwało na pochwałę. Rozmowa przy stole była swobodna, a nawet chwilami ożywiona – szczególnie, gdy chłopcy odkryli, że pan Kitridge ma takie samo imię jak X-Man Wolverine.

To w ich oczach uczyniło z niego bohatera, a ów podziw wzrósł jeszcze bardziej, kiedy się okazało, że Logan jest równie zagorzałym fanem komiksów jak Gavin.

– Wie pan, myślę, że gdyby Hulk i Spiderman musieli ze sobą walczyć, to Spidey na pewno by wygrał.

Logan odkroił kawałek krwistej pieczeni wołowej i z powagą pokiwał głową.

– Bo Spiderman jest szybszy i zwinniejszy. Gdyby jednak Hulk go dorwał, ze Spideya zostałby tylko mokry placek. – Gavin nadział na widelec mały ziemniak i uniósł w górę, niczym głowę wroga nabitą na włócznię. – No a gdyby Hulk znalazł się pod wpływem jakiegoś naprawdę złego gościa, takiego jak na przykład...

– Mister Hyde?

– No właśnie! Mister Hyde. To wtedy Hulk musiałby zacząć ścigać Spidermana. Choć i tak uważam, że Spidey by wygrał.

– To dlatego właśnie Spiderman jest zachwycający, a Hulk jedynie zdumiewający – stwierdził Logan. – Żeby pokonać zło, trzeba się wykazać czymś więcej niż tylko potężnymi mięśniami.

– Aha. Trzeba być odważnym i mądrym, i w ogóle.

– Najmądrzejszy jest Peter Parker – oznajmił Luke i, naśladując brata, zaczął również wywijać nabitym na widelec kawałkiem ziemniaka.

– Bruce Banner też jest sprytny – oznajmił Logan. Widząc, jak wymachiwanie kartoflami bawi chłopców, także uniósł widelec. – Bo zawsze jakoś udaje mu się znaleźć odpowiednie ubranie, kiedy już przestaje być Hulkiem.

– Gdyby był naprawdę taki inteligentny – wtrącił Harper – wynalazłby jakiś sposób, aby rozciągać swoje ubrania, kiedy staje się tym zielonym monstrum.

– Och, wy, naukowcy – westchnął ciężko Logan. – Nigdy nie godzicie się z prozaicznością.

– Czy „prozaiczność" to jakiś czarny charakter? – zainteresował się Luke.

– Prozaiczny oznacza codzienne, zwyczajne sprawy – wyjaśniła Stella. – Na przykład, o wiele bardziej prozaiczne wydaje się jedzenie ziemniaków niż wymachiwanie nimi nad głową. Ale z przykrością muszę cię poinformować, że jest to jednocześnie o wiele grzeczniejsza forma zachowania przy stole.

– Uch. – Luke posłał matce rozbrajający uśmiech i zrzucił ziemniak z widelca na talerz. – W porządku.

Po kolacji Stella od razu poszła do siebie, wymawiając się koniecznością położenia synów do łóżek. Musiała ich wykąpać, odpowiedzieć na codzienną porcję niezliczonych pytań, a potem spokojnie poczekać, aż chłopcy wyrzucą z siebie energię całego dnia – co z reguły polegało na bieganiu bez piżam po pokoju.

Następnie nadchodził jej ulubiony czas. Stawiała krzesło między łóżkami i czytała dzieciom na dobranoc, podczas gdy Parker pochrapywał u jej stóp. Ostatnio czytali o koniu zwanym Majestic. Kiedy Stella zamknęła książkę, zakończywszy kolejny rozdział, chłopcy tradycyjnie zaczęli prosić o jeszcze trochę.

– O dalszych przygodach poczytamy jutro, bo teraz nadszedł czas na całuski.

– Tylko nie całuski! – Gavin przewrócił się na brzuch i schował twarz w poduszkę. – Ja nie chcę żadnych całusków.

– Nie masz innego wyjścia! Musisz się poddać. – Zaczęła pokrywać tył jego głowy pocałunkami, chłopiec zaś skręcał się ze śmiechu.

– A teraz czas na moją drugą ofiarę. – Stella zwróciła się w stronę Luke'a, teatralnie zacierając dłonie.

– Poczekaj, mamusiu! Poczekaj. – Luke wyciągnął ręce przed siebie, by odeprzeć atak. – Czy myślisz, że mój ząb wypadnie już tej nocy?

– Niech zerknę na niego raz jeszcze. – Usiadła przy synku na brzegu łóżka i z poważną miną przyglądała się, jak językiem dotykał zęba. – Myślę, że to całkiem możliwe.

– Czy w zamian mogę dostać konia?

– Koń nie zmieściłby się pod poduszką.

Luke wybuchnął śmiechem, a Stella zaczęła całować jego policzki, czoło i usta.

W końcu podniosła się i zgasiła górne światło.

– Wolno wam śnić tylko o fajnych rzeczach.

– Ja będę śnił, że dostaję konia, bo czasami sny się spełniają w prawdziwym życiu.

– To prawda. Niekiedy się spełniają. A teraz dobranoc.

Poszła do siebie, ale wciąż słyszała szepty dochodzące z pokoju chłopców. Przez ostatnie dwa lata – od śmierci Kevina – był to już rytuał. Na szczęście od jakiegoś czasu pośród szeptów pojawiały się też radosne chichoty.

Ona w końcu też przestała odczuwać rwący ból każdej nocy, gdy kładła się do łóżka. Owszem, tęskniła za przeszłością, ale już nie rozpaczała.

Zerknęła na laptop i przypomniała sobie natychmiast, że miała jeszcze popracować tego wieczoru, ale najpierw wyszła na taras.

Powietrze było chłodne, lecz lubiła ten chłód, idealny spokój i mrok. Wciąż jeszcze trudno jej było uwierzyć, że w środku stycznia może stać tak lekko ubrana na tarasie, i nie zmarznąć przy tym na kość. Chociaż według ostatnich prognoz pogody powinno padać, niebo było czyste i usiane gwiazdami, a w bladym świetle księżyca Stella mogła już dostrzec pierwsze pączki na kameliach.

Kwiaty w zimie! To niewątpliwa zaleta przeprowadzki na Południe.

Podobnie jak praca, którą zdążyła pokochać, mimo że była tu zaledwie od dwóch tygodni. Chciała być tutaj wiosną, zobaczyć, jak wszystko gwałtownie rozkwita. Zdała sobie z tego sprawę dopiero w czasie stanowczej przemowy Roz tego wieczoru. Zapewne zbytnio się zaangażowała. Ale na tym zawsze polegał jej problem. Cokolwiek rozpoczynała, musiała to doprowadzić do końca. Matka nazywała tę jej cechę „religijnym credo Stelli".

Tym razem jednak chodziło o coś więcej – Stella czuła się związana emocjonalnie z tym miejscem, a to zapewne było błędem. Ale nie mogła się już doczekać, kiedy stoły i donice w sklepie zaczną się uginać od rabatowych roślin, z koszy będą się zwieszać wielobarwne kwiaty, a wszędzie zaroi się od klientów.

Ponadto, czy to się spodoba Loganowi, czy też nie, postanowiła, że niedługo obejrzy jego różne dzieła oraz poobserwuje go podczas pracy. By zobaczyć, jak w praktyce funkcjonuje jego dział.

Oczywiście o ile wcześniej Logan nie namówi Roz, by wyrzuciła ją z pracy.

Tak czy owak, Stella nie mogła się zrelaksować ani skupić na obowiązkach, jeśli jak najszybciej nie wyjaśni sytuacji.

Zejdzie na dół pod pretekstem zaparzenia sobie herbaty. Jeżeli nie zauważy przed domem ciężarówki Logana, postara się zamienić z Roz parę słów.

Na dole panowała idealna cisza i nagle Stellę ogarnęło przeświadczenie, że Roz i Logan poszli razem na górę. Z jakiegoś bliżej nieokreślonego powodu nie spodobała jej się ta wizja. Przeszła na palcach do okna w salonie i wyjrzała na zewnątrz. Nie zobaczyła ciężarówki Logana, szybko jednak dotarło do niej, że przecież nie wie, gdzie zaparkował ani jakim samochodem tu przyjechał.

Musi więc poczekać do jutra. Z samego rana poprosi Roz o chwilę rozmowy i wyjaśni całą sprawę. Tak nawet będzie lepiej, bo przez noc się zastanowi, co i jak powinna powiedzieć.

Ale skoro już była na dole, zdecydowała, że jednak zaparzy sobie herbatę. Zabierze kubek na górę i spróbuje skoncentrować się na pracy.

Cicho weszła do kuchni i w tym samym momencie wrzasnęła, bo w bladej poświacie ujrzała jakąś postać. Postać odpowiedziała krzykiem i gwałtownie przycisnęła włącznik światła.

– Następnym razem lepiej od razu mnie zastrzel – powiedziała Roz, unosząc dłoń do serca.

– Przepraszam. Ty też nieźle mnie przestraszyłaś. Wiedziałam przecież, że

David pojechał poszaleć do miasta, byłam więc pewna, że nikogo tu nie zastanę.

– A tymczasem natknęłaś się na mnie. Właśnie parzę kawę.

– Po ciemku?

– Pali się światełko piekarnika. Poza tym to mój dom, wiem dobrze, gdzie co stoi. Przyszłaś pobuszować po lodówce?

– Słucham?... Nie, nie! Skądże! – Nie czuła się na tyle swobodnie w tym domu, by się odważyć na coś podobnego. – Chciałam zrobić sobie herbatę, a potem jeszcze popracować na górze.

– No to rób. A może miałabyś ochotę na kawę?

– Jeśli napiłabym się teraz kawy, już do rana nie zmrużyłabym oka.

Stella poczuła się nieswojo, stojąc w nocy pośrodku kuchni obok Roz. Przecież nie była nawet gościem tej kobiety, jedynie jej pracownicą. I choć Roz okazywała jej dużo życzliwości, nie mogła zapominać, że wszystko wokół należało do szefowej.

– Czy pan Kitridge już wyszedł?

– Najwyższy czas, żebyś zaczęła nazywać go Loganem, Stello. Forma, którą przyjęłaś, jest dla wszystkich wkurzająca.

– Przepraszam. Nie chciałam nikogo wkurzyć. – No może trochę. – Po prostu nasza znajomość zaczęła się niefortunnie, to wszystko, no i... o, dzięki – rzuciła, gdy Roz podała jej czajnik. – Zdałam sobie sprawę, że nie powinnam była tak na niego narzekać.

Nalewała wodę do czajnika, klnąc w duchu, że jednak nie przygotowała się lepiej do tej rozmowy.

– A to czemu? – spytała Roz.

– Bo przecież twój menedżer i szef ważnego działu muszą dojść ze sobą do porozumienia, by sprawnie współdziałać, a bieganie do ciebie ze skargami było kompletnie bezsensowne.

– Rozsądne podejście. Bardzo dojrzałe.

Roz oparła się o kontuar. Stella jest jeszcze bardzo młoda, pomyślała. Łączyły je wspólne, przykre doświadczenia, ale przecież było między nimi ponad dziesięć lat różnicy.

– Staram się – odparła Stella, stawiając czajnik na kuchenkę.

– Ja też kiedyś starałam się być rozsądna i dojrzała. A potem powiedziałam sobie: pieprzyć to, zakładam własny interes.

Stella odgarnęła włosy z twarzy. Jaka właściwie jest ta kobieta, która zawsze mówiła bez ogródek to, co myślała, miękkim głosem arystokratki z Południa, i nosiła – zamiast eleganckich pantofli – wiekowe, wełniane skarpety?

– Nie umiem cię przejrzeć. Nie umiem zakwalifikować, przyłożyć do ciebie odpowiedniej miary.

– A w ten sposób zazwyczaj funkcjonujesz, prawda? Wszystkich i wszystko próbujesz zaszufladkować. – Roz sięgnęła po kubek do kawy. – To bardzo cenna cecha u menedżera. Na gruncie prywatnym jednak może być irytująca.

– Nie byłabyś pierwszą osobą, którą to irytuje. – Stella wzięła głęboki oddech. – A jeśli już o gruncie prywatnym mowa, chciałabym cię dodatkowo przeprosić. Nie powinnam dziś rano wygłaszać tak przykrych uwag pod adresem Logana. Ale wówczas nie zdawałam sobie sprawy, że jesteś w tę sprawę zaangażowana emocjonalnie.

– Doprawdy? – Roz zdecydowała, że najwyższy czas pokrzepić się herbatnikiem. Zdjęła z półki puszkę, zawsze dobrze zaopatrzoną przez Davida. – A zdałaś sobie z tego sprawę wtedy, gdy...

– Gdy zeszłam na dół, tuż przed kolacją. Nie miałam zamiaru podsłuchiwać czy podglądać, ale przypadkiem spostrzegłam...

– Weź ciastko.

– Nie jadam słodyczy po...

– Bierz herbatnika – rozkazała Roz. – Logan i ja rzeczywiście jesteśmy zaangażowani emocjonalnie. Mamy wspólne cele. On u mnie pracuje, choć sam nieco inaczej to widzi. – Spojrzała na Stellę z rozbawieniem. – Uważa, że pracuje ze mną, nie u mnie, co mi zupełnie nie przeszkadza. Przynajmniej tak długo, jak robota jest wykonana solidnie i w terminie, do kasy napływają pieniądze, a klienci są w pełni zadowoleni. Poza tym jesteśmy dobrymi przyjaciółmi. Prywatnie też bardzo go lubię. Ale ze sobą nie sypiamy. W naszym zaangażowaniu nie ma ani śladu romantycznych uczuć.

– Uff – sapnęła Stella. – Ach, tak. No cóż... Przepraszam. Ależ gafa. Ktoś powinien mnie zakneblować, zanim zdążyłam otworzyć usta.

– Nie czuję się obrażona, Stello. Uważam wręcz, że mi pochlebiłaś. Obiektywnie muszę przyznać, że Logan to wspaniały mężczyzna. Choć nie patrzę na niego w taki sposób.

– Dlaczego?

Roz powoli nalewała do kubka świeżo zaparzoną kawę, Stella tymczasem zdjęła buchający parą czajnik z palnika.

– Przecież jestem od niego dziesięć lat starsza.

– A tak naprawdę?

Na twarzy Roz pojawił się cień zdumienia, a zaraz potem szczere rozbawienie.

– Masz rację. To nie jest żaden argument. Tylko że ja dwukrotnie byłam już mężatką. Jeden z tych związków był doskonały. Drugi beznadziejny. Przestałam więc szukać mężczyzny – facet w domu to straszne zawracanie głowy. Żeby związek był naprawdę udany, trzeba mu poświęcić wiele czasu i energii. A ja wolę spożytkować tę energię i czas na coś innego.

– Czy nigdy nie czujesz się samotna?

– Jasne, że tak. Chociaż dawno temu wydawało mi się, że już nigdy w życiu nie będę mogła sobie pozwolić na luksus odczuwania samotności. Wychowywałam trzech chłopców, wciąż miałam ręce pełne roboty, ciążyła na mnie wielka odpowiedzialność. A kiedy już moi synowie dorośli – choć matką jest się do końca życia, w pewnym momencie trzeba jednak się usunąć – doszłam do wniosku, że miło byłoby znowu dzielić dom i życie z mężczyzną. I popełniłam poważny błąd. – Wyraz twarzy Roz pozostał pogodny, ale w jej tonie zabrzmiała ostra, twarda nuta. – Szybko jednak go naprawiłam.

– Nie wyobrażam sobie, żebym raz jeszcze mogła wyjść za mąż – stwierdziła Stella. – Kiedy trzeba zarabiać na życie i zajmować się dziećmi, na pielęgnowanie nowego związku już nie ma czasu.

– Ja nigdy nie musiałam godzić tych wszystkich rzeczy naraz. Za życia Johna z największą przyjemnością zajmowałam się domem, dziećmi i nim samym. Kiedy zostałam jedynie z synami, jeszcze bardziej skoncentrowałam się na nich. I nigdy tego nie żałowałam. – Roz wypiła łyk kawy. – Robiłam to, co kochałam najbardziej, chciałam, żeby tak właśnie wyglądało moje życie. Karierę bizneswoman rozpoczęłam późno. Niemniej podziwiam kobiety, które umieją żonglować tym wszystkim naraz.

– Kiedyś byłam w tym dobra. To wyczerpujące, jednak przynosi wiele satysfakcji. Ale teraz? Wydaje mi się, że zatraciłam tę umiejętność. Nie zdołałabym już pracować, poświęcać czasu chłopcom i jednocześnie dzielić na co dzień życia z mężczyzną. – Potrząsnęła głową. – Nie potrafię sobie tego wyobrazić.

– Może po prostu jeszcze nie natrafiłaś na właściwego faceta.

Stella lekko wzruszyła ramionami.

– Niewykluczone. Za to doskonale mogę sobie wyobrazić ciebie razem z Loganem.

– Doprawdy?

W tonie Roz było tyle rubasznej wesołości, że Stella nie mogła się powstrzymać od śmiechu.

– Nie w takim sensie! Chciałam powiedzieć, że doskonale wyglądalibyście jako para. Dwoje atrakcyjnych ludzi na pełnym luzie. Dobrze być z kimś, z kim można się czuć swobodnie.

– Rozumiem, że tak było z tobą i Kevinem.

– To prawda. Nadawaliśmy na tych samych falach.

– Zauważyłam, że nie nosisz obrączki.

– Nie. – Stella zerknęła na serdeczny palec. – Zdjęłam ją mniej więcej rok temu, jak znowu zaczęłam umawiać się na randki. Uznałam, że nie powinnam mieć jej na palcu, kiedy spotykam się z innym mężczyzną. Poza tym już nie czuję się mężatką. Choć dojście do tego przekonania było długotrwałym i bolesnym procesem.

Roz skinęła głową.

– Tak, wiem.

– W końcu jednak przestałam się zastanawiać, co by Kevin pomyślał o tym czy o owym. Jak by zareagował na moje decyzje, czego by sobie życzył. I wówczas zdjęłam obrączkę. To była trudna chwila.

– Ja zdjęłam swoją w dniu czterdziestych urodzin – powiedziała Roz. – Zdałam sobie sprawę, że już nie noszę jej na znak pamięci o Johnie. Że raczej stała się dla mnie ochronną tarczą przed ewentualnymi nowymi związkami. Dlatego włożyłam ją do szkatułki. Człowiek albo idzie naprzód, albo zapada się w nicość.

– Na szczęście zazwyczaj nie mam czasu, żeby się zastanawiać nad psychologicznymi uwarunkowaniami moich decyzji. Dzisiaj też nie zamierzałam się na ten temat rozwodzić. Po prostu chciałam cię przeprosić.

– Przeprosiny przyjęte. A teraz, jeśli pozwolisz, pójdę z kawą do siebie. Zobaczymy się rano.

– Oczywiście. Dobranoc.

Bardzo podniesiona na duchu, Stella nalała do kubka herbaty. Jutro od rana będzie mogła spokojnie działać dalej. Większość posunięć organizacyjnych miała już za sobą. Teraz powinna porozmawiać z Roz i Harperem na temat aktualnych zasobów. No i w najbliższym czasie musi też znaleźć sposób na pokojową, efektywną współpracę z Loganem.

Jeszcze była na schodach, gdy usłyszała cichy, melancholijny śpiew. Serce zaczęło walić jej w piersi i niemal biegiem ruszyła w stronę pokoju chłopców. Kiedy otworzyła drzwi, nie zobaczyła nikogo poza uśpionymi dziećmi. Poczuła jedynie ten sam chłód w powietrzu. Odstawiła kubek z herbatą, zajrzała do szafy i pod łóżka. Nie znalazła niczego niezwykłego.

Usiadła na podłodze pomiędzy łóżkami synów, by się uspokoić. Parker obudził się i otrząsnął, po czym wdrapał Stelli na kolana i zaczął lizać jej dłoń.

W niedzielę Stella wybrała się na wczesny lunch do ojca. Jolene uszczęśliwiła ją już na dzień dobry, wręczając drinka i zakazując wstępu do kuchni.

To był właściwie pierwszy wolny dzień Stelli od chwili, gdy rozpoczęła pracę w „Edenie", postanowiła więc, że przeznaczy ten czas na pełen relaks. Chłopcy z Parkerem biegali po niewielkim trawniku, mogła więc spokojnie usiąść koło ojca.

– Musisz mi wszystko opowiedzieć – zarządził.

– Wówczas musielibyśmy rozmawiać non stop aż do jutrzejszego śniadania.

– W takim razie przekaż co smakowitsze kąski. Polubiłaś Rosalind?

– Bardzo ją polubiłam. Chociaż nie potrafię jej rozgryźć. Udaje jej się być osobą prostolinijną, a jednocześnie skrytą i wymyka się wszelkim definicjom.

– Ma szczęście, że u niej pracujesz. A ponieważ jest mądrą kobietą, na pewno świetnie zdaje sobie z tego sprawę.

– Obawiam się, że nie jesteś całkiem obiektywny.

– Ale prawie.

Ojciec zawsze bardzo ją kochał, Stella dobrze o tym wiedziała. Co prawda widywali się tylko raz na kilka miesięcy, ale często do niej dzwonił i pisał, przysyłał prezenty-niespodzianki.

Nie przerażało go, że się starzeje. Podczas gdy matka Stelli prowadziła zażartą walkę z czasem, Will Dooley zdecydował się na zupełny rozejm. Jego niegdyś rude włosy były teraz prawie całkiem siwe, przybrał też nieco na wadze i nie mógł się już poszczycić młodzieńczą sylwetką. Wokół oczu i ust miał wiele zmarszczek mimicznych i zazwyczaj pokazywał się światu z okularami zsuniętymi na czubek nosa.

Jego twarz była zawsze ogorzała od słońca, uwielbiał bowiem golfa i pracę w ogródku.

– Chłopcy wyglądają na szczęśliwych – zauważył.

– Pokochali dom Roz. Ja się nieprzytomnie zamartwiałam, jak zniosą przeprowadzkę, a tymczasem oni tak gładko dostosowali się do sytuacji, jakby mieszkali w Harper House od urodzenia.

– Przecież ty, kochanie, nie byłabyś sobą, gdybyś się czymś nie zamartwiała.

– Choć bardzo mi się to nie podoba, muszę przyznać ci rację. Ale wracając do chłopców, wciąż jeszcze mają drobne problemy w szkole. Niełatwo jest być nowym uczniem w klasie. Niemniej uwielbiają nasze obecne mieszkanie i tę wielką przestrzeń. A poza tym zupełnie oszaleli na punkcie Davida. Znasz Davida Wentwortha?

– Tak. Właściwie całe dzieciństwo spędził w domu Roz, a teraz wszystkim tam zarządza.

– Kapitalnie dogaduje się z dziećmi. To dla mnie wielka ulga, że po szkole chłopcy znajdują się pod opieką kogoś, kogo naprawdę lubią. Harper zresztą też jest bardzo sympatyczny, chociaż nieczęsto go widuję.

– Ten chłopak zawsze był samotnikiem. Najlepiej się czuje wśród swoich roślin. Jest też bardzo przystojny – dodał Will znaczącym tonem.

– To prawda, tato, ale nasze kontakty ograniczają się do wymiany uwag na temat szczepek i hybryd. I zapewniam cię, że tak już pozostanie.

– Nie możesz przecież mieć ojcu za złe, że chce dla córki stabilizacji u boku porządnego mężczyzny.

– Jak na razie moje życie jest ustabilizowane. W przyszłości jednak chciałabym mieć własny dom. Teraz jestem zbyt zajęta, żeby sobie zaprzątać tym głowę, no i nie chcę psuć swoich obecnych stosunków z Roz. Ale jest to na mojej liście priorytetów. W odpowiednim czasie zacznę poszukiwać czegoś własnego, byle w tym samym rejonie szkolnym. Nie chciałabym kolejnych zmian w życiu chłopców.

– Na pewno uda ci się znaleźć miejsce, o jakim marzysz.

– Innego nie ma sensu szukać. Tylko muszę jeszcze poczekać. Na razie tkwię po uszy w reorganizacji. A właściwie to nietrafne określenie – tkwię po uszy w organizacji firmy na nowo. Zaprzątają mnie umowy z dostawcami, dokumentacja, wystrój poszczególnych sektorów.

– I, oczywiście, jesteś tym wszystkim zachwycona.

Parsknęła śmiechem, po czym przeciągnęła się leniwie.

– To prawda. Przedsiębiorstwo Roz jest po prostu cudowne, a jeszcze można tam tak wiele zdziałać! Chciałabym znaleźć kogoś, kto sprawnie zająłby się sprzedażą i potrafiłby doskonale ułożyć sobie relacje z klientami, żebym sama mogła się skoncentrować na zaopatrzeniu, dokumentach i wdrażaniu kolejnych pomysłów. Do tej pory jeszcze nie zabrałam się do reorganizacji działu architektury krajobrazu. Na razie tylko ścięłam się poważnie z facetem, który się tym zajmuje.

– Z Kitridge'em? – Will uśmiechnął się lekko. – Spotkałem go parę razy w życiu. Słyszałem, że to dość szorstki typ.

– Mało powiedziane.

– Ale świetnie zna się na rzeczy. Zresztą Roz inaczej by go nie zatrudniła. Jakieś dwa lata temu zajmował się działką jednego z moich przyjaciół, który kupił stary dom. Chciał, między innymi, odrestaurować ogrody wokół budynku, bo był to wyjątkowo żałosny widok. Zatrudnił więc Kitridge'a. Teraz to prawdziwa perła. Nawet pisali o jego ogrodach w jakimś fachowym magazynie.

– A co możesz mi powiedzieć o samym Loganie?

– Miejscowy chłopak. Tu się urodził i wychował. Na jakiś czas wyniósł się na Północ. Wkrótce po ślubie.

– Nie wiedziałam, że jest żonaty.

– Bo nie jest. Był – sprostował Will. – Ale coś się im nie ułożyło. Nie znam szczegółów. Może Jo powie ci więcej, ona ma lepszą pamięć do takich spraw. Logan wrócił tu jakieś sześć czy siedem lat temu. Pracował w dużej firmie w centrum miasta. Potem Roz go ściągnęła do siebie. Jo! Co wiesz o tym chłopaku Kitridge'ów, który pracuje dla Rosalind?

– O Loganie? – Jo stanęła w progu. Miała na sobie fartuch z napisem: „Kuchnia Jo", wokół szyi sznur pereł, a na stopach puchate, różowe kapcie. – Jest bardzo seksowny.

– Stelli chyba nie chodziło o ten rodzaj informacji.

– Pewnie, że nie. To może stwierdzić sama. Ostatecznie ma oczy, a w jej żyłach płynie gorąca krew, czyż nie? Jego rodzice przenieśli się do Montany, wyobrażasz sobie? Dwa albo trzy lata temu. Ma starszą siostrę, która obecnie mieszka w Charlotte. Dawno temu umawiał się na randki z córką Marge Peters, Terri. Pamiętasz Terri, prawda, Will?

– Nie powiedziałbym.

– Ależ z pewnością ją pamiętasz. W szkole średniej była królową balu maturalnego i miss piękności hrabstwa Shelby. A potem wicemiss stanu Tennessee. Ludzie twierdzą, że nie zdobyła korony, bo nie popisała się w konkursie talentów. Jej głos był – jak to mawiają? – zbyt słaby.

Stella przysłuchiwała się opowieści macochy z wielką przyjemnością. Że też Jolene potrafiła to wszystko spamiętać! Ona już nie mogła sobie przypomnieć, kto został królową na jej własnym balu maturalnym. A tymczasem Jo nie miała trudności z relacjonowaniem wydarzeń co najmniej sprzed dekady.

To musi być jakaś cecha typowa dla południowców.

– Terri uznała, że jak dla niej Logan zbyt poważnie zapatruje się na życie – dorzuciła Jo. – No ale dla tej dziewczyny makówka byłaby zbyt poważna i zasadnicza.

Wróciła do kuchni, mówiła jednak nadal, tyle że nieco podniesionym głosem.

– Logan ożenił się w końcu z jakąś Jankeską i przeprowadził do Bostonu lub Filadelfii, czy też podobnego miejsca. Parę lat później wrócił w rodzinne strony, ale już sam. Nie mieli dzieci.

Ponownie zjawiła się w salonie z kolejnym drinkiem dla Stelli.

– Słyszałam, że ona kochała wielkomiejskie życie, a on go nie znosił, więc się rozstali. Chociaż zapewne sprawa okazała się bardziej skomplikowana, jak to zazwyczaj bywa. Logan nie lubi o sobie opowiadać, stąd moje informacje są dość ogólnikowe. Przez jakiś czas pracował w Fosterly Landscaping. Wiesz, Will, to ci, co głównie zajmują się biurowcami i centrami handlowymi. A potem, jak niesie fama, Roz zaoferowała mu gwiazdkę z nieba i kilka układów słonecznych na dodatek, żeby tylko zgodził się u niej pracować.

Will mrugnął w stronę córki.

– Mówiłem ci, że będzie znała wszystkie szczegóły.

Jo roześmiała się i machnęła ręką.

– Parę lat temu Logan kupił starą posiadłość Morrisa, tę nad rzeką. Cały czas ją remontuje. Słyszałam też, że pracuje teraz u Tully'ego Scopesa. Ty go nie znasz, Will, ja natomiast widuję się z jego żoną, Mary, w Klubie Ogrodniczym. Ta kobieta nigdy nie przestaje narzekać – dla niej niebo jest zbyt niebieskie, a deszcz zbyt mokry. Wiecznie ze wszystkiego niezadowolona. Tully jest podobno taki sam. Czy chcesz jeszcze jedną krwawą mary, kochanie? – zwróciła się do Willa.

– Nie miałbym nic przeciwko temu.

Jolene ruszyła do kuchni, by przyrządzić drinka, nie przestawała jednak przy tym mówić.

– Podobno Tully wynajął Logana do urządzenia ogrodu – chciał, żeby mu posadził krzewy, drzewa, wszystko, co potrzeba. A potem każdego bożego dnia zjawiał się i narzekał – wciąż żądał zmian, życzył sobie raz tego, innym razem owego. Aż w końcu Logan powiedział mu, żeby się pieprzył – czy też coś mniej więcej w tym stylu.

– Rewelacyjne podejście do klienta – zauważyła Stella.

– Po czym po prostu sobie poszedł. Oznajmił, że jego noga nie postanie w tym miejscu, a żaden z jego pracowników nie posadzi choćby stokrotki, jeżeli Tully nie zgodzi się trzymać od niego z daleka. Czy tego właśnie chciałaś się dowiedzieć, skarbie?

– Mniej więcej – odparła Stella, unosząc szklankę z drinkiem w stronę Jolene.

– Doskonale. Jedzenie już gotowe, więc może zawołasz chłopców?

Po wysłuchaniu rewelacji Jolene Stella opracowała plan działania. W poniedziałek, wczesnym rankiem, uzbrojona w mapę okolicy, wybrała się na inspekcję ogrodu, w którym – według planu – miał właśnie pracować Logan.

Postanowiła, że będzie miła do bólu, spolegliwa i elastyczna. Przynajmniej dopóki nie obejrzy wszystkiego, co chciała zobaczyć.

Po krótkiej jeździe znalazła się na peryferiach Memphis. Urocze, stare domy stały blisko siebie, ale w dużym oddaleniu od ulicy. Zadbane trawniki opadały miękko w stronę drogi. Przy każdej posesji można było dostrzec wielkie, piękne drzewa: dęby i klony, dające w lecie dużo cienia, oraz derenie i grusze, wiosną pokrywające się obfitością kwiatów. Oczywiście Południe nie byłoby Południem, gdyby wokół nie zasadzono licznych magnolii, wielkich azalii i rododendronów.

Stella oczami wyobraźni zobaczyła siebie i chłopców w jednym z tych domostw z dużym ogrodem, któremu z przyjemnością poświęcałaby każdą wolną chwilę. Zapewne byliby tu szczęśliwi – zaprzyjaźniliby się z sąsiadami, zapraszali się nawzajem na kolacje, by spędzać czas na wspólnych zabawach i grillowaniu.

Niestety, przypuszczalnie nie byłoby ją stać na nieruchomość w tej dzielnicy – oszczędności i kapitał po sprzedaży domu w Michigan zapewne by nie wystarczyły. Poza tym, gdyby tu zamieszkała, musiałaby znowu zmienić chłopcom szkołę i na domiar złego tracić dużo czasu na dojazdy do pracy.

Ale, ostatecznie, każdy może sobie pofantazjować.

Na końcu ulicy dostrzegła ciężarówkę Logana i dużego pikapa zaparkowanego przed piętrowym, ceglanym domem.

Stella od razu zauważyła, że ten teren nie jest tak zadbany jak sąsiednie ogrody. Frontowy trawnik nie był strzyżony od lat. Wszystkie wieloletnie rośliny gwałtownie wymagały odpowiedniego trymowania, a dawne kwiatowe rabaty zniknęły pod bujnie pleniącymi się chwastami.

Skręcając za róg, usłyszała ryk piły łańcuchowej i muzyki country – odtwarzanej zdecydowanie za głośno. Wszystko, łącznie ze ścianą budynku, było tu zarośnięte nieprzytomnie panoszącym się bluszczem. Powinno się go wytrzebić, zdecydowała Stella w duchu. Klon też należałoby ściąć, zanim zwali się komuś na głowę, trzeba również zrobić coś z żywopłotem zduszonym przez jeżynowe chaszcze i wiciokrzew.

Logan wisiał na uprzęży przymocowanej mniej więcej w połowie wysokości uschniętego dębu. Machając piłą, odcinał większe konary. Powietrze było chłodne, ale twarz mężczyzny pokrywał pot, odznaczający się też ciemną plamą na plecach koszuli.

Owszem, to seksowny facet. Ale ostatecznie każdy dobrze zbudowany mężczyzna wykonujący fizyczną pracę wygląda seksownie. Gdy jeszcze na dodatek ma w ręku niebezpieczne narzędzie, od razu budzi w kobiecie pierwotne instynkty.

Nie przyszła tu jednak, żeby się zastanawiać nad męskim urokiem Kitridge'a.

Interesowała ją praca, jaką tu wykonywał, a w zasadzie wydajność i dynamika tej pracy. Nie podeszła więc do niego, tylko spokojnie rozglądała się po ogrodzie.

Kiedyś było to zapewne piękne miejsce, teraz jednak królowały tu zielska i pousychane krzewy. W rogu przy ogrodzeniu rozwalająca się szopa niemal całkowicie ginęła pod pnączami dzikiego wina.

Całość ma mniej więcej tysiąc metrów kwadratowych, oszacowała w duchu Stella, po czym zaczęła się przyglądać potężnemu, czarnoskóremu mężczyźnie ciągnącemu obcięte konary w stronę pilarki, obsługiwanej przez niskiego, chudego, białego mężczyznę. W pobliżu stała też pękata rozdrabniarka, która miała przerobić mniejsze gałęzie na cenną ściółkę.

Po chwili kontemplacji Stella doszła do wniosku, że piękno tego miejsca nie zaginęło całkowicie. Po prostu czekało, by je ponownie odkryć. Trzeba było jednak nie lada wyobraźni i umiejętności, by przywrócić ogród do życia.

Ponieważ czarnoskóry mężczyzna również zaczął się jej przyglądać, podeszła do niego i jego drobnego towarzysza.

– Mogę w czymś pani pomóc? – zapytał potężny Murzyn.

Z uśmiechem wyciągnęła ku niemu dłoń.

– Nazywam się Stella Rothchild. Jestem menedżerem pani Harper.

– Miło mi panią poznać. Ja jestem Sam, a ten tu to Dick.

Drobny mężczyzna miał świeżą, piegowatą twarz dwunastolatka i rzadką kozią bródkę, która wyglądała, jakby wyrosła przez pomyłkę.

– Słyszeliśmy o pani – oznajmił i mrugnął w stronę kolegi.

– Naprawdę? – Starała się zachować przyjazny ton i uśmiech na twarzy, choć miała wrażenie, że łapie ją szczękościsk. – Pomyślałam, że powinnam wpaść i zobaczyć, jak przebiegają prace. – Znowu rozejrzała się po ogrodzie, celowo nie podnosząc oczu na tyle wysoko, by spojrzeniem objąć Logana. – Czeka was tu poważne wyzwanie.

– Sporo czasu zajmie uprzątnięcie tego bałaganu – zgodził się Sam, opierając swoje wielkie dłonie na biodrach. – Ale widywałem już gorsze miejsca.

– Czy istnieje formalny harmonogram prac z opracowanym konspektem godzin roboczych?

– Konspektem! – Dick parsknął kpiąco, szturchając łokciem Sama.

Sam posłał jej pełne politowania spojrzenie.

– Jeśli chce pani dowiedzieć się czegoś o harmonogramach i... hm... konspektach, proszę porozmawiać z szefem. On się na tym zna.

– Ach, tak. Dziękuję. W takim razie nie będę panów dłużej zatrzymywać.

Odeszła od nich, wyjęła mały aparat fotograficzny i zaczęła robić zdjęcia, by – jak sobie wmawiała – monitorować postępy robót.

Od razu zauważył, gdy się zjawiła w eleganckim, wyprasowanym ubraniu, z niesfornymi włosami ściągniętymi w węzeł na karku i w ciemnych okularach osłaniających duże, błękitne oczy.

Zastanawiał się, kiedy podejdzie i zacznie zatruwać mu życie – bo ta kobieta bez wątpienia była urodzoną zrzędą. Na szczęście okazało się, że miała dość zdrowego rozsądku, by nie przeszkadzać mu w pracy.

No cóż, przecież – poprawił się natychmiast w duchu – Stella Rothchild jest jednym wielkim chodzącym zdrowym rozsądkiem.

Może dzisiaj go czymś zaskoczy. Lubił niespodzianki, a jedną już mu sprawiła swoimi dziećmi. Podejrzewał, że ujrzy ugrzecznione roboty, spoglądające pytająco na władczą matkę, zanim w ogóle odważą się otworzyć usta. Tymczasem jej synowie byli swobodni, interesujący i zabawni. A przecież sensowne wychowanie wymagało sporej dozy wyobraźni.

Może więc była taka upierdliwa jedynie w pracy.

Cóż, uśmiechnął się łobuzersko pod nosem. O nim można by powiedzieć to samo.

Nie spieszył się. Niech sobie poczeka. Przez następne pół godziny całkowicie ignorował jej obecność. Nie zareagował nawet wtedy, gdy – na Boga! – wyjęła z torebki aparat i notes.

Zauważył też, że podeszła do jego pracowników, a potem Dick od czasu do czasu rzucał w jej stronę ukradkowe spojrzenia.

Dick był beznadziejnym kretynem w sytuacjach towarzyskich, szczególnie gdy chodziło o kobiety. Za to pracował bez wytchnienia i podejmował się najgorszych zajęć z błogim, idiotycznym uśmiechem na ustach. Sam, mający więcej rozsądku w małym palcu niż Dick w całej głowie, należał – dzięki Bogu – do ludzi wyjątkowo tolerancyjnych i cierpliwych.

Sam i Logan chodzili razem do szkoły i ponieważ znali się od ponad dwudziestu lat, rozumieli się bez słów, co bardzo odpowiadało Loganowi. Wyjaśnianie tych samych rzeczy po kilka razy nadwerężało jego cierpliwość, na której już i tak mu zbywało.

W trójkę osiągali wyjątkowo dobre rezultaty, często wręcz olśniewające. Dzięki sile i roztropności Sama oraz pracowitości Dicka Logan rzadko musiał zatrudniać dodatkowych robotników.

Co też mu się podobało. Zawsze wolał pracę w małych zespołach. W ten sposób to, co robił, nabierało kameralnego wymiaru i stawało się bardziej osobiste.

Ten element był w ogóle zasadniczy w jego pracy. To przecież jego wizja, jego pot i krwawica przesądzały o ostatecznym kształcie krajobrazu. I z jego nazwiskiem dana praca była kojarzona już na zawsze.

Ta Jankeska może sobie ględzić o formularzach i systemach przez cały boży dzień. Natura miała gdzieś podobne bzdury. I on też.

Krzyknął ostrzegawczo w stronę swoich ludzi, a potem przewrócił uschnięty pień. Gdy dąb zwalił się na ziemię, Logan chwycił za butelkę z wodą i opróżnił ją do połowy, nie odrywając szyjki od ust.

– Panie... – zaczęła Stella, ale szybko urwała. Nie. Ma być przecież przyjazna i bezpośrednia. Uśmiechnęła się więc i zaczęła raz jeszcze: – Świetna robota. Nie wiedziałam, że sam zajmujesz się usuwaniem drzew.

– To zależy. W tym przypadku sprawa była prosta. Wybrałaś się na przejażdżkę?

– Nie, choć z przyjemnością rozejrzałam się po okolicy. Jest piękna. – Przesunęła wzrokiem po otoczeniu. – Tu zapewne też było kiedyś pięknie. Co się stało?

– Przez pięćdziesiąt lat mieszkało tu pewne małżeństwo. Mąż zmarł kilka lat temu. Wdowa nie radziła sobie sama z rozległą działką, a wszystkie dzieci rozjechały się po kraju. Zachorowała i wówczas ogród zupełnie popadł w ruinę. Kiedy stan matki się pogorszył, dzieci umieściły ją w domu opieki.

– To smutne.

– Cóż, tak bywa w życiu. Sprzedali dom. Nowi właściciele nabyli go bardzo okazyjnie i teraz chcą doprowadzić teren do porządku. My się tym zajmujemy.

– I co zamierzasz tu zrobić?

Pociągnął kolejny, długi łyk wody. Stella zorientowała się, że rozdrabniarka przestała pracować, wystarczyło jednak, że Logan spojrzał gniewnie na swoich pracowników i maszyna natychmiast ruszyła z powrotem.

– Wiele rzeczy.

– A dokładniej?

– A czemu pytasz?

– Ponieważ bardzo ułatwiłbyś mi pracę, gdybyś informował mnie o swoich planach. Poza tym dębem, zapewne zamierzasz usunąć również klon sprzed wejścia?

– Owszem. No, dobrze, posłuchaj. Sprawa wygląda następująco: usuniemy stąd wszystko, czego nie można lub nie powinno się zachować. Położymy nową darń, postawimy nowe ogrodzenie. Zburzymy starą szopę, a na jej miejscu wzniesiemy inną. Obecni właściciele chcą, by ich ogród był bardzo kolorowy. Przytniemy więc odpowiednio azalie, a na frontowym trawniku, na miejscu klonu, posadzimy drzewo wiśniowe. Tam bzy, a po tej stronie magnolie. Na rabacie peonie, pnące róże wzdłuż tylnego ogrodzenia. Widzisz to niewielkie wzniesienie po prawej? Nie zrównamy go, tylko obsadzimy odpowiednimi roślinami.

Szybko przedstawił resztę swoich zamierzeń, rzucając od niechcenia nazwy łacińskie i zwyczajowe z szybkością karabinu.

Miał już dokładną wizję tego ogrodu. Zawsze tak było, gdy zabierał się do pracy. Oczami wyobraźni widział każdy szczegół składający się potem na atrakcyjną całość. Wiedział dokładnie, jakie prace trzeba wykonać i w jakiej kolejności, by osiągnąć pożądany efekt. I do tych prac tęsknił tak samo, jak do ostatecznego efektu.

Uwielbiał zanurzać ręce w ziemi – jakże inaczej mógłby wykonywać swój zawód i z radością kształtować krajobraz? Zerknął na dłonie Stelli i uśmiechnął się kpiąco na widok wypielęgnowanych paznokci powleczonych bladoróżowym lakierem.

Panienka od przekładania papierów, pomyślał lekceważąco. Prawdopodobnie nie umie odróżnić dzikiej trawy od sumaku.

Mimo wszystko postanowił, że ją i ten jej notes potraktuje z pełnymi honorami. Byle jak najszybciej mieć babę z głowy. Zaczął jej więc opowiadać o patio, które zamierzał zrobić na tyłach domu, i o roślinach, jakie tam ustawi.

Kiedy doszedł do wniosku, że nagadał się już więcej niż normalnie przez tydzień, wypił do końca wodę i wzruszył ramionami. Zapewne nie zrozumiała wiele z tego, co mówił, ale w każdym razie nie mogła narzekać na brak współpracy z jego strony.

– To wspaniałe – oznajmiła. – A co z rabatą po południowej stronie, od frontu?

Ściągnął lekko brwi.

– Usuniemy tylko bluszcz. Ten kawałek ziemi właściciele będą mogli sobie zagospodarować samodzielnie, według własnego uznania.

– Świetny pomysł.

Ponieważ zgadzał się z jej opinią, nie odezwał się słowem, tylko przerzucał palcami drobne w kieszeni.

– Chociaż osobiście wokół szopy zamiast cisów posadziłabym niskopienne sosny. Ich koloryt i mniej regularny kształt będą się lepiej prezentować w tej części ogrodu.

– Być może.

– Pracujesz na podstawie szkiców czy masz wszystko w głowie?

– To zależy.

Czy powinnam od razu wybić mu wszystkie zęby, czy też usuwać je z wolna i po kolei? – zastanawiała się Stella, dzielnie rozciągając usta w uśmiechu.

– Chciałabym po prostu kiedyś obejrzeć jeden z twoich projektów rozrysowanych na papierze. Poza tym, przyszedł mi do głowy jeszcze jeden pomysł.

– Jestem pewien, że ci na nich nie zbywa.

– Szefowa kazała mi zachowywać się miło i uprzejmie – rzuciła chłodnym tonem. – Co ty na to?

Wzruszył ramionami.

– Pomyślałam, że po reorganizacji mogłabym dla ciebie wygospodarować w centrum ogrodniczym niewielkie biuro.

Posłał jej takie samo spojrzenie, jak chwilę wcześniej rzucił swoim ludziom. Kobieta o mniejszym harcie ducha zapewne w tym momencie wzięłaby nogi za pas.

– Nie pracuję w żadnym cholernym biurze.

– Nie proponuję, żebyś siedział tam godzinami, tylko żebyś miał dla siebie trochę miejsca, gdzie mógłbyś pozałatwiać telefony, wypełnić dokumenty, przechowywać kartoteki.

– Do tego służy mi ciężarówka.

– Czy próbujesz utrudnić mi życie?

– W żadnym razie. A ty moje?

– W porządku. Nie chcesz biura, nie ma o czym mówić. Zapomnij o biurze.

– Już zapomniałem.

– Cudnie. Ale ja potrzebuję biura. Poza tym muszę wiedzieć, jakich roślin, materiałów i sprzętu potrzebujesz do wykonania swojej pracy. – Ponownie gwałtownym ruchem otworzyła notes. – A więc jeden czerwony klon i jedna magnolia – jakiego rodzaju?

– *Grandiflora gloriosa*.

– Doskonały wybór dla planowanej lokalizacji. Jedno drzewko wiśniowe – ciągnęła, a potem ku jego zdumieniu wymieniła wszystkie rośliny, które uwzględnił w swoim planie. Spojrzał na nią z niechętnym podziwem. W porządku, Rudzielcu, pomyślał. A więc może co nieco wiesz o ogrodnictwie.

– Cisy czy niskopienne sosny?

Zerknął w stronę szopy, wyobrażając sobie obie rośliny. Do diabła, rzeczywiście miała rację, co nie znaczy jednak, że od razu powinien się z nią zgodzić.

– Dam ci znać.

– Jak najszybciej, proszę. Podaj mi także dokładną liczbę i odmianę roślin, zanim je zabierzesz.

– A znajdę cię... w twoim biurze?

– Po prostu gdzieś mnie znajdziesz. – Odwróciła się i skierowała z powrotem do samochodu.

– Hej, Stella! Nie bądź taka sztywna!

Kiedy się odwróciła, uśmiechnął się od ucha do ucha.

– Dawno chciałem to powiedzieć.

Spojrzała gniewnie i znowu pomaszerowała przed siebie.

– Jezu, okaż czasami odrobinę humoru. – Ruszył za nią długimi krokami. – Nie odchodź taka wkurzona.

– Tylko po prostu odejdź?

– Właśnie. Nie ma przecież powodu, żebyśmy się na siebie wściekali. Chociaż, ogólnie rzecz biorąc, złość mi nie przeszkadza.

– Nigdy bym nie zgadła.

– Ale teraz nie ma do tego powodu. – Jakby sobie nagle przypomniał, że wciąż nosi robocze rękawice, zerwał je więc i włożył do tylnej kieszeni spodni. – Ja wykonuję swoją pracę, ty swoją. Roz uważa, że cię potrzebuje, a ja mam do niej zaufanie.

– Ja też.

– Wiem. Więc spróbujmy wzajemnie nie załazić sobie za skórę, bo oboje w końcu nabawimy się alergii.

Przechyliła głowę, uniosła brwi.

– Czy to ugodowa strona twojej osobowości?

– Mniej więcej. Staram się być ugodowy, żebyśmy oboje mogli dobrze robić to, za co nam płaci Roz. I ponieważ twój syn ma sto dwudziesty pierwszy zeszyt „Spidermana". Jeśli się na mnie wściekniesz, nie pozwoli mi go obejrzeć.

Zsunęła w dół okulary i spojrzała na niego ponad oprawką.

– Chyba nie próbujesz być czarujący?

– Nie. Jedynie szczery. Naprawdę chcę przejrzeć ten komiks. Gdybym był czarujący, gwarantuję, że padłabyś mi do stóp. Mam nad kobietami potężną władzę, dlatego rzadko z niej korzystam.

– No jasne – rzuciła.

Ale gdy wsiadała do samochodu, już się uśmiechała.

# 6

Hayley Phillips jechała na końcówce paliwa. Radio, łaska boska, jeszcze działało, więc na cały regulator słuchała Dixie Chicks. Ta muzyka działała na nią pobudzająco.

Wszystko, co posiadała, zapakowała do tego pontiaca grandville, zdecydowanie od niej starszego i o wiele bardziej chimerycznego. Prawdę mówiąc, samochód nie był przeładowany rzeczami, sprzedała bowiem wszystko, co udało jej się spieniężyć. Nie warto teraz bawić się w sentymenty. Z pomocą gotówki można o wiele więcej zdziałać, niż kierując się sentymentem.

Nie miała sporo pieniędzy, ale wiedziała, że za to, co złożyła w banku, zdoła przetrwać pierwsze, najtrudniejsze chwile. A jeśli się okaże, że owych trudnych chwil będzie więcej, niż przewidywała, zawsze może jakoś zarobić na życie.

Nie jechała przed siebie bez celu. Wiedziała, dokąd zmierza. Nie miała jednak pojęcia, co się wydarzy, gdy już dotrze do miejsca przeznaczenia.

Postanowiła teraz tym się nie przejmować. Ostatecznie, gdyby wszystko wiedziała z góry, nie czekałyby ją już w życiu żadne niespodzianki.

Nie przypuszczała, że od razu zostanie wyrzucona za drzwi. Ale gdyby tak się stało, też sobie poradzi.

Podobała jej się okolica, zwłaszcza gdy znalazła się na obwodnicy Memphis. Na północnych obrzeżach miasta teren był lekko pofałdowany, udało jej się także dostrzec rzekę. Stały tu piękne, duże domy, niewątpliwie kosztowne – a w ogrodach rosły rozłożyste, stare drzewa. I choć niektóre z posesji były otoczone ceglanymi czy kamiennymi murami, wydawały się przyjazne dla gości.

Zobaczyła tabliczkę z napisem „Eden" i zwolniła. Bała się zatrzymać – bała się, że jak wyłączy silnik, stary pontiac już nie zapali. Ale zwolniła na tyle, by przyjrzeć się głównym zabudowaniom centrum ogrodniczego i alejkom oświetlonym ostrymi reflektorami.

A więc niemal dojechała. Długo się zastanawiała, co i jak powiedzieć, lecz nadal nie mogła się zdecydować na ostateczną wersję. Wciąż stawały jej przed oczami nowe sytuacje, wciąż w myślach odgrywała inne scenariusze. Dzięki temu podróż mijała szybciej, chociaż sytuacja Hayley wciąż pozostawała taka sama.

Niektórzy mogliby sądzić, że częste zmiany poglądów są przyczyną jej życiowych problemów, sama jednak tak nie uważała. Hayley poznała zbyt wielu ludzi, którzy zbytnio przywiązywali się do swoich opinii, nie czyniąc żadnego użytku z umysłu, jakim obdarował ich dobry Pan Bóg.

Kiedy zbliżała się do podjazdu, silnik zaczął się dławić.

– No, już. Jeszcze tylko kawałek. Gdybym była mniej roztargniona, nie żałowałabym ci benzyny na ostatnim postoju.

Samochód stanął jednak na dobre w bramie wjazdowej, dokładnie między dwiema ceglanymi kolumnami.

Uderzyła dłonią w kierownicę, jednak bez specjalnego przekonania. Ostatecznie to jej wina, że zapomniała zatankować. Może zresztą wyjdzie jej to na dobre. Trudniej wyrzucić natychmiast niespodziewanego gościa, którego samochód – bez kropli benzyny w baku – blokuje dojazd do domu.

Otworzyła torebkę i wyjęła szczotkę, by doprowadzić do ładu włosy. Po wielu eksperymentach pozostała w końcu przy swoim własnym kolorze – ciemnobrązowym. Spoglądając we wsteczne lusterko, cieszyła się, że przed wyjazdem poszła do fryzjera. Jej włosy były teraz półdługie, modnie wycieniowane i sprawiały, że Hayley wyglądała na swobodną, pewną siebie młodą kobietę.

Pociągnęła usta szminką i przypudrowała najbardziej świecące miejsca twarzy.

– No dobrze. A więc w drogę.

Wygramoliła się z samochodu, zarzuciła torbę na ramię i ruszyła długim podjazdem. Trzeba być bardzo bogatym, żeby mieszkać tak daleko od publicznej drogi. Domek, w którym Hayley się wychowała, stał tak blisko jezdni, że kierowcy mogli praktycznie włożyć rękę przez okno i uścisnąć komuś dłoń.

Nie miałaby nic przeciwko temu. To był dobry dom, lubiła go i do tej pory w pewnym sensie żałowała, że musiała go sprzedać. Tyle że ten mały dom na przedmieściach Little Rock należał do przeszłości. A ona postanowiła skoncentrować się na przyszłości.

W połowie podjazdu przystanęła z wrażenia. Bezwiednie zamrugała oczami i otworzyła usta z wrażenia. To była najprawdziwsza rezydencja. Olbrzymia! Hayley widywała w swoim życiu duże domy, ale nic aż tak wielkiego. I tak pięknego. Podobnie imponujące budowle oglądała do tej pory jedynie w czasopismach. To były Tara i Manderley w jednym.

W oknach paliły się światła, rzucając ciepłą poświatę na trawniki. Jakby na jej serdeczne powitanie. Czyż to nie urocze?

Nawet jeśli wykopią ją za drzwi, nie będzie żałować, że tu przyjechała. Możliwość zobaczenia takiego domu warta była długiej podróży.

Wdychając aromat sosnowego igliwia i dymu drzewnego, skrzyżowała palce na szczęście i podeszła do drzwi. Chwyciła za kołatkę z brązu i stanowczo zapukała trzy razy.

Stella właśnie schodziła z Parkerem po schodach, bo na nią wypadała kolej wyprowadzenia psa na spacer. Słysząc pukanie, wykrzyknęła:

– Już otwieram!

Ujrzała dziewczynę z prostymi, modnie postrzępionymi włosami, o ostro zarysowanej twarzy i ogromnych, lazurowych oczach. Nieznajoma uśmiechnęła się i schyliła, by pogłaskać Parkera, który przestał szczekać i zabrał się do obwąchiwania butów gościa.

– Cześć – powiedziała.

– Cześć – odrzekła Stella, zastanawiając się przy tym, skąd na Boga wzięła się ta dziewczyna. Nigdzie w zasięgu wzroku nie ujrzała żadnego samochodu. Przybyła wyglądała na kilkanaście lat i była w zaawansowanej ciąży.

– Szukam Rosalind Ashby. Pani Rosalind Ashby Harper – poprawiła się natychmiast. – Czy zastałam ją w domu?

– Tak. Jest na górze. Wejdź, proszę.

– Dzięki. Nazywam się Hayley. – Wyciągnęła przed siebie dłoń. – Hayley Phillips. Pani Ashby jest moją powinowatą – łączą nas zawiłe, typowe dla Południa związki rodzinne.

– Stella Rothchild. Wejdź, proszę. Zaraz poszukam Roz.

– Wspaniale. – Hayley z uwagą rozglądała się wokół, gdy Stella prowadziła ją do salonu. – O, rany – jęknęła w końcu. – Mogę tylko powiedzieć: o, rany!

– To samo pomyślałam, gdy po raz pierwszy weszłam do tego domu. Czy mogłabym ci coś podać? Na przykład do picia?

– Nie, dziękuję. Powinnam chyba poczekać, aż do... – Urwała i podeszła do kominka. Coś podobnego widywała jedynie na filmach. – Czy pracujesz tutaj? Jesteś zarządzającą lub kimś takim?

– Nie. Pracuję w firmie Roz. Jestem menedżerem. Pójdę jej poszukać. Ty natomiast powinnaś usiąść.

– Wszystko w porządku – zapewniła Hayley, gładząc swój duży brzuch. – Oboje dzisiaj sporo się nasiedzieliśmy.

– W takim razie zaraz wracam. – Stella ruszyła do drzwi.

Wbiegła na górę i skręciła w stronę skrzydła zamieszkiwanego przez Roz. Wcześniej była tu tylko raz, gdy David oprowadzał ją po domu. Ale usłyszała włączony telewizor i kierując się tym dźwiękiem, odnalazła Roz w prywatnym saloniku.

Stał tam stary, czarno-biały odbiornik, Roz jednak nie oglądała programu. Siedziała przy zabytkowej sekreterze i, ubrana w luźne dżinsy i bawełnianą bluzę, rysowała coś w szkicowniku. Tym razem miała bose stopy, a paznokcie pomalowane na jaskraworóżowy kolor, co ze zdumieniem zauważyła Stella.

Zastukała w futrynę.

– Tak?... O, Stella. Dobrze, że cię widzę. Właśnie zajmuję się ogrodem w północno-zachodniej części naszego centrum. Pomyślałam, że może stać się źródłem inspiracji dla klientów. Podejdź i popatrz na te szkice.

– Z wielką przyjemnością, ale na dole jest ktoś, kto bardzo chciałby się z tobą zobaczyć. Niejaka Hayley Phillips. Twierdzi, że jest twoją kuzynką.

– Hayley? – Roz ściągnęła brwi. – Ja nie mam żadnej kuzynki o imieniu Hayley. Chyba nie mam?

– Młodziutka. Wygląda na nastolatkę. Ładna. Brązowe włosy, niebieskie oczy, wyższa ode mnie. I w zaawansowanej ciąży.

– Och, na Boga! – Roz zaczęła masować dłonią kark. – Phillips. Phillips... Siostra – a może kuzynka – babki mojego pierwszego męża chyba rzeczywiście wyszła za jakiegoś Phillipsa. A przynajmniej tak mi się wydaje.

– Powiedziała, że łączą was zawiłe, typowe dla Południa związki rodzinne.

– Phillips – mruknęła Roz. Zamknęła oczy i przycisnęła palec do czoła, jakby chcąc w ten sposób pobudzić pamięć. – To musi być córka Wayne'a Phillipsa. Zmarł w zeszłym roku. Powinnam więc zejść i zobaczyć, o co chodzi. – Podniosła się z krzesła. – Chłopcy już w łóżkach?

– Przed chwilą zasnęli.

– Więc chodź ze mną.

– Nie sądzisz, że byłoby lepiej, gdybyś...

– Masz wyjątkowo dużo zdrowego rozsądku. Nie zapomnij zabrać go ze sobą. Idziemy.

Stella wzięła Parkera na ręce i modląc się, by psi pęcherz wytrzymał zwłokę, ruszyła za Roz.

Gdy weszły do salonu, Hayley zwróciła się w ich stronę.

– To najfantastyczniejszy pokój, jaki widziałam w życiu. Człowiek czuje się tu jak w bajce. Mam na imię Hayley, jestem córką Wayne'a Phillipsa. Mój ojciec był krewnym Johna Ashby'ego od strony jego matki. Kiedy tata odszedł w zeszłym roku, dostałam od ciebie bardzo ujmujący list kondolencyjny, kuzynko Rosalind.

– Pamiętam twojego ojca. Kiedyś się poznaliśmy. Polubiłam go.

– Ja też. Przepraszam, że przyjechałam bez uprzedzenia, ale nie sądziłam, że dotrę tu aż tak późno. Miałam pewne problemy z samochodem.

– Nie ma o czym mówić. Usiądź, Hayley. W którym jesteś miesiącu?

– W szóstym. Dziecko ma się urodzić na początku maja. Muszę cię, kuzynko, przeprosić za coś jeszcze. Tuż przy bramie prowadzącej na podjazd skończyła mi się benzyna.

– Zajmiemy się tym. Czy nie jesteś głodna, Hayley? Może coś byś przekąsiła?

– Nie, kuzynko Roz. Dziękuję bardzo. Zatrzymałam się po drodze i zjadłam solidny posiłek. Zapomniałam jedynie napoić samochód. Mam pieniądze. Nie chcę, żebyś pomyślała, że jestem bez grosza przy duszy i zjawiłam się po jałmużnę.

– Dobrze to słyszeć. W takim razie napijmy się herbaty. Wieczór jest chłodny. Gorąca herbata wszystkim dobrze zrobi.

– Jeśli nie sprawi to zbyt wiele kłopotu. I jeśli macie herbatę ziołową. – Mimowolnie pogładziła brzuch. – Dla mnie z całej ciąży najgorsza jest konieczność wyrzeczenia się kofeiny.

– Ja się tym zajmę – zaoferowała się Stella. – Za chwilę wracam.

– Dzięki – rzuciła Roz, po czym zwróciła się w stronę Hayley. – A więc przyjechałaś tu samochodem aż z... Little Rock, czy tak?

– Owszem. Ale ja lubię prowadzić. Co prawda sprawiałoby mi to większą przyjemność, gdyby samochód nie płatał figli, ale jeśli nie ma się tego, co się lubi, trzeba się zadowolić tym, co jest. – Nerwowo odchrząknęła. – Mam nadzieję, że miewasz się dobrze, kuzynko Rosalind.

– Doskonale, dziękuję. A ty? I twoje dziecko?

– Czujemy się świetnie. Lekarz powiedział, że oboje jesteśmy zdrowi jak ryby. Mnie nic nie dolega. Co prawda odnoszę wrażenie, że niemiłosiernie się rozrastam, ale nie mam nic przeciwko temu. To nawet dość interesujące. A jak twoi synowie, kuzynko? Czy wszystko u nich w porządku?

– Tak. Są już dorośli. Harper, mój najstarszy, mieszka tutaj, w domku gościnnym i pracuje ze mną w centrum ogrodniczym.

– Widziałam je, znaczy się centrum, kiedy tu jechałam. – Hayley złapała się na tym, że wyciera dłonie o dżinsy, i natychmiast przestała to robić. – Wygląda na olbrzymie, o wiele większe, niż się spodziewałam. Musisz być z niego bardzo dumna, kuzynko.

– I jestem. Czym się zajmujesz w Little Rock?

– Pracowałam w małej, niezależnej księgarni połączonej z kawiarenką. Właściwie nią kierowałam.

– Zarządzałaś? W twoim wieku?

– Skończyłam dwadzieścia cztery lata. Wiem, że nie wyglądam na tyle – powiedziała Hayley z cieniem uśmiechu. – Ale chętnie pokażę ci, kuzynko, swoje prawo jazdy. Skończyłam college, miałam częściowe stypendium. Jestem bystra i szybko się uczę. Na początku zostałam zatrudniona w tej księgarni, bo tata znał właściciela. Potem jednak zapracowałam na swoją posadę.

– Powiedziałaś „zarządzałam". A więc już tam nie pracujesz.

– Nie. – Ona mnie słucha, pomyślała Hayley z ulgą. Zadaje właściwe pytania. To dużo, jak na początek. – Parę tygodni temu odeszłam z pracy. Ale mam referencje od właściciela. Postanowiłam wyprowadzić się z Little Rock.

– To chyba nie najwłaściwszy czas na zmianę domu i rezygnację ze stabilnej pracy.

– Mnie wydawał się odpowiedni. – Obejrzała się, gdy Stella wtoczyła wózek z herbatą. – Teraz jest już zupełnie jak w kinie – zauważyła. – Wiem, że zachowuję się jak prostaczka, ale po prostu nie mogę się powstrzymać.

Stella parsknęła śmiechem.

– Myślałam dokładnie to samo, gdy ładowałam ten wózek. Zaparzyłam rumianek.

– Dziękuję – powiedziała Roz. – Stello, Hayley właśnie mi oznajmiła, że sprzedała dom i zrezygnowała z pracy. Mam nadzieję, że zechce nam wyjawić, czemu akurat teraz zdecydowała się na tak drastyczne zmiany.

– Nie drastyczne, jedynie poważne – poprawiła Hayley. – A zdecydowałam się na nie ze względu na dziecko. A raczej ze względu na nas oboje. Zapewne już się panie domyśliły, że nie jestem mężatką.

– Nie znalazłaś oparcia w rodzinie? – spytała Stella.

– Matka odeszła od nas, gdy miałam pięć lat. Może nie pamiętasz tego, kuzynko... – zwróciła się do Roz – ...lub jesteś na tyle delikatna, by o tym nie wspominać. Tata zmarł w zeszłym roku. Mam ciotki i wujów, dwie babki i kilkoro kuzynów. Niektórzy nadal mieszkają w okolicach Little Rock. Ale jeśli chodzi o mój obecny stan... mają dość mieszane uczucia. Dzięki – rzuciła, gdy Roz podała jej filiżankę. – Kiedy tata umarł, autentycznie się załamałam. Został potrącony przez samochód, gdy przechodził przez ulicę. To było jedno z tych niewytłumaczalnych zrządzeń losu. Niesprawiedliwych, na które nie jesteśmy przygotowani. W każdym razie w ciągu minuty już go nie było.

Wypiła łyk napoju i poczuła, jak przyjemnym ciepłem rozlewa się po jej ciele. Aż do tej pory nie zdawała sobie sprawy, że jest tak bardzo zmęczona.

– Byłam smutna, wściekła, czułam się bardzo samotna. I wtedy poznałam chłopaka. Nie chodziło o jednorazową przygodę. Lubiliśmy się. Przychodził do księgarni i ze mną flirtował. Ja odwzajemniałam mu się tym samym. Kiedy czułam się samotna, podnosił mnie na duchu. Był słodki... tak czy owak, jedno pociągnęło za sobą drugie. On jest studentem prawa. Wrócił na uczelnię, a ja kilka tygodni później odkryłam, że jestem w ciąży. Nie wiedziałam, co począć. Czy mu o tym powiedzieć. Czy w ogóle komukolwiek się zwierzyć. Odkładałam decyzję przez kolejne tygodnie.

– I co w końcu zrobiłaś?

– Pomyślałam, że jednak trzeba go zawiadomić, i że powinnam zrobić to osobiście. Ponieważ nie pokazywał się już w księgarni, pojechałam do niego do college'u. Dowiedziałam się, że zakochał się w innej. Przyznał mi się do tego z pewnym zażenowaniem – ostatecznie ze sobą sypialiśmy. Ale nigdy niczego sobie nie obiecywaliśmy i nie byliśmy w sobie zakochani. Po prostu się lubiliśmy, to wszystko. Kiedy mówił o nowej dziewczynie, twarz mu się rozjaśniała – nie ulegało wątpliwości, że szaleje na jej punkcie. Więc mu nie powiedziałam o dziecku.

Zawahała się, po czym sięgnęła po jeden z herbatników, które Stella starannie ułożyła na talerzyku.

– Nie mogę się oprzeć słodyczom – dodała przepraszającym tonem. – Po dłuższym zastanowieniu doszłam do wniosku, że mówienie mu o ciąży nikomu nie wyjdzie na zdrowie.

– To musiała być bardzo trudna decyzja – zauważyła Roz.

– Nie tak bardzo. Kiedy jechałam do tego chłopaka, sama nie wiedziałam, czego od niego oczekuję. Nie chciałam, żebyśmy się pobrali. Pomyślałam jedynie, że ma prawo dowiedzieć się o ciąży, choć na tym etapie jeszcze nie byłam pewna, czy zdecyduję się urodzić dziecko. Chyba przede wszystkim miałam ochotę porozmawiać, zapytać, co on o tym wszystkim sądzi. Kiedy jednak usłyszałam, jak opowiada o swojej dziewczynie... – Potrząsnęła głową. – Doszłam do wniosku, że jeśli zawiadomię go o ciąży, sprawię jedynie, że poczuje się przerażony, znienawidzi mnie, a jednocześnie ogarną go wyrzuty sumienia. Wprowadzę wielki zamęt w jego życie, a przecież on wcześniej chciał mi jedynie pomóc, kiedy przeżywałam ciężkie chwile.

– I w ten sposób zostałaś sama – stwierdziła Stella.

– Gdybym mu o wszystkim powiedziała, również zostałabym sama. Ale kiedy w końcu zdecydowałam, że urodzę to dziecko, zaczęłam się znowu zastanawiać, czy nie powinnam mu powiedzieć o swoim postanowieniu. Najpierw jednak popytałam różnych znajomych, co u niego słychać. Dowiedziałam się, że nadal jest z tą dziewczyną, że nawet myślą o ślubie. Wówczas doszłam do wniosku, że w pierwszym odruchu postąpiłam słusznie. Niemniej kiedy ciąża stała się widoczna, pojawiło się wiele pytań i plotek. Pomyślałam, że muszę zacząć wszystko od nowa. I dlatego tu jestem.

– Bo szukasz nowego życia – podsumowała Roz.

– Bo szukam pracy. – Hayley nerwowo oblizała usta. – Wiem, że wiele osób w żadnym razie nie zatrudniłoby kobiety w szóstym miesiącu ciąży. Pomyślałam jednak, że rodzina – nawet daleka – może okazać większą wyrozumiałość.

Ku jej przerażeniu, Roz siedziała w milczeniu.

– Studiowałam literaturę i zarządzanie – ciągnęła dzielnie Hayley. – Ukończyłam studia z wyróżnieniem. Zdobyłam niezłe doświadczenie zawodowe. Mam pieniądze – niedużo, ale mam. Ojciec był nauczycielem, więc nie zarabiał wiele, a moje częściowe stypendium nie pokrywało wszystkich kosztów. Stać mnie jednak na wynajęcie skromnego mieszkania, na utrzymanie siebie i dziecka. Teraz najbardziej potrzebuję pracy – jakiejkolwiek pracy. Ty, kuzynko, masz dużą firmę i wielki dom. Zapewne potrzebujesz ludzi, aby pomogli ci to wszystko ogarnąć. Więc proszę cię jedynie o szansę.

– Czy wiesz coś o ogrodnictwie, znasz się na roślinach?

– Co roku sadziliśmy kwiaty w skrzynkach i wspólnie z ojcem zajmowaliśmy się ogródkiem. Ale mogę wszystkiego się nauczyć. A uczę się chętnie i szybko.

– Nie wolałabyś jednak pracować w księgarni? Hayley prowadziła małą, niezależną księgarnię w Little Rock – wyjaśniła Roz na użytek Stelli.

– Tylko że ty nie masz księgarni, kuzynko Rosalind. Chętnie popracuję w twojej firmie przez dwa tygodnie, na próbę, bez żadnego uposażenia.

– Każdy, kto u mnie pracuje, dostaje wynagrodzenie. Za kilka tygodni zacznę nabór sezonowych pracowników. Tymczasem jednak... Stello, czy Hayley mogłaby ci się do czegoś przydać?

– Uch... – Jakże, patrząc na tę niemal dziecięcą buzię i olbrzymi brzuch, mogłaby powiedzieć „nie"? – Gdy prowadziłaś księgarnię, jaki miałaś zakres obowiązków?

– No, cóż... oficjalnie nie byłam menedżerem, ale praktycznie pełniłam tę funkcję. Ponieważ księgarnia była rzeczywiście niewielka, zajmowałam się wszystkim po trochu. Inwentaryzacją, zakupami, kontaktami z klientami, planami sprzedaży, reklamą. Ale tylko części księgarskiej. Kawiarnią kierował kto inny.

– A co uważasz za swoją najmocniejszą stronę?

Hayley wzięła głęboki oddech, by uspokoić nerwy. Wiedziała, że musi teraz udzielać jasnych i zwięzłych odpowiedzi. I nie będzie błagać, bo na tym za bardzo ucierpiałaby jej własna duma.

– Kontakty z klientami, bezpośrednio przekładające się na wyniki sprzedaży. Dobrze sobie radzę z ludźmi, chętnie poświęcam klientom sporo czasu, by dowiedzieć się, czego szukają i na czym im zależy. A kiedy ludzie są zadowoleni z zakupów, zawsze wracają. Jeśli włoży się trochę wysiłku, wejdzie w bliższe relacje z klientem, zdobywa się jego lojalność.

Stella skinęła głową.

– A twoje słabości?

– Zaopatrzenie – odparła Hayley bez zastanowienia. – Zawsze miałam ochotę kupić wszystko, co wpadło mi w ręce. Wciąż musiałam sobie powtarzać, że nie wydaję przecież własnych pieniędzy. Choć czasami zdarzało mi się głuchnąć na to wewnętrzne przykazanie.

– W tej chwili jesteśmy w trakcie reorganizacji. Przydałaby mi się pomoc we wdrażaniu nowych struktur. Trzeba wprowadzić do komputera wiele danych, co, ostrzegam, jest bardzo żmudnym zajęciem.

– Sprawnie posługuję się komputerem. Zarówno PC-tem, jak i macintoshem.

– W takim razie przyjmiemy cię na dwa tygodnie, na okres próbny – zdecydowała Roz. – Oczywiście, zapłacę ci za pracę. W tym czasie przekonamy się, czy możemy dobrze współdziałać. Jeśli okaże się, że nie, zrobię, co w mojej mocy, by pomóc ci znaleźć inną pracę.

– To bardzo wspaniałomyślne warunki. Dziękuję, kuzynko Rosalind.

– Proszę, mów mi Roz. Jeżeli mnie pamięć nie myli, w szopie mamy kanister z benzyną. Zajmę się tym, a potem podjedziemy pod dom twoim samochodem, żebyś mogła wnieść do środka swoje rzeczy.

– Tutaj? Do tej rezydencji? – Hayley, kręcąc głową, odstawiła filiżankę. – Jak mówiłam, nie chcę jałmużny. Bardzo dziękuję za możliwość pracy, ale nie mogę zwalać ci się na głowę.

– Rodzina, nawet daleka, jest zawsze mile widziana pod tym dachem. Poza tym, jeśli tu zamieszkasz, będziemy mogły wszystkie lepiej się poznać, sprawdzić, czy potrafimy zgodnie koegzystować.

– Ty też tu mieszkasz? – zwróciła się Hayley do Stelli.

– Owszem, razem z moimi synami: ośmio- i sześciolatkiem. Teraz już śpią.

– Czy my też jesteśmy kuzynkami?

– Nie.

– Pójdę po tę benzynę – zdecydowała Roz, wstając z fotela.

– Będę płacić czynsz – oświadczyła Hayley, również się podnosząc. – Zawsze płacę za swoje utrzymanie.

– W takim razie ustalimy wysokość twojej pensji na takim poziomie, by z góry potrącać ci za mieszkanie.

Chwilę później Hayley została sam na sam ze Stellą i wreszcie głęboko odetchnęła.

– Myślałam, że Roz jest starsza. I bardziej przerażająca. Chociaż założę się, że jeśli tylko zechce, potrafi każdego onieśmielić. Trzeba być twardym i nieugiętym, żeby zdobyć to, co ona osiągnęła.

– Masz rację. Ja zresztą też bywam bardzo twarda w pracy.

– Postaram się to zapamiętać. Przyjechałaś z Północy?

– Tak. Z Michigan.

– To daleko stąd. Przeprowadziłaś się tylko z synkami?

– Mój mąż zginął w katastrofie samolotu dwa i pół roku temu.

– To smutne. Musiało być ci ciężko. Trudno pogodzić się z utratą najbliższej osoby. Zdaje się, że wszystkie trzy mogłybyśmy coś powiedzieć na ten temat. Najgorzej jest, oczywiście, gdy człowiek zostaje sam – nie ma już kogo kochać. Ja na szczęście mam teraz dziecko.

– Wiesz już, czy to chłopiec czy dziewczynka?

– Nie. W trakcie badania USG maluch był odwrócony plecami. Myślę, że powinnam iść do Roz, pomóc jej z tą benzyną.

– Pójdę z tobą – zdecydowała Stella. – Zajmiemy się tym wszystkie razem.

Godzinę później Hayley została ulokowana w gościnnym pokoju w zachodnim skrzydle. Idąc do swojej sypialni, wiedziała, że nieprzyzwoicie wytrzeszcza oczy. Ale pierwszy raz była w tak wspaniałym domu. I w tak pięknym pokoju. Nigdy przedtem nie przypuszczała, że zamieszka w równie eleganckim miejscu, choćby tymczasowo.

Odstawiła bagaże, po czym przesunęła palcem po błyszczącym blacie biurka i drzwiach szafy, po rzeźbionych kloszach lamp i żłobieniach zagłówka łóżka.

Zrobi wszystko, by zasłużyć na to, co ją dziś spotkało, obiecywała sobie, gdy leżała w ciepłej kąpieli. Odwdzięczy się Roz za jej dobroć ciężką pracą i lojalnością.

Po wyjściu z wanny wtarła w brzuch i piersi pachnący olejek. Nie bała się porodu, nie chciała jednak w tak młodym wieku nabawić się rozstępów.

Poczuła nieznaczny chłód i szybko naciągnęła koszulę nocną. Miała wrażenie, że w lustrze, kątem oka, pochwyciła jakiś cień, nieznaczny ruch.

Rozcierając ramiona, by odpędzić chłód, wyszła szybko z łazienki. W pokoju nie było żywej duszy.

Jestem bardzo zmęczona, wyjaśniła to sobie w duchu i przetarła oczy. Tego dnia odbyła długą podróż – i to nie tylko w sensie odległości.

Wyciągnęła z walizki książkę – jedną z wielu, których nie miała serca sprzedać, a które nadal leżały w bagażniku samochodu – i wśliznęła się do łóżka.

Otworzyła powieść w zaznaczonym miejscu, szykując się, jak zwykle, na godzinną lekturę przed snem.

Zasnęła, zanim zdołała przeczytać do końca jedną stronę. I nawet nie zgasiła światła.

Na prośbę Roz Stella poszła wraz z nią do prywatnego saloniku na górze. Roz nalała do kieliszków wina.

– Co o niej myślisz? Tylko szczerze – zwróciła się do Stelli.

– Młoda, bystra, ambitna. Uczciwa. Mogła nas uraczyć rozdzierającą serce historią, jak to ojciec dziecka zdradził ją i porzucił, mogła błagać o dach nad głową, zasłaniając się ciążą. Tymczasem przyznała się do odpowiedzialności za własną sytuację i poprosiła o pracę. Oczywiście, sprawdzę jej referencje.

– Oczywiście. Jestem zdumiona, że zupełnie nie przeraża jej perspektywa urodzenia dziecka.

– Bo dopiero jak się je urodzi, człowieka ogarnia strach.

– Racja. – Roz przeczesała palcami włosy. – Podzwonię tu i ówdzie. Spróbuję się dowiedzieć czegoś więcej o tej gałęzi rodziny Ashbych. Prawdę mówiąc, nie pamiętam za dobrze jej ojca. Spotkaliśmy się raz, może dwa razy w życiu. Pamiętam natomiast świetnie skandal związany z odejściem jej matki – zostawiła Phillipsa z maleńkim dzieckiem. Patrząc jednak na tę dziewczynę, odniosłam wrażenie, że doskonale poradził sobie z wychowaniem córki.

– Jej doświadczenie w zarządzaniu księgarnią może się okazać dla nas cenne.

– Jeszcze jeden menedżer. – Roz teatralnie wzniosła oczy ku niebu. – Boże, miej mnie w opiece.

# 7

Nie trzeba było aż dwóch tygodni. Minęły dwa dni, a Stella doszła do wniosku, że Hayley została zesłana w odpowiedzi na jej wszystkie modlitwy. Miała teraz u boku kogoś młodego, dynamicznego i pełnego entuzjazmu, kto rozumiał i doceniał racjonalną organizację w miejscu pracy.

Hayley doskonale radziła sobie z zestawieniami tabularycznymi, fakturami i zamówieniami, nigdy niczego nie trzeba było jej powtarzać i natychmiast pojęła kolorystyczny system oznaczania cen. Jeśli była choć w połowie tak dobra w kontaktach z klientami, jak w pracy biurowej, Stella miała przed sobą prawdziwą perłę.

Gdy chodziło o rośliny, jej wiadomości nie wykraczały poza podstawowe minimum – umiała zaledwie odróżnić geranium od bratka. Ale tego można się przecież nauczyć w praktyce.

Stella zamierzała więc błagać Roz, by zaproponowała Hayley pracę na stałe.

– Hayley? – Wsunęła głowę do biura, teraz już idealnie uporządkowanego. – Mamy jeszcze godzinę do otwarcia. Może poszłabyś ze mną do szklarni numer trzy – opowiem ci co nieco o roślinach cieniolubnych.

– Super. Jeśli chodzi o wieloletnie, doszłam do litery „H". Do tej pory o połowie z nich nigdy nie słyszałam, ale wieczorami wciąż o nich czytam. Nie wiedziałam, że słoneczniki są nazywane *Helia*... czekaj, nie podpowiadaj... *Helianthus*.

– *Helianthus* to cała rodzina. Jako rośliny ozdobne hodowane są trzy gatunki. Różnią się wielkością i nieco kształtem. Niektóre odmiany są jednoroczne – z nich głównie pozyskuje się nasiona do celów przemysłowych. Można je rozmnażać na różne sposoby. I łatwo je się krzyżuje. Ale zdaje się, że wygłaszam ci wykład...

– Nie szkodzi. Przecież dorastałam z nauczycielem. Chętnie słucham pogadanek.

Kiedy przechodziły przez centrum, Hayley wyjrzała przez okno.

– Właśnie podjechała jakaś ciężarówka i zatrzymała przy... jak wy je nazywacie? Płyty ogrodowe – dorzuciła, zanim Stella zdążyła otworzyć usta. – To materiał na ścieżki i alejki, prawda? I... mniam, mniam... tylko popatrz, jakie cudo właśnie z niej wysiada. Wysoki, idealnie zbudowany przystojniak. Kto to taki?

Stella wzruszyła ramionami.

– Zapewne Logan Kitridge, architekt krajobrazu pracujący u Roz. Przyznaję, wysoko się plasuje na skali dobrze zbudowanych przystojniaków.

– Aż mi ślinka leci. – Widząc minę Stelli, Hayley parsknęła śmiechem i przycisnęła dłoń do brzucha. – Jestem w ciąży, ale nie przestałam być kobietą. I choć nie szukam teraz mężczyzny, nie znaczy to, że nie mogę z przyjemnością popatrzeć. Szczególnie gdy mam przed oczami tak smakowity okaz. Posępny twardziel. Co takiego jest w posępnych twardzielach, że na ich widok od razu czuje się mrowienie w dole brzucha?

– Nie mam pojęcia. Co on tam robi?

– Zdaje mi się, że ładuje płyty na ciężarówkę. Gdyby nie było tak chłodno, zdjąłby kurtkę, a wtedy miałybyśmy prawdziwy pokaz muskulatury. Boże, ależ z niego ciacho!

– Z rodzaju tych, od których dostaje się próchnicy – mruknęła Stella. – Rzecz w tym, że on wcale nie miał dzisiaj przyjeżdżać po płyty. W ogóle nie złożył na nie zamówienia. Niech to szlag trafi!

Ku zdumieniu Hayley Stella wypadła na zewnątrz, trzaskając drzwiami. Dziewczyna przycisnęła nos do szyby, by popatrzeć na scenę, która miała się rozegrać.

– Przepraszam?

– Nie szkodzi... – odparła w roztargnieniu Hayley, próbując stanąć tak, by mieć jak najlepszy widok na to, co się będzie działo na zewnątrz. Natychmiast jednak odskoczyła od okna, przypominając sobie, że podglądać kogoś to jedno, a dać się na tym przyłapać to zupełnie coś innego. Odwróciła się, przywołując na usta najbardziej niewinny uśmiech. Tymczasem naprzeciwko niej stało kolejne „ciacho".

Ten mężczyzna nie był potężny i ponury, tylko smukły i jakby rozmarzony. I niezwykle seksowny. Musiało upłynąć kilka sekund, zanim Hayley oprzytomniała na tyle, by zdać sobie sprawę, z kim ma do czynienia.

– Cześć! Ty zapewne jesteś Harper. Bardzo przypominasz wyglądem swoją mamę. Do tej pory jeszcze nie mieliśmy okazji się poznać. Ja jestem Hayley. Kuzynka Hayley z Little Rock. Może mama ci mówiła, że teraz tu pracuję.

– Tak. Jasne. – Nic lepszego nie przyszło mu do głowy. Nagle w ogóle stracił zdolność myślenia. Miał takie wrażenie, jakby trafił go grom z jasnego nieba.

– Czy ty też uwielbiasz to miejsce? Bo ja zdążyłam się już w nim zakochać. Jest tu tyle pięknych roślin i przedmiotów, a wszyscy klienci są bardzo przyjacielscy. No i Stella... ona jest wprost niesamowita. Natomiast twoja mama przypomina... bo ja wiem... jakąś boginię. Jestem jej dozgonnie wdzięczna, że dała mi szansę pracy w swojej firmie.

– Tak. – Zachowywał się jak nierozgarnięty półgłówek. Już chyba nie można robić z siebie większego idioty. – Obie są wspaniałe. Wszystko jest wspaniałe. – A jednak można. Co się z nim dzieje, do cholery! Normalnie w kontaktach z kobietami był swobodny i pewny siebie. Tymczasem jedno spojrzenie na tę dziewczynę sprawiło, że doznał czegoś na kształt wstrząśnienia mózgu. – Hm... czy czegoś sobie życzysz?

– Nie. – Spojrzała na niego ze zdumieniem. – Wydawało mi się, że to ty czegoś chciałeś.

– Naprawdę? A czego?

– Nie mam pojęcia. – Położyła dłoń na brzuchu, który go wyjątkowo fascynował, i zaśmiała się swobodnie, radośnie. – To przecież ty przyszedłeś tu do mnie.

– A tak, oczywiście. Nie, niczego nie chciałem. Przynajmniej na razie. Może potem. Muszę wracać.

Byle tylko wyjść na zewnątrz, gdzie będzie mógł wreszcie swobodnie oddychać.

– Miło było cię poznać, Harper.

– Ciebie też.

Wychodząc, spojrzał za siebie. Hayley znowu stała przy oknie.

Stella pospieszyła w stronę parkingu. Dwa razy zawołała Logana po imieniu, on jednak zaledwie na nią spojrzał i lekceważąco machnął ręką. Toteż kiedy przed nim w końcu stanęła, wprost kipiała z wściekłości.

– Co ty wyprawiasz?!

– Gram w tenisa. A tobie co się wydawało?

– Że zabierasz towar, na który nie złożyłeś zamówienia.

– Doprawdy? – Wrzucił na platformę ciężarówki następną porcję płyt. – W takim razie nic dziwnego, że nieco zardzewiał mi bekhend.

– Słuchaj...

Ku jej zdumieniu, nachylił się nad nią i pociągnął nosem.

– Zmieniłaś szampon. Ładny zapach.

– Przestań mnie obwąchiwać! – Odepchnęła jego twarz i odskoczyła do tyłu.

– Nic nie mogę na to poradzić. Stoisz tuż obok. Nie jestem jeszcze pozbawiony węchu.

– Nie wolno ci zabierać tych materiałów bez wypełnienia stosownych dokumentów.

– Tak, tak, tak. W porządku. Wiem. Przyjdę i zajmę się papierkami, gdy tylko załaduję ciężarówkę.

– Powinieneś się nimi zająć, zanim zabierzesz się do ładowania.

Odwrócił się i wbił w nią ostre spojrzenie ciemnozielonych oczu.

– Jesteś strasznie upierdliwa, Rudzielcu.

– Bo powinnam. Ostatecznie jestem menedżerem.

Roześmiał się i spojrzał na nią znad przeciwsłonecznych okularów.

– Muszę przyznać, że świetnie ci idzie. Spójrz jednak na nasz problem z innej strony. Płyty leżą po drodze do biura. Ładując je najpierw, jestem bardziej efektywny. – Jego uśmiech stał się teraz kpiący. – To przecież ważne. Szczególnie gdy opracowuje się – na przykład – konspekt godzin roboczych.

Oparł się o samochód i patrzył na nią chwilę z ironicznym wyrazem twarzy, po czym wrzucił na platformę kolejne płyty.

– Kiedy tak stoisz i mi się przyglądasz, marnujesz czas, niepotrzebnie zwiększając ilość pustych przebiegów.

– Słuchaj, Kitridge, jeśli nie przyjdziesz załatwić formalności, będziesz miał ze mną do czynienia.

– Nie kuś.

Ładowanie płyt zajęło mu więcej czasu niż zazwyczaj, ale w końcu zjawił się w biurze.

W tym czasie zastanawiał się, czym by tu mógł dodatkowo rozdrażnić Stellę. Kiedy się wściekała, jej oczy nabierały pięknego, fiołkowego odcienia. Ale gdy tylko wkroczył do budynku, pierwszą osobą, którą zobaczył, była Hayley.

– Cześć – rzucił.

– Cześć – odpowiedziała z miłym uśmiechem. – Nazywam się Hayley Phillips. Jestem krewną pierwszego męża Roz. Teraz tu pracuję.

– A ja mam na imię Logan. Miło cię poznać. Nie daj się zastraszyć tej Jankesce. – Skinął głową w kierunku Stelli. – Gdzie są święte formularze i rytualny nóż, bym mógł przekłuć sobie żyłę i podpisać się własną krwią?

– W moim biurze.

– Jakże by inaczej. – Zanim jednak podążył za Stellą, zatrzymał się na moment przy Hayley. – Na kiedy masz termin?

– Na maj.

– I wszystko w porządku?

– Jak najlepszym.

– To doskonale. Firma Roz jest wspaniałym miejscem do pracy – i zazwyczaj bardzo przyjaznym. Tak więc, witaj na pokładzie.

Leniwym krokiem wkroczył do biura, gdzie Stella już siedziała przed monitorem, na którym widniał odpowiedni formularz zamówienia.

– Tym razem wystukam wszystko sama, żeby oszczędzić na czasie. Cała masa tych formularzy leży w tamtej teczce. Weź ją. Będziesz musiał jedynie wpisać odpowiednie dane w określone rubryki, postawić datę i parafkę. Po czym podrzucić papiery na moje biurko.

– Uhm.

Rozejrzał się po pomieszczeniu. Ani śladu przepełnionych kartonów czy stosów książek leżących na krzesłach i podłodze. Szkoda, pomyślał. Lubił ten artystyczny chaos, atmosferę gorączkowej pracy.

– Gdzie są graty, które tu się walały?

– Na swoim miejscu. Czy płyty, które załadowałeś, to były okrągłe osiemnastki typu A-dwadzieścia trzy?

– To były okrągłe osiemnastki. – Wziął do ręki zdjęcie ustawione na biurku, przedstawiające synów Stelli i ich psa. – Urocze.

– Też tak uważam. Czy te płyty są do twojego osobistego użytku, czy do realizacji zlecenia klienta?

– Rudzielcu, czy ty nigdy nie możesz wyluzować?

– Nie. To już taka nasza jankeska przywara.

– Oczywiście. Już zapomniałem, jacy są Jankesi.

– Czy przynajmniej zdajesz sobie sprawę, że po prostu robi mi się niedobrze, ile razy ktoś mówi o mnie „Jankeska"? Jakbym była biologicznie obcym gatunkiem lub przerażającą, śmiertelną zarazą. Połowa przychodzących tu klientów mierzy mnie od stóp do głów, uznając prawdopodobnie, że przyleciałam z innej planety i bynajmniej nie w pokojowych zamiarach. A potem, na Boga, muszę odpowiedzieć na rozmaite pytania w rodzaju: dlaczego się tu przeniosłam i z kim jestem spowinowacona. Dopiero później możemy przejść do konkretów. Przecież, do cholery, przyjechałam zaledwie z Michigan, nie z Księżyca, a pieprzona wojna secesyjna skończyła się już dawno temu.

Tak jest. Kolor leśnych dzwonków.

– To nie była żadna wojna secesyjna, tylko walka na śmierć i życie pomiędzy Mason-Dixie a jakimiś cholernymi zjednoczonymi stanami, skarbie. I widzę, że jeśli cię dobrze wkurzyć, to potrafisz się w końcu wyluzować.

– Nie mów do mnie „skarbie" i to jeszcze w tym nosowym narzeczu!

– Wiesz co, Rudzielcu? O wiele bardziej mi się podobasz, kiedy się wściekasz.

– Och, zamknij się. Wracajmy do płyt. Do prywatnego użytku czy do wykonania zlecenia?

– Cóż, to zależy od punktu widzenia. – Ponieważ biurko było teraz właściwie puste, swobodnie przysiadł na brzegu. – Są przeznaczone dla znajomej. Wykładam nimi ścieżkę w jej ogrodzie – w moim prywatnym czasie, nie licząc kosztów robocizny. Powiedziałem, że kupię materiał w firmie i tylko za to przedstawię jej rachunek.

– W takim razie uznamy, że to płyty do twojego użytku osobistego, i zastosujemy zniżkę dla pracowników. – Zaczęła uderzać w klawisze. – Ile wziąłeś tych płyt?

– Dwadzieścia dwie.

Wstukała w komputer jednostkową cenę za płytę, przed i po upuście.

Choć Logan nigdy by tego nie przyznał, był pod wrażeniem jej zmysłu organizacyjnego.

– Uwięziłaś tam jakiegoś geniusza matematycznego? – spytał, wskazując na monitor.

– To jedynie cuda techniki dwudziestego pierwszego wieku. Są efektywniejsze niż liczenie na palcach.

– Nie byłbym taki tego pewien. Moje palce są wyjątkowo zwinne. – Bębniąc wspomnianymi palcami po udzie, uparcie wpatrywał się w twarz Stelli. – Potrzebne mi też trzy bale sosnowe.

– Dla tej samej znajomej?

– Nie. – Uśmiechnął się szelmowsko. Jeżeli uważała, że za określeniem „znajoma" tak naprawdę kryje się kochanka, to już jej sprawa – nie zamierzał wyjaśniać, że chodzi o panią Kingsley, jego wiekową nauczycielkę jeszcze ze szkoły podstawowej. – Sosny są dla klienta. Niejakiego Rolanda Guppy'ego. Zapewne masz jego dane gdzieś w swojej tajemniczej, przepastnej kartotece, bo pracowaliśmy u niego zaledwie ubiegłej jesieni.

Na stoliku przystawionym do ściany stał ekspres do kawy. Logan chwycił pierwszy lepszy kubek i napełnił go bez pytania.

– Czuj się jak w domu – rzuciła sarkastycznie Stella.

– Dzięki. A wracając do sprawy, zaproponowałem bale sosnowe do budowy ekranu osłaniającego od wiatru. Potrzeba mu było aż tyle czasu, by zdecydować, że chciałby mieć taką ochronę. Zadzwonił do mnie wczoraj do domu. Powiedziałem, że dziś wezmę materiał i wykonam pracę.

– Do tego zlecenia potrzebujemy innego formularza.

Pokosztował kawę. Nie najgorsza.

– Jakimś cudem mnie to nie dziwi.

– Czyli do użytku osobistego bierzesz jedynie płyty?

– Dziś tak.

Uderzyła w klawisz „drukuj", po czym zabrała się do następnego dokumentu.

– A więc trzy sosnowe bale. Jakiej wielkości?

– Widziałem tu całkiem ładne dwuipółmetrowe.

– Okorowane?

– Tak.

Puk, puk, puk w klawiaturę i już gotowe, zauważył ze zdumieniem. Przy okazji też dostrzegł, że Stella ma bardzo ładne palce. Długie, wysmukłe, z migdałowatymi paznokciami, powleczonymi jasnoróżowym lakierem, przywodziły na myśl podstawę różanego płatka.

– Czy coś jeszcze?

Zaczął przeszukiwać kieszenie, by w końcu wyciągnąć świstek papieru.

– Na tyle wyceniłem robociznę u Guppy'ego.

Dodała zapisaną przez niego wartość do ceny materiału, podsumowała wszystko razem i wydrukowała dokument w trzech kopiach, podczas gdy on powoli sączył kawę.

– Podpisz lub parafuj – zarządziła. – Jeden egzemplarz jest dla mnie, drugi dla ciebie, trzeci dla klienta.

– Pojąłem.

Powstrzymała go ruchem dłoni, kiedy podniósł długopis.

– Hej, poczekaj. Muszę iść po ten nóż. Którą żyłę postanowiłeś otworzyć?

– Urocze. – Skinął głową w stronę drzwi. – Podobnie jak twoja nowa siła robocza.

– Masz na myśli Hayley? Tak, jest przemiła. Lecz dużo za młoda dla ciebie.

– Nie powiedziałbym. Choć przyznaję, że wolę kobiety trochę bardziej... – Urwał i wyszczerzył zęby w uśmiechu. – Myślę, że na tym poprzestanę, by pozostać przy życiu.

– Bardzo roztropnie.

– Jak tam wiedzie się twoim synom w szkole? Dzieciaki dają im wycisk?

– Słucham?

– Pamiętam, co powiedziałaś przed chwilą o Jankesach.

– Ach, tak. Czasami nie jest im lekko. Ale nowych kolegów raczej fascynuje fakt, że Gavin i Luke mieszkali na Północy i to w pobliżu jednego z Wielkich Jezior. Nauczycielki obu chłopców już na pierwszej lekcji wyciągnęły mapy, by wszystkim pokazać miasto, z którego pochodzą. – Twarz jej złagodniała, gdy opowiadała o synach. – Miło, że pytasz.

– Polubiłem twoje dzieci.

Podpisał szybko formularze, a potem o mało nie wybuchnął śmiechem, gdy Stella jęknęła – autentycznie jęknęła! – widząc, jak zgniótł swoją kopię i wsunął niedbale do kieszeni.

– Czy następnym razem mógłbyś to zrobić dopiero po wyjściu z biura? Bo naprawdę ten widok rozdziera mi serce.

– Nie ma sprawy.

Może sprawił to milszy ton jej głosu, który złagodniał tuż po tym, jak zapytał o chłopców, a może jej uroczy uśmiech. W każdym razie dopiero jakiś czas później Logan zaczął się zastanawiać, co go opętało, gdy zapytał:

– Byłaś już w Graceland?

– Nie. Prawdę mówiąc, nie przepadam za Elvisem.

– Szsz! – Zerknął konspiracyjnie w stronę drzwi. – W tych okolicach wygłaszanie podobnych opinii jest prawnie zabronione. Grozi ci za to kara więzienia, a nawet – jeśli tak zechce wielka ława przysięgłych – publiczna chłosta.

– Niczego podobnego nie pisali w przewodniku po Memphis.

– To akurat umieszczono na dole, małym drukiem. W takim razie muszę cię tam zabrać. Kiedy masz najbliższy wolny dzień?

– Ja... To zależy. Chcesz mnie zabrać do Graceland?

– Póki tam nie pojedziesz, nie będziesz mogła na dobre się tu zadomowić. Wybierz dzień. Ja się dostosuję.

– Wybacz, ale nie do końca pojęłam miejscowe zwyczaje. Czy zapraszasz mnie na randkę?

– W żadnym razie. Traktuję to jako wycieczkę integracyjną dwojga ludzi skazanych na współpracę. – Odstawił pusty kubek na biurko. – Zastanów się i daj mi znać.

Miała zbyt wiele na głowie, żeby się nad tym zastanawiać. No i nie mogła przecież tak, ot, wyskoczyć sobie do Graceland. A nawet gdyby mogła, i gdyby ogarnęła ją jakaś niewytłumaczalna ochota odwiedzenia tego miejsca, i tak nie zrobiłaby tego w towarzystwie Logana.

Fakt, że podziwiała jego zdolności i – no, dobrze – muskulaturę, nie znaczył jeszcze, że ma go lubić. I spędzać w jego towarzystwie jakże cenny wolny czas.

Jednocześnie wciąż się zastanawiała, czemu właściwie zaprosił ją na tę wycieczkę. Może krył się za tym jakiś podstęp – dziwaczna inicjacja dla Jankeski. Zabiera się taką do Graceland, a potem pozostawia samą, zagubioną w gąszczu pamiątek po Elvisie, by sprawdzić, czy odnajdzie drogę do domu.

A może, na swój pokrętny sposób, Logan doszedł do wniosku, że podrywając ją, łatwiej wywinie się od stosowania nowego systemu, niż z nią walcząc.

Tyle że, prawdę mówiąc, on jej wcale nie podrywał. Jego propozycja sprawiała wrażenie przyjaznego, spontanicznego gestu. A na dodatek zapytał o chłopców. Niczym innym nie mógłby tak jej rozbroić, jak okazując szczere zainteresowanie dziećmi.

Ale skoro starał się być przyjacielski, grzeczność nakazywała, by odpłacić mu tym samym.

Swoją drogą ciekawe, w co należy się ubrać na wycieczkę do Graceland. Nie, żeby zdecydowała się na tę wyprawę. Najprawdopodobniej tam nie pojedzie. Tyle że inteligentni ludzie są zawsze przygotowani na różne sytuacje. Tak na wszelki wypadek.

Stella poruszyła tę kwestię, gdy w szklarni numer trzy uczyła Hayley, jak umiejętnie podlewać młode pędy roślin jednorocznych.

– Czy kiedykolwiek byłaś w Graceland? – spytała.

– Jasne. To niecierpki, prawda?

Stella zerknęła na płaską skrzynkę.

– Owszem. Odmiana „Busy Lizzies". Świetnie się zapowiadają.

– A to też niecierpki, tylko odmiana „New Guinea"?

– Tak jest. Muszę przyznać, że rzeczywiście szybko się uczysz.

– Niecierpki rozpoznaję z łatwością, bo swego czasu sadziłam je w naszym ogródku. A wracając do tematu, pojechałam do Graceland z paczką przyjaciół, gdy jeszcze studiowałam w college'u. Było super. Kupiłam sobie nawet zakładkę do książki z wizerunkiem Elvisa – ciekawe, co z nią zrobiłam? Czy wiesz, że Elvis to jedna z postaci imienia Elvin, oznaczającego „przyjaciela elfów". Dziwne, no nie?

– Mnie wydaje się dziwniejsze, że o tym wiesz.

– To jedna z tych informacji, które gdzieś, kiedyś wpadają ci w ucho i zapamiętujesz je na całe życie.

– No dobrze. Jak tam należy się ubrać?

– Słucham? – Hayley próbowała zidentyfikować sadzonki w kolejnej skrzynce i uważnie wpatrywała się w świeżo rozwinięte listki, starając się przy tym nie podejrzeć nazwy wypisanej na wetkniętym w ziemię patyczku. – Bo ja wiem? Ludzie wkładają, co chcą. Dżinsy i tym podobne.

– A więc strój niezobowiązujący.

– Właśnie. Szalenie lubię zapach szklarni: zapach wilgotnej ziemi.

– W takim razie idealnie pokierowałaś swoją karierą.

– To rzeczywiście może być wybór na całe życie, prawda? – Spojrzała na Stellę swoimi intensywnie niebieskimi oczami. – Gdybym się pilnie uczyła, mogłabym stać się naprawdę dobra. Zawsze wierzyłam, że pewnego dnia zacznę prowadzić własny interes. Sądziłam, że będzie to księgarnia, ale przecież ta praca jest bardzo podobna do pracy z książkami.

– Jak to?

– No, cóż. Tutaj też macie nowości i klasykę. Operujecie kategorią gatunku. Są rośliny jednoroczne, dwuletnie i wieloletnie. Krzewy, drzewa i rozmaite trawy. Rośliny wodne i cieniolubne. Wszystko skatalogowane i zaszeregowane.

– Wiesz, chyba masz rację. Choć nigdy przedtem nie myślałam o tym w podobny sposób.

Zachęcona słowami Stelli, Hayley ruszyła przejściem pomiędzy długimi stołami.

– Uczysz się i studiujesz, tak samo jak w wypadku książek. Poza tym my – mam na myśli pracowników – staramy się wskazać ludziom, co będzie dla nich najodpowiedniejsze, co ich uszczęśliwi, a przynajmniej przyniesie im satysfakcję. Sadzenie kwiatów to jak otwieranie nieznanej książki, ponieważ w jednej i drugiej sytuacji rozpoczyna się coś nowego. A ogród jest całą biblioteką. Dlatego wiem, że mogłabym się temu poświęcić całym sercem.

– Ani przez chwilę w to nie wątpię. – Stella uśmiechnęła się ciepło do dziewczyny.

– A kiedy tak się stanie, nie będzie to już tylko zwykła praca zapewniająca cotygodniową wypłatę. Pieniądze są oczywiście ważne, ale po pewnym czasie już nie o nie chodzi, a w każdym razie nie przede wszystkim.

– Tak. Doskonale wiem, co masz na myśli. Chodzi ci o to, co udało się osiągnąć Roz. Własnego miejsca w życiu i satysfakcji z pracy. Chcesz zapuścić korzenie – powiedziała Stella, wodząc delikatnie palcem po listkach sadzonki. – A potem rozkwitnąć. Świetnie cię rozumiem, bo pragnę tego samego.

– Ależ ty już to osiągnęłaś. Jesteś przecież taka mądra, masz jasno określony cel w życiu. No a do tego dwóch świetnych chłopaków i... doskonałą posadę. Ja natomiast dopiero zaczynam.

– I ogarnia cię zniecierpliwienie. Byłam taka sama w twoim wieku.

– Wybacz, przez moment zapomniałam, jak bardzo już jesteś stara i zniedołężniała.

Stella parsknęła śmiechem i odgarnęła włosy z twarzy.

– Starsza od ciebie o dziesięć lat. Mnóstwo może się wydarzyć w takim czasie i wiele zmienić – łącznie z tobą samą. Poza tym, w pewnym sensie ja również zaczynam, i to o całą dekadę później od ciebie. Przeflancowałam na nową grządkę siebie i moje dwie cenne roślinki.

– Czy niekiedy ogarnia cię strach?

– Chyba każdego dnia. – Stella położyła dłoń na brzuchu Hayley. – Strach jest ściśle związany z dobrodziejstwem tego inwentarza.

– Dobrze mi robią rozmowy z tobą. To znaczy ty, oczywiście, byłaś mężatką, ale teraz... No cóż... i ty, i Roz musiałyście i musicie zmagać się z samotnym macierzyństwem. Wiele wiecie na ten temat. Dobrze mieć obok siebie kobiety, które mogą się podzielić własnym doświadczeniem.

Kiedy już wszystkie rośliny dostały odpowiednią porcję wody, Hayley zakręciła kran.

– No więc jak? Jedziesz do Graceland?

– Jeszcze nie wiem. Ale może się wybiorę.

Wyznaczywszy podwładnym zadania na posesji Guppy'ego, Logan zabrał się do pracy w ogrodzie dawnej nauczycielki. Ułożenie alejki nie zajmie mu dużo czasu, zdąży więc jeszcze wrócić do Sama i Dicka. Lubił pracować w kilku miejscach naraz. Tak było ciekawiej.

Monotonna praca nad jednym projektem nie pozostawiała czasu na zastanowienie czy nagłą inspirację. A Logan uwielbiał owo kliknięcie w głowie, gdy nagle jawiła mu się wizja tego, co może stworzyć własnymi rękami.

Od wczesnych lat nauczył się szanować ziemię i kaprysy natury, chociaż raczej z punktu widzenia rolnika. Kiedy dorasta się na małej farmie, gdy się na niej pracuje, rozumie się wymagania i możliwości gleby. I wie, jak wykorzystać jej walory.

Jego ojciec również kochał ziemię, ale w inny sposób. Dostarczała środków do życia całej rodzinie, wymagała ciężkiej pracy, a w końcu zapewniła im drobną fortunę, gdy ojciec zdecydował się ją sprzedać.

Logan nie był sentymentalnie przywiązany do rodzinnej farmy. I nie chciał, żeby jego życie sprowadziło się do uprawy rosnących na równych polach zbóż i zamartwiania o ceny skupu. Niemniej pragnął nadal pracować w ziemi.

Brakowało mu tej szczególnej magii, gdy wyjechał na Północ. Zbyt wiele budynków, betonu i ograniczeń. Nie mógł się przyzwyczaić do tamtego klimatu i kultury, tak jak Rea nie mogła się zaaklimatyzować do życia na Południu.

I ich związek się rozpadł. Bez względu na to, jak bardzo się starali, uczucie umierało.

Więc powrócił w rodzinne strony i w końcu – kiedy przyjął propozycję Roz – na nowo odnalazł się w życiu i to pod każdym względem: osobistym, zawodowym, twórczym. Był wreszcie zadowolony.

Chwycił szpadel i energicznie wbił ostrze w ziemię.

Co też właściwie mu odbiło, żeby zapraszać na wycieczkę tę kobietę?! Mógł sobie to nazywać jakkolwiek chciał, ale fakt pozostawał faktem: gdy facet zabierał dokądś dziewczynę, to była cholerna randka. Koniec, kropka.

A tymczasem on nie miał zamiaru spotykać się z pedantyczną Stellą Rothchild. Ona nawet nie jest w jego typie.

No, dobra. Jasne, że jest – zdecydował, ubijając i wyrównując ziemię, by położyć pod płytami czarną folię. Prawdę mówiąc, jeszcze nie spotkał kobiety, która nie byłaby w jego typie.

Po prostu podobały mu się wszystkie. Młode i stare, naiwne prowincjuszki i wielkomiejskie profesjonalistki. Wyrafinowane intelektualistki i słodkie idiotki – jednym słowem kobiety go pociągały.

Przecież ożenił się z jedną z nich, czyż nie? I choć ów związek okazał się pomyłką, nie należało z tego wyciągać zbyt pochopnych wniosków – ostatecznie wszyscy ludzie kiedyś popełniają błędy.

Choć nigdy dotąd nie pociągały go chorobliwie pedantyczne kobiety, zawsze jednak musi być pierwszy raz. A Logan lubił pierwsze razy. Dopiero drugie czy trzecie mogły zniechęcić mężczyznę.

Tyle że Stella w zasadzie go nie pociągała.

No, dobrze. Niech to szlag! Pociągała go. Odrobinę. Ostatecznie była ładną kobietą o ponętnych kształtach. I zachwycających włosach. Chętnie wsunąłby w nie palce, tylko po to, by się przekonać, czy w dotyku są równie seksowne, jak w wyglądzie.

Co absolutnie nie oznaczało, że miałby ochotę umawiać się ze Stellą na randki. Już sama praca z nią była dostatecznie męcząca. Ta kobieta musiała wszystko szufladkować, wtłaczać w ramy jakiegoś cholernego systemu.

Prawdopodobnie to samo robiła w łóżku. Miała całą listę nakazów i zakazów układających się w ściśle określony „modus operandi".

Brakowało jej spontaniczności, odstępstwa od idiotycznych reguł. On jednak nie zamierzał być człowiekiem, który wprowadzi więcej luzu w jej życie.

Rzecz w tym, że tego ranka wyglądała tak ładnie, a jej włosy pachniały wprost zniewalająco. Plus – miała na ustach ten leciutki, seksowny uśmiech. Dlatego zanim się zorientował, co robi, już ją zaprosił na wycieczkę do Graceland.

Ale nie ma się czym przejmować, zapewnił sam siebie w duchu. Stella i tak się nie wybierze. To nie w jej stylu.

Wkrótce oboje zapomną, że coś podobnego w ogóle przyszło mu do głowy.

Stella uważała, że przynajmniej przez pierwsze pół roku powinna składać cotygodniowe sprawozdania z postępów prac. Wolałaby, żeby te spotkania odbywały się w określonym czasie i miejscu, ale jej pracodawczynię trudno było do tego nakłonić.

Zdarzało się więc, że Roz wysłuchiwała raportów w cieplarni albo na polu. Tym razem jednak udało się Stelli przyłapać szefową w jej prywatnym saloniku, skąd nie bardzo mogła uciec.

– Chciałam ci przedstawić cotygodniowe sprawozdanie.

– Uch... cóż, no, dobrze. – Roz odłożyła na bok książkę o hybrydyzacji, grubą jak cegła, po czym zdjęła wąskie okulary do czytania. – Czas zaczyna nas gonić. Gleba staje się coraz cieplejsza.

– Wiem. Lada chwila pojawią się żonkile. Nie mogę uwierzyć, że tak wcześnie. W tej chwili cebulki kwiatowe idą jak ciepłe bułeczki. Na Północy sprzedawano je późnym latem lub wczesną wiosną.

– Tęsknisz za dawnym życiem?

– Niekiedy, ale z każdym dniem coraz mniej. Nie żałuję, że nie mieszkam w Michigan teraz, w połowie lutego. Wczoraj spadło tam dwadzieścia centymetrów śniegu, a tymczasem tutaj mogę oglądać kiełkujące kwiaty.

Roz rozsiadła się wygodnie na krześle i skrzyżowała nogi w kostkach.

– Coś cię gnębi? – spytała Stellę.

– O, rany. Właśnie rozwiałaś moje iluzje, że potrafię doskonale ukrywać emocje. Nie, nic mnie nie gnębi. Po prostu z poczucia obowiązku zadzwoniłam do matki i wciąż jeszcze dochodzę do siebie po naszej rozmowie.

– Aha.

Reakcja Roz była tak neutralna, że Stella nie wiedziała, czy powinna zinterpretować ją jako całkowity brak zainteresowania czy też raczej subtelną zachętę do zwierzeń. Ponieważ wciąż jeszcze wszystko się w niej gotowało, postanowiła wyrzucić z siebie gniew.

– Przez piętnaście minut, które łaskawie zgodziła się wykroić dla mnie ze swojego napiętego planu dnia, musiałam wysłuchiwać skarg na temat jej obecnego „chłopaka” – bo tak nazywa mężczyzn, z którymi się spotyka, choć skończyła już pięćdziesiąt osiem lat, a dwa miesiące temu rozwiodła się po raz trzeci. A kiedy nie narzekała, że Rocky (spytałam – on naprawdę ma na imię Rocky) nie jest dość czuły i na dodatek nie chce jej zabrać na zimowe wakacje na Bahamy, rozwodziła się na temat głębokiego peelingu i cierpień, jakich doświadczyła podczas wstrzykiwania botoksu. Ani słowem nie spytała o chłopców ani o moją pracę, chciała natomiast wiedzieć, czy nie mam już dość tego palanta i jego kochanicy – tak bowiem zawsze określa ojca i Jolene. – Stella przetarła twarz dłońmi. – A niech to szlag! – zaklęła pod nosem.

– Mnóstwo wyrzekań, lamentów i sączenia jadu, jak na krótkie piętnaście minut. Twoja matka musi być niezwykle utalentowaną kobietą.

Stella oderwała ręce od twarzy i niemal przez minutę wpatrywała się w Roz. A potem zaniosła się śmiechem.

– O, tak. To prawda. Nie brakuje jej talentu. Dzięki.

– Nie ma za co. Moja mama przez większość czasu na tym świecie – a w każdym razie czasu, który dane było nam spędzić razem – wzdychała tęsknie za utraconym zdrowiem. „Nie, żebym się użalała”, zwykła przy tym powtarzać. Niewiele brakowało, a umieściłabym te słowa na jej nagrobku.

– Ja zaś w przyszłości powinnam umieścić na nagrobku mojej matki zdanie: „Przecież nie żądam wiele”.

– No proszę. Moja wywarła na mnie tak piorunujące wrażenie, że stałam się jej zupełną odwrotnością. Prawdopodobnie mogłabym odciąć sobie rękę lub nogę, nie wydając przy tym ani jednego jęku.

– Rany, mam wrażenie, że moja reakcja na matkę była analogiczna. Muszę się nad tym poważnie zastanowić. Ale przejdźmy wreszcie do rzeczy. Sprzedaliśmy już wszystkie doniczki z flancami kwiatów cebulkowych, pobudzonych do wcześniejszego kwitnienia. Nie wiem, czy chciałabyś, żebyśmy przygotowali ich więcej, skoro sezon na nie właściwie już się kończy.

– Myślę, że tak. Niektórzy lubią obdarowywać nimi znajomych i krewnych na Wielkanoc.

– W porządku. Może w takim razie pokażę Hayley, jak je przygotowywać? Wiem, że zazwyczaj robisz to osobiście, ale...

– Nie. To dobre zajęcie dla Hayley. Obserwuję ją już od dłuższego czasu. – Roz spojrzała na minę Stelli i uśmiechnęła się lekko. – Staram się, by pracownicy nie zauważali, że mam na nich oko, ale zazwyczaj pilnie się wszystkim przyglądam. Doskonale wiem, co się dzieje w mojej firmie, Stello, choć niekiedy, z przyczyn oczywistych, umykają mi pewne szczegóły.

– A ja jestem od tego, by dopilnować właśnie tych szczegółów.

– Owszem. Jeśli już o Hayley mowa, czy uważasz, że nam się przyda?

– Jest naprawdę świetna. Niczego nie trzeba jej powtarzać, a kiedy mówiła, że szybko się uczy, ani trochę nie przesadzała. Ta dziewczyna jest wprost głodna wiedzy.

– Tutaj niewątpliwie zdoła zaspokoić swój głód.

– Ma też doskonałe podejście do klientów: jest życzliwa i miła, nigdy nie traci cierpliwości. Nie brak jej też asertywności – śmiało przyznaje, że czegoś nie wie, ale zapewnia, że zaraz się dowie – i to robi. Teraz właśnie urzęduje w twoim ogrodzie, przyglądając się pilnie rabatom i krzewom. Chce wiedzieć jak najwięcej o tym, co sprzedaje. – Mówiąc to, Stella podeszła do okna i wyjrzała na zewnątrz. Powoli zapadał zmierzch, Hayley jednak wciąż spacerowała z psem i bacznie studiowała rośliny wieloletnie. – Gdy byłam w jej wieku, planowałam swój ślub. Wydaje mi się, że od tamtej pory upłynęło kilka lat świetlnych.

– Ja w jej wieku wychowywałam dwójkę maluchów i chodziłam w ciąży z Masonem. To dopiero było eony lat temu! A jednocześnie jakby zaledwie wczoraj.

– Roz, wiem, że znowu zbaczam z tematu, ale co zrobimy, gdy nadejdzie maj?

– To dla nas wciąż jeszcze bardzo gorący okres. Klienci chcą dosadzać nowe rośliny na lato, więc sprzedajemy...

– Nie. Miałam na myśli Hayley i jej dziecko.

– Cóż, przede wszystkim to ona sama będzie musiała zdecydować. Jeśli jednak zechce pozostać tutaj, znajdziemy dla niej jakąś siedzącą pracę.

– Będzie potrzebowała opiekunki do dziecka, gdy powróci do pracy. A jeśli już mówimy o opiece...

– Hm... Chyba nie musimy wybiegać aż tak daleko w przyszłość.

– Czas szybko biegnie – upierała się Stella.

– Coś wymyślimy. – Roz podniosła się z krzesła i również podeszła do okna, po czym ponad ramieniem Stelli wyjrzała na zewnątrz.

To piękny widok, pomyślała. Młoda kobieta, nosząca w sobie obietnicę życia, spacerująca po zimowym ogrodzie.

Kiedyś ona była taką kobietą – snuła marzenia o zmierzchu i wyczekiwała niecierpliwie wiosny, by wydać na świat pierwsze dziecko.

– Teraz wydaje się szczęśliwa i pewna swoich decyzji. Niewykluczone jednak, że po porodzie zmieni zdanie i postanowi nawiązać kontakt z ojcem dziecka. – Roz pilnie przyglądała się Hayley, która swoim zwyczajem przycisnęła dłoń do brzucha, po czym spojrzała na słońce, które znikało za linią zagajnika, opadając ku rzece. – Kiedy trzyma się noworodka w ramionach i nagle uświadamia sobie, że cała odpowiedzialność spoczywa tylko na tobie, rzeczywistość może stać się bolesna. Zobaczymy, co ostatecznie postanowi Hayley, gdy przyjdzie na nią czas.

– Masz rację. Poza tym żadna z nas nie zna jej na tyle dobrze, by wiedzieć, co dla niej najlepsze. A gdy już wspominałyśmy o dzieciach – nadszedł czas, bym wrzuciła chłopców do wanny. Zostawiam ci więc cotygodniowe zestawienia.

– Dobrze. Obiecuję, że się nimi zajmę. Chciałam ci też powiedzieć, Stello, że podobają mi się twoje pomysły. Zarówno te widoczne na pierwszy rzut oka – jak restrukturyzacja punktu sprzedaży detalicznej i zmiana ekspozycji, jak i te, które nie są tak spektakularne, ale może nawet ważniejsze –

a mianowicie uporządkowanie dokumentów. Nadchodzi wiosna, a ja pierwszy raz od wielu lat nie jestem przepracowana i zestresowana.

– Mimo że wciąż zawracam ci głowę jakimiś drobiazgami?

– Owszem. A tak przy okazji – od kilku dni nie słyszałam żadnej skargi na Logana. Ani *vice versa*. Czyżbym żyła w błogiej nieświadomości, czy może oboje zdołaliście jakoś złapać wspólny rytm?

– Wciąż jeszcze zdarzają nam się drobne nieporozumienia i prawdopodobnie nie unikniemy ich w przyszłości, ale w tej chwili nie masz powodów do niepokoju. Prawdę mówiąc, Logan – w ramach poprawy relacji zawodowych – zaproponował mi wycieczkę do Graceland.

– Doprawdy? – Roz uniosła w zdziwieniu brwi. – Logan?

– Czy to coś niezwykłego w jego przypadku?

– Nie mam pojęcia. Wiem natomiast, że do tej pory nigdy nie umawiał się na randki z kobietami, z którymi łączyły go relacje zawodowe.

– To nie ma być randka, tylko wycieczka.

Zaintrygowana Roz aż wyprostowała się na krześle. Nigdy nie wiadomo, czego można się dowiedzieć od młodszego pokolenia, zauważyła w duchu.

– A co to za różnica?

– Randka to kolacja, która może się rozwinąć w coś więcej – na przykład w gorący romans. Wyprawa z dziećmi do zoo to wycieczka.

Roz znowu opadła na oparcie i wyciągnęła przed siebie nogi.

– Pewne pojęcia ulegają przewartościowaniu – stwierdziła filozoficznie. – Niemniej nadal jestem przekonana, że jeśli mężczyzna zaprasza gdzieś kobietę, to jest randka.

– Na tym polega i mój problem. – Ponieważ Roz wyraźnie miała ochotę na dalszą rozmowę, Stella przysiadła naprzeciwko niej na krześle. – Ja też tak pomyślałam w pierwszym odruchu. Ale przyznaję, że to zaproszenie sprawiało wrażenie przyjacielskiego gestu i to Logan określił swoją propozycję jako „wycieczkę" . Odniosłam wrażenie, że to swoista gałązka oliwna. Jeśli ją przyjmę, może wreszcie uda nam się osiągnąć porozumienie i doprowadzić do harmonijnej współpracy.

– O ile więc dobrze zrozumiałam, jeżeli wybierzesz się z Loganem do Graceland, to wyłącznie dla dobra „Edenu".

– Poniekąd.

– A nie dlatego, że Logan jest atrakcyjnym, seksownym, dynamicznym mężczyzną?

– Nie. To jedynie dodatkowy plus. – Poczekała, aż Roz przestanie się śmiać. – Nie zamierzam się zapuszczać na tak niebezpieczne tereny. Chodzenie na randki przypomina spacer po polu minowym.

– Mnie nie musisz tego mówić. Ostatecznie spędziłam kilka lat więcej w tej strefie nieustannej wojny.

– Lubię mężczyzn – wyznała Stella, przesuwając wyżej gumkę ściągającą jej włosy w koński ogon. – Lubię ich towarzystwo. Ale zaangażowanie emocjonalne jest zbyt stresujące i poważnie komplikuje życie.

– Lepiej, żeby życie było skomplikowane niż przeraźliwie nudne – zauważyła Roz.

– Tak czy inaczej, określenie „wycieczka" o wiele bardziej przypada mi do gustu niż „randka". Słuchaj, wiem, że Logan jest twoim przyjacielem. Powiedz mi więc, czy jeśli wybiorę się z nim do Graceland, popełnię wielki błąd lub wyślę niewłaściwe sygnały? Albo przekroczę granicę, której nigdy nie powinni przekraczać ludzie pracujący ze sobą na co dzień? A może...

– Wyjątkowo się przejmujesz, jak na nic nieznaczący wypad do miasta.

– To prawda. Sama jestem na siebie wściekła. – Stella z irytacją potrząsnęła głową. – Chyba czas, żebym zagoniła chłopców do kąpieli.

– Doskonale. I, Stello?... Czy zamierzasz wybrać się na tę wycieczkę?

– Jeszcze nie wiem. Muszę się z tym przespać.

# 8

Śniły jej się kwiaty. A właściwie czarowny ogród, właśnie budzący się do życia – idealny, doskonale zaprojektowany, o perfekcyjnych w kształcie rabatach wyraźnie odcinających się od starannie przyciętych trawników.

Kolory przenikały się i uzupełniały nawzajem – róże przechodziły w biele, żółtości w srebrzyste zielenie; subtelne, eleganckie pastele kąpały się w słonecznym blasku.

Unoszące się wokół aromaty miały kojącą moc, a jednocześnie przyciągały chmary motyli oraz połyskujące tęczowo kolibry. Ani źdźbło zielska nie kalało tego ogrodu, wszystkie kwiaty rozwijały płatki, dziesiątki pąków zaczynało się rozchylać.

To ona, Stella, go zaprojektowała, więc teraz z dumą i satysfakcją przechadzała się pośród rabat. Sama spulchniła i użyźniła glebę, a potem własnymi rękami posadziła każdą roślinę na jej obecnym miejscu.

Wiele lat zajęło jej zaplanowanie i stworzenie tego ogrodu. I wiele znojnej pracy. Teraz jednak mogła cieszyć się efektami swych wysiłków.

Aż nagle, na jej oczach, z ziemi zaczęła wyrastać łodyga – jaskrawozielona, ostra w rysunku – burząca nieskazitelną symetrię układu. Tu nie jest jej miejsce, pomyślała Stella bardziej zirytowana niż zdumiona widokiem rośliny strzelającej w górę, rozrastającej się i rozwijającej liście.

Dalia?! Ależ ona nie posadziła tu żadnych dalii. Dalie – zgodne trio różowej barwy – znajdowały się z tyłu rabaty.

Zdumiona, przyglądała się, jak łodygi gwałtownie grubieją, a na ich szczytach formują się zdrowe, wielkie pąki. Jakie to fascynujące. Fascynujące i nieoczekiwane.

Już zaczynała się uśmiechać, gdy nagle w jej głowie rozległ się gniewny szept.

*Trzeba ją usunąć. Zacznie się rozrastać i zdusi wszystko wokół.*

Stella zadrżała. Nagle ogarnął ją chłód, poczuła jakieś wilgotne zimno, a na niebie, nad jej czarownym ogrodem, pojawiły się ciemne chmury pełznące powoli w stronę słońca.

Poczuła strach.

*Nie pozwól, by się rozrosła. Zniszczy owoce twojej pracy.*

W rzeczy samej. Ten głos niewątpliwie miał rację. Dalia nigdy nie powinna się tu pojawić – rozpycha się wśród pozostałych roślin, burząc całą aranżację.

Stella musi ją wykopać, znaleźć dla niej inne miejsce. Zmienić wszystko w momencie, gdy uznała, że jej praca dobiegła końca. Coś takiego, pomyślała, patrząc, jak pękają pąki, odsłaniając niemal granatowe płatki – nienaturalnie ciemne, wyzywające.

Ta dalia była przepiękna. Prawdę mówiąc, Stella nigdy nie widziała równie zachwycającego okazu. Taka silna i pełna życia. Wysoka jak Stella, a jej kwiaty miały wielkość talerzy obiadowych.

*Ona cię zwodzi. Zwodzi.*

Znowu w jej myśli wdarł się ów gniewny, kobiecy głos. Stella jęknęła i przekręciła się na drugi bok w wychłodzonym łóżku.

*Zabij ją! Zabij! I pospiesz się, bo będzie za późno.*

Nie. Stella nie mogłaby zniszczyć czegoś tak pięknego, tak pulsującego życiem. Nie mogła jednak zostawić tej rośliny w tym miejscu, gdzie psuła harmonię całego ogrodu.

Tyle ciężkiej pracy, przygotowań, starannego planowania – i nagle coś podobnego! Musi szybko przygotować nową rabatę i tam przenieść niezwykłą dalię. Z westchnieniem wyciągnęła dłoń i zaczęła przebierać palcami niebieskie płatki. Czeka ją mnóstwo wysiłku i zachodu, ale...

– Mamusiu...

– Prawda, że jest piękna? – wymruczała przez sen. – Tak intensywnie niebieska.

– Mamusiu, obudź się.

– Co? Co takiego? – Stella, wyrwana ze snu, ujrzała Luke'a klęczącego przy łóżku.

Na Boga, w pokoju panowało lodowate zimno.

– Luke? – Odruchowo nakryła synka kołdrą. – Co się stało, skarbie?

– Jakoś mi tak dziwnie w brzuszku.

– Och. – Natychmiast usiadła i przyłożyła dłoń do czoła chłopca. Ciepłe, pomyślała. – Boli cię?

Pokręcił głową, ale zobaczyła w jego oczach łzy.

– Tylko jakoś mi w nim dziwnie. Czy mogę dziś spać w twoim łóżku?

– Oczywiście. – Przygarnęła synka do siebie. – Zwiń się w kłębuszek, kochanie. Nie mam pojęcia, czemu tu jest tak zimno. Muszę ci zmierzyć temperaturę – na wszelki wypadek.

Luke opadł na poduszkę, a Stella przycisnęła usta do jego czoła. Zdecydowanie cieplejsze niż normalnie.

Włączyła lampkę i poszła do łazienki po termometr.

– Otwórz buzię, zobaczmy, czy uda mi się zajrzeć ci do głowy – zażartowała, wkładając mu termometr pod pachę. – Czy było ci już tak dziwnie, gdy kładłeś się do łóżka?

– Nie, wszystko... – Zesztywniał lekko i jęknął cicho.

Stella natychmiast się zorientowała, że będzie wymiotował. Chwyciła go szybko w ramiona i pobiegła do łazienki. Wpadła tam w ostatniej chwili. Luke zrzucił kolację, a ona głaskała go i szeptała kojące słowa.

W końcu odwrócił ku niej buzię.

– Miotowałem – oznajmił z powagą.

– Wiem, kochanie. Bardzo mi przykro. Ale już za chwilę poczujesz się dużo lepiej.

Dała Luke'owi odrobinę wody do picia, wilgotnym ręcznikiem otarła mu twarz i zaniosła go do łóżka. Dziwne, pomyślała. Temperatura w pokoju wydawała się normalna.

– Już nie jest mi tak dziwnie w brzuszku.

– To świetnie. – Stella spojrzała na termometr: trzydzieści siedem stopni – nie jest tak źle. Podniosła się i przysunęła do łóżka pojemnik na śmieci. – Czy na pewno nic cię nie boli?

– Nie. I już nie chce mi się miotować. Ale mam niedobry smak w buzi. I rusza mi się drugi ząb. Jeśli znowu będę chorować, to jeszcze go zgubię i nie będę mógł położyć pod poduszką.

– Nie martw się. Na pewno go nie zgubisz. Leż spokojnie, a ja pójdę na dół i przyniosę ci trochę napoju imbirowego. Zajmie mi to tylko chwilkę. Dobrze?

– Dobrze.

– Jeżeli znowu zrobi ci się niedobrze, spróbuj skorzystać z tego. – Podsunęła pojemnik na śmieci bliżej łóżka. – Ja zaraz wracam.

Zbiegła po schodach tylko w samej koszuli nocnej. Jedną z nielicznych niedogodności mieszkania w wielkim domu były wielkie odległości dzielące kuchnię od sypialń.

Musi zainstalować w swoim pokoju małą lodówkę, tak samą, jaką miała w akademiku.

Stan podgorączkowy, myślała, wpadając do kuchni. Jutro prawdopodobnie wszystko będzie w porządku. Jeśli nie, ściągnie lekarza.

Znalazła napój imbirowy, wsypała lód do wysokiej szklanki, chwyciła butelkę z wodą mineralną i wróciła na górę.

– Dostanę napoju imbirowego. – Usłyszała głos Luke'a, kiedy szła holem do sypialni. – Bo chorowałem. Teraz już czuję się lepiej, ale mama i tak pozwoli mi się napić. Ty też możesz trochę dostać, jeśli chcesz.

– Dziękuję, skarbie, ale...

Stella wpadła do pokoju. Luke siedział oparty o poduszki, odwrócony plecami do drzwi. W pokoju znowu panował przeraźliwy chłód – Stella ze zdumieniem zobaczyła mgiełkę własnego oddechu.

– Poszła sobie – oznajmił Luke.

– Kto sobie poszedł, synku? – spytała, wstrząsana dreszczem.

– Ta pani. – Zaspane oczy chłopca rozjaśniły się wyraźnie na widok napoju. – Siedziała przy mnie, kiedy poszłaś na dół.

– Jaka pani, Luke? Pani Roz? Hayley?

– Nieee. Ta pani, która przychodzi nam śpiewać. Jest miła. Czy mogę wypić wszystko?

– Możesz wypić tylko trochę. – Ręce jej drżały, gdy napełniała szklankę. – Gdzie widziałeś tę panią?

– Tutaj. – Wskazał na skraj łóżka, po czym chwycił szklankę dwoma rączkami i zaczął zachłannie pić. – Dobre – pochwalił.

– A czy widywałeś ją już wcześniej?

– Mhm. Czasami, jak się budziłem w nocy, siedziała w naszym pokoju. Śpiewa nam piosenkę „fa-la-la".

„Błękitna lawenda, fa-la-la. Lawenda zielona...". Stella z przerażeniem zdała sobie sprawę, że tę właśnie kołysankę słyszała pierwszej nocy.

– Czy ta pani... – Nie, nie może go przestraszyć. – A jak ona wygląda?

– Jest ładna i ma jasne włosy. Myślę, że jest aniołem, panią-aniołem. Pamiętasz tę opowieść o aniele strażniku?

– Aniele stróżu.

– Tyle że ona nie ma skrzydeł. Gavin mówi, że ona może być wróżką – taką dobrą czarodziejką jak w „Harrym Potterze".

Stella poczuła przerażającą suchość w gardle.

– To Gavin też ją widział?

– Tak, kiedy przychodziła nam śpiewać. – Luke oddał Stelli szklankę i potarł oczy. – Mój brzuszek czuje się już lepiej. Czy mimo to mogę spać z tobą w łóżku, mamusiu?

– Oczywiście.

Zanim położyła się koło niego, zapaliła światło w łazience i przeszła do pokoju chłopców. Gavin spał spokojnym snem i Stella w ostatniej chwili się powstrzymała, by nie chwycić go w ramiona i nie zanieść do swojej sypialni.

Zostawiła drzwi łączące ich pokoje otwarte na oścież i wróciła do łóżka. Zgasiła lampkę i przytuliła mocno do siebie Luke'a, po czym bezskutecznie czekała na sen.

Następnego ranka Luke był już radosny i pełen energii. W trakcie śniadania z zapałem opowiedział Davidowi, że w nocy zachorował i mama dała mu napoju imbirowego.

Stella zastanawiała się, czy nie zostawić synka w domu, ale w końcu zdecydowała, że Luke może iść do szkoły – stan podgorączkowy ustąpił, a sądząc po apetycie chłopca, po dolegliwościach żołądkowych nie zostało śladu.

– Jest zdrów jak ryba – zawyrokował David, gdy chłopcy pobiegli na górę po książki. – Ty natomiast wyglądasz jak z krzyża zdjęta. – Nalał Stelli kolejną filiżankę kawy.

– Miałam okropną noc. I to nie tylko z powodu choroby Luke'a. Jak już zwymiotował, od razu poczuł się lepiej i zasnął niczym niemowlę. Wcześniej jednak powiedział mi coś takiego, że nie mogłam zasnąć.

David podparł się na łokciach i zwrócił twarz ku Stelli.

– Mnie możesz się zwierzyć ze wszystkiego.

– Powiedział... – Zerknęła przez ramię i nadstawiła ucha, by słyszeć, jak nadejdą chłopcy. – Powiedział, że w nocy przychodzi do ich pokoju pani o jasnych włosach i śpiewa.

– Ach, tak. – David chwycił zmywak i zaczął wycierać blaty.

– Nie mów „ach, tak" z takim idiotycznym uśmieszkiem na twarzy.

– Ejże, to tylko moja rozbawiona mina, nie ma w niej nic idiotycznego.

– David!

– Stello, przecież Roz mówiła ci o duchu, prawda?

– Coś wspominała. Problem jednak w tym, że duchy nie istnieją.

– Sądzisz więc, że jakaś blondynka zakrada się co noc do tego domu, po czym wślizguje do pokoju chłopców, by sobie pośpiewać? Takie wyjaśnienie wydaje ci się bardziej prawdopodobne?

– Nie mam pojęcia, co się dzieje. Sama kiedyś słyszałam dziwny śpiew i poczułam... – Zagniewana, zaczęła kręcić paskiem od zegarka. – Tak czy owak, pomysł z duchem jest niedorzeczny. Ale nie ulega wątpliwości, że z chłopcami dzieje się coś złego.

– Czy Luke jej się boi?

– Nie. A mnie zapewne wydawało się jedynie, że słyszę śpiew, natomiast Luke... cóż, on ma zaledwie sześć lat. W tym wieku dzieci odznaczają się bujną wyobraźnią.

– Rozmawiałaś na ten temat z Gavinem?

– Nie. Luke powiedział, że obaj ją widzieli, ale...

– Ja też ją widziałem.

– Ależ, proszę cię...

David przepłukał zmywak, wyżął z wody i położył na krawędzi zlewu.

– Nie ukazała mi się od czasu, gdy dorosłem. Kiedy byłem dzieckiem, widziałem ją kilkakrotnie. Za pierwszym razem bardzo się przeraziłem, ale ona nigdy nie robiła nic złego. Możesz zapytać Harpera. On bardzo często miał z nią do czynienia.

– A kim niby miałby być ów wyimaginowany duch? – spytała Stella, ale ostrzegawczo uniosła dłoń, bo usłyszała dudniący odgłos dziecięcych stóp na schodach. – Porozmawiamy o tym później.

Stella próbowała zapomnieć o rozmowie z Davidem, lecz jego słowa wciąż do niej wracały, podobnie jak melodia starej kołysanki.

W południe, gdy Hayley była zajęta przygotowaniem nowej partii doniczek z wiosennymi flancami, chwyciła podkładkę z klipsem i ruszyła do szklarni, w której urzędował Harper.

Upiecze dwie pieczenie na jednym ogniu.

Dzisiaj w szklanym pomieszczeniu rozbrzmiewała muzyka Rachmaninowa – a w każdym razie utwór, w którym wiodącą rolę odgrywały smyczki i flety. Stella ruszyła śmiało przed siebie, wiedząc, że znajdzie Harpera na końcu szklarni, przy jego roboczym stole. I rzeczywiście – siedział na wysokim stołku, a przed nim stały doniczki, kilka kaktusów i taca z zapinkami, recepturkami, kawałkami rafii i butelką denaturatu.

Harper właśnie odcinał delikatnie w węźle odnogę od macierzystego kaktusa.

– Będziesz szczepił od góry? To trudne, ale pewnie idealne dla tego gatunku z powodu płytkiego ukorzenienia. Chcesz uzyskać formę standardową czy zhybrydyzowaną?

Harper starannie nacinał roślinę, cały czas przy tym milcząc.

– Zastanawiam się nad tym, ponieważ... – Położyła dłoń na jego ramieniu, a wówczas Harper podskoczył, z trudem tłumiąc krzyk. Stella zatoczyła się do tyłu i wpadła na sąsiedni stół.

– Jasna cholera! – Harper upuścił nóż i wsunął skaleczony kciuk do ust. – Niech to szlag! – wymamrotał, wciąż trzymając palec w ustach, po czym zerwał z głowy słuchawki.

– Przepraszam! Tak strasznie mi przykro! Głęboko się zaciąłeś? Pokaż, niech to obejrzę.

– Tylko draśnięcie. – Wyjął kciuk z ust i odruchowo wytarł o brudne spodnie. – Ani w połowie tak groźne, jak zawał, o jaki niemalże mnie przyprawiłaś.

– Pokaż mi ten palec. – Chwyciła jego dłoń. – Powalałeś ranę ziemią.

Zobaczył, że jej wzrok wędruje w stronę butelki z denaturatem, i natychmiast wyrwał rękę.

– Nawet o tym nie myśl!

– Słuchaj, to przecięcie trzeba przynajmniej zdezynfekować. Raz jeszcze cię przepraszam. Nie zauważyłam, że masz na uszach słuchawki. Byłam pewna, że mnie słyszysz.

– Nie ma sprawy. Nic się nie stało. Muzyka klasyczna jest dla roślin. Jeśli słucham jej zbyt długo, oczy zachodzą mi mgłą.

– Ach, tak? – Przyłożyła do ucha słuchawki. – Metallica?

– Owszem. To mój klasyk. – Spojrzał ze znużeniem na jej notes. – O co chodzi?

– Chciałam się dowiedzieć, które rośliny będą gotowe na nasze wielkie wiosenne otwarcie sezonu. To już w przyszłym miesiącu. I co jest w takim stadium, by mogło zostać przeniesione do innych szklarni.

– Uch... – Rozejrzał się wokół. – Wiele ze stojących tu roślin. Tak mi się zdaje. Wszystkie odpowiednie dane mam w komputerze.

– Super. Może więc w takim razie przeniesiesz mi je na dyskietkę.

– Jasne. Natychmiast. Poczekaj. – Przesunął stołek w stronę komputera.

– Nie musisz robić tego teraz, kiedy jesteś tak zajęty.

– Jeśli nie zrobię od ręki, to zapewne w ogóle o tym zapomnę.

Szybko odnalazł odpowiednie pliki i rozpoczął transfer danych.

– A jak... hm... sprawuje się Hayley? – spytał.

– Bóg mi ją zesłał.

– Naprawdę? – Sięgnął po puszkę coli i wypił długi łyk. – Mam nadzieję, że niczego nie dźwiga ani nie pracuje z toksycznymi substancjami?

– W żadnym razie. W tej chwili wsadza flance do doniczek.

– To dobrze. – Wręczył Stelli dyskietkę. – Proszę.

– Dzięki, Harper. To bardzo ułatwi mi życie. Widzę, że masz rękę do szczepienia.

– To pewnie geny. Mama pokazała mi, jak to robić, gdy byłem mniej więcej w wieku Luke'a.

– A gdy już o dzieciach mowa... Dziś rano David opowiadał mi o waszej rodzinnej legendzie.

– To dobrze – odparł machinalnie, biorąc w dłoń kolejny kaktus. – O jakiej legendzie?

– No, wiesz. O duchu.

– A, tak. Blondynka o smutnych oczach. Śpiewała mi, kiedy byłem mały.

– Daj spokój, Harper.

Wzruszył ramionami i pociągnął kolejny łyk coli.

– Chcesz też? – Potrząsnął puszką w jej stronę. – Mam w lodówce więcej.

– Nie, dzięki. A więc twierdzisz, że przychodził do ciebie duch i śpiewał ci do snu.

– Do czasu aż skończyłem dwanaście, może trzynaście lat. Tak samo było z moimi braćmi. Kiedy wchodzi się w okres pokwitania, ona przestaje się pojawiać.

Spojrzała na niego spod oka.

– Harper, ty przecież uważasz się za naukowca?

Obrzucił ją marzycielskim uśmiechem.

– Tylko w pewnym sensie. Część z tego, co robię, można określić nauką, do mojej pracy potrzeba też pewnej wiedzy. Ale tak naprawdę jestem ogrodnikiem.

Wrzucił pustą puszkę do śmietnika i sięgnął do lodówki po następną.

– Zapewne tak naprawdę chcesz mnie zapytać, czy uważam, że wiara w duchy przeczy w nauce. Moim zdaniem w żadnym razie. Bo czymże jest nauka? Poszukiwaniem, eksperymentowaniem i odkrywaniem nowych światów.

– Zgadzam się z twoją definicją, ale...

Z trzaskiem otworzył puszkę.

– Chcesz się bawić w detektyw Scully?

Parsknęła śmiechem.

– Rozumiem, że mały chłopiec wierzy w duchy i Świętego Mikołaja, ale...

– Czyżbyś próbowała mi powiedzieć, że Święty Mikołaj nie istnieje? – spytał, patrząc na nią przerażonym wzrokiem. – To chore.

– Ale jest zupełnie inaczej... – ciągnęła, ignorując jego słowa – ...gdy mamy do czynienia z dorosłym mężczyzną.

– Kogo nazywasz dorosłym mężczyzną? Jak tak dalej pójdzie, będę musiał cię wyekspediować z mojego domu, Stello. – Poklepał ją po ramieniu, po czym strzepnął z jej koszuli grudki wilgotnej ziemi. – Posłuchaj. Widziałem, co widziałem, i wiem swoje. Ten duch to integralna część dorastania w Harper House. Ona jest... bardzo łagodna. A w każdym razie zawsze taka była dla mnie i moich braci. Choć od czasu do czasu dołowała mamę.

– W jakim sensie „dołowała"?

– O to już musisz ją samą zapytać. Nie wiem tylko, po co miałabyś sobie zawracać tym głowę, skoro absolutnie nie wierzysz w duchy. – Uśmiechnął się znowu. – Wedle rodzinnych opowieści to oblubienica któregoś z Harperów, nigdzie jednak nie ma jej żadnego portretu. Może była jedną ze służących, które zmarły w naszym domu. Niewątpliwie porusza się bardzo swobodnie po całym terenie.

– Luke powiedział mi, że ją widział.

– Naprawdę? Jeśli się martwisz, że mogłaby w jakikolwiek sposób skrzywdzić chłopców, to sobie odpuść. Ta kobieta ma wiele... uczuć macierzyńskich.

– Cudnie. A więc mam się pogodzić z faktem, że niezidentyfikowany duch o instynktach macierzyńskich co noc nawiedza moich synów w ich pokoju?
– To tradycja domu Harperów.

Po takiej rozmowie Stella musiała zająć się czymś sensownym, by wrócić do rzeczywistości. Wzięła ze szklarni płytką skrzynkę z bratkami i drugą z barwinkiem, znalazła kilka nieregularnych w kształcie betonowych donic i razem z workiem ziemi załadowała na wózek. Potem dorzuciła narzędzia, rękawice i nawóz, i zaciągnęła wszystko przed główne wejście.

Bratki dobrze znosiły chłód, więc jeśli nawet w nocy temperatura znacznie spadnie, nie powinno im to zaszkodzić. A gdy ustawi je przy drzwiach, ich żywa barwa będzie zwiastowała nadejście wiosny.

Zanim zabrała się do pracy, wyjęła notes i zapisała, co wzięła. Gdy tylko wróci do biura, wprowadzi te dane do komputera.

A potem przykucnęła i oddała się zajęciu, które zawsze sprawiało jej największej przyjemności – sadzeniu kwiatów.

Wypełniła pierwszą donicę – ostra żółć i fiolet pięknie odbijały od szarego tła – po czym wstała, by obejrzeć kompozycję z pewnej odległości. Chciała, żeby druga była lustrzanym odbiciem tej pierwszej – a to wymagało nieco wysiłku.

Była w połowie obsadzania drugiej donicy, gdy usłyszała chrzęst kół na żwirze. Obejrzała się i zobaczyła znajomą ciężarówkę. Logan. Już zamierzał skręcić do działu z materiałami, zmienił jednak zdanie i ruszył w stronę budynku.

Wyskoczył z kabiny. Stella zauważyła jego zniszczone buty, znoszone dżinsy i ciemne okulary na nosie i poczuła mrowienie między łopatkami.

– Cześć! – wykrzyknął.

– Witaj, Logan.

– Przyjechałem po drewno i plastikową folię do ogrodu Dawsonów. – Na jego przedramieniu, tuż pod podwiniętym rękawem, widniały trzy świeże zadrapania.

– Szybko posuwacie się z tą pracą.

– Rzeczywiście. – Podszedł bliżej i uważnie przyjrzał się donicom z bratkami. – Dobrze wyglądają. Przydadzą mi się.

– Mam zamiar postawić je przed wejściem.

– Przed wejście zrobisz następne. Te zabiorę do pani Dawson, na pewno się na nie rzuci. Ostatecznie, grunt to maksymalizacja sprzedaży, Rudzielcu.

– Niech ci będzie. – Przecież jeszcze nie zdążyła się do nich przyzwyczaić. – Pozwól tylko, że skończę tę drugą kompozycję. Powiedz pani Dawson, że gdy zrobi się gorąco, musi wsadzić coś innego na miejsce bratków. A gdyby chciała zastąpić je roślinami wieloletnimi, powinna potem owinąć czymś donice na zimę.

– Tak się składa, że sam wiem co nieco o roślinach.

– Ja zaś dbam jedynie o pełną satysfakcję klienta – powiedziała Stella i natychmiast się zreflektowała. Przecież Logan był dziś bardzo miły. Chętny do współpracy. Zamiast się szarogęsić, najpierw przyniósł jej listę materiałów. Powinna mu odpłacić jakimś przyjaznym gestem.

– Jeżeli wycieczka do Graceland jest wciąż aktualna, mogłabym sobie wygospodarować trochę czasu w przyszły czwartek – rzuciła zdawkowym tonem.

– W czwartek?

Na wypadek gdyby wróciła do jego propozycji, przygotował sobie rozmaite wymówki: że gonią go terminy, ma mnóstwo pracy i zabierze ją przy innej okazji.

A tymczasem widział tylko tę masę niesfornych kręconych włosów i duże, niebieskie oczy. W uszach zaś dźwięczał mu chłodny, jankeski głos.

– Jasne, czwartek będzie doskonały. Mam przyjechać po ciebie tutaj czy do domu?

– Tutaj, jeśli nie masz nic przeciwko temu. Która godzina odpowiada ci najbardziej?

– Może koło pierwszej. W ten sposób będę mógł przepracować spokojnie ranek.

– Doskonale. – Podniosła się, otrzepała rękawice i starannie ułożyła na wózku. – Teraz szybko obliczę cenę tych donic i wydrukuję zamówienie. Gdyby się nie spodobały pani Dawson, po prostu przywieź wszystko z powrotem.

– Na pewno jej się spodobają, śmiało więc księguj wszystko jak zwykle. – Sięgnął do kieszeni i wyciągnął kilkakrotnie złożoną kartkę z notesu. – Zapisałem rodzaj i ilość potrzebnych mi materiałów. Pójdę je teraz załadować.

– Świetnie. – Ruszyła w stronę biura. Mrowienie z okolic łopatek przeniosło się niżej.

To przecież nie randka. Nie randka, zapewniała się w duchu. Tak naprawdę nawet nie wycieczka. Jedynie gest dobrej woli z obu stron.

# 9

Jakim cudem mamy czwartek?

– Bo czwarty dzień tygodnia był poświęcony nordyckiemu bogu Thorowi i stąd jego nazwa – wyjaśniła Hayley i uśmiechnęła się z zakłopotaniem. – W głowie siedzi mi mnóstwo nikomu nieprzydatnych wiadomości. Sama nie wiem, skąd się tam wzięły.

– Nie zastanawiałam się nad pochodzeniem tego słowa, tylko nad tym, jak szybko mija czas. Po prostu nie mogę uwierzyć, że już nadszedł czwartek. Bóg Thor, powiadasz? – powtórzyła Stella, odwracając się od lustra w łazience dla pracowników.

– Jestem tego pewna.

– W takim razie wierzę ci na słowo. No dobrze. – Rozpostarła ramiona. – Jak wyglądam?

– Bardzo ładnie.

– A może nazbyt ładnie? No, wiesz, jakbym się specjalnie wystroiła?

– Nie. Wyglądasz w sam raz.

Hayley w głębi ducha zazdrościła Stelli, że tak fantastycznie prezentowała się w prostych, szarych spodniach i czarnym swetrze. Elegancko, a jednocześnie – dzięki swoim kobiecym kształtom – bardzo ponętnie. Przed ciążą Hayley była zawsze chuda, o raczej chłopięcej sylwetce.

– W tym swetrze wyglądasz naprawdę seksownie – dorzuciła.

– Jezu! – Stella z przerażeniem skrzyżowała ręce na piersiach. – Pewnie za seksownie? W rodzaju: „Patrzcie na moje cycki".

– Skądże! – Hayley ze śmiechem odciągnęła w dół dłonie Stelli. – Uspokój się. Przecież masz piękny biust.

– Jestem zdenerwowana. To idiotyczne, ale bardzo się denerwuję. A nienawidzę tego uczucia. – Pociągnęła za rękaw swetra, potem strzepnęła z niego niewidzialny pyłek. – Czemu narażam się na coś, co wprowadza mnie w stan, którego nie znoszę?

– Słuchaj, wybierasz się na miłą wycieczkę, to wszystko. Po prostu rozluźnij się i baw dobrze.

– Tak. Oczywiście. Zachowuję się jak idiotka. – Potrząsnęła głową. – Masz numer mojej komórki?

– Każdy ma numer twojej komórki, Stello. – Hayley zerknęła w stronę Ruby, która zachichotała pod nosem. – Myślę, że nawet burmistrz ma numer twojej komórki i to wbity w opcję szybkiego wybierania.

– Jeżeli pojawią się jakiekolwiek problemy, dzwońcie do mnie natychmiast. Gdybyście miały jakiekolwiek wątpliwości, zgłoście się do Roz lub skontaktujcie ze mną bez wahania.

– Tak, mamusiu. I nie przejmuj się.

– Cha, cha. Bardzo śmieszne.

– Grupa męskiego striptizu nie potwierdziła jeszcze swojego przybycia, więc możesz się wyluzować.

– Przy tak napiętym planie pracy nie mam zamiaru się wyluzowywać.

– Słuchaj, jeżeli mogę spytać... Kiedy ostatni raz byłaś na randce... to znaczy na wycieczce?

– Wcale nie tak dawno. Kilka miesięcy temu. – Hayley ze zgrozą przewróciła oczami. – Byłam zajęta – broniła się Stella. – Musiałam sprzedać dom, spakować wszystkie rzeczy, znaleźć odpowiedni magazyn na meble, sprawdzić tutaj szkoły i pediatrów. Nie było czasu na rozrywkę.

– I nie miałaś nikogo, komu miałabyś ochotę poświęcić trochę czasu. Więc wreszcie dzisiaj zabaw się jak należy.

– To nie tak, jak ci się zdaje. A właściwie, czemu on się spóźnia? – spytała ostrym tonem, spoglądając na zegarek. – W zasadzie powinnam się tego spodziewać. Wygląda na chronicznego spóźnialskiego.

Kiedy pojawił się klient, Hayley delikatnie poklepała Stellę po ramieniu.

– Czas na mnie. Pamiętaj, baw się dobrze. – Podeszła do mężczyzny. – W czym mogę panu pomóc?

Stella poczekała chwilę, by przekonać się, że dziewczyna radzi sobie doskonale. Ruby rozmawiała z kolejnym klientem przez telefon. A więc wszystko toczyło się gładko i Stelli pozostało jedynie cierpliwie czekać.

Równie dobrze jednak może czekać na zewnątrz. Chwyciła kurtkę i wyszła ze sklepu.

Donice wyglądały doskonale. To zapewne dzięki nim w ostatnich dniach sprzedali mnóstwo bratków. Dobrze więc byłoby przygotować jeszcze podobne z innymi roślinami, a także powiesić kilka koszyków z kwiatami.

Zaczęła krążyć wokół budynku, wybierając najlepsze miejsca do ekspozycji wczesnowiosennych kompozycji, by mogły służyć klientom za inspirację.

Kiedy Logan podjechał piętnaście po pierwszej, siedziała na schodkach i robiła szczegółowe notatki, kalkulowała koszty.

– Coś mnie zatrzymało – oznajmił na dzień dobry.

– Nic nie szkodzi. Ja też pracowałam.

– Nie masz nic przeciwko ciężarówce?

– W żadnym razie. – Wskoczyła do kabiny, zapięła pas, po czym zaczęła się przyglądać licznym notatkom, szkicom i obliczeniom przylepionym do deski rozdzielczej.

– Twoje biuro?

– Owszem. – Włączył odtwarzacz i z głośników popłynął „Heartbreak Hotel" Elvisa. – To powinno wprowadzić nas w odpowiedni nastrój.

– Jesteś jego zagorzałym fanem?

– Trzeba mieć należny szacunek dla Króla.

– Ile razy byłeś w Graceland?

– Nie mam pojęcia. Ilekroć ktoś przyjeżdża do Memphis, chce odwiedzić dom Elvisa. A także Beale Street oraz Peabody. No i każdy chce spróbować naszych żeberek.

Może jednak uda się mi rozluźnić, pomyślała Stella. Ta rozmowa była swobodna i przyjemna.

– A więc żeberka będą kolejnym punktem na mojej liście.

Logan zwrócił się w jej stronę. Mimo że miał ciemne okulary, Stella była pewna, że patrzy na nią zmrużonymi oczami.

– Przyjechałaś tu... kiedy? ...ponad miesiąc temu i jeszcze na nie się nie wybrałaś?

– Nie. Czy zostanę za to aresztowana?

– Jesteś wegetarianką?

– Nie. I bardzo lubię żeberka.

– Skarbie, jeśli nie jadłaś naszych miejscowych żeberek, to tak naprawdę nie masz pojęcia, co to w ogóle są żeberka. Jak to w ogóle możliwe? Przecież mieszkają tu twoi rodzice, prawda? Mam nawet wrażenie, że kiedyś ich spotkałem.

– Mieszka tu mój ojciec ze swoją drugą żoną, Will i Jolene Dooley.

– I nigdy nie zabrali cię na żeberka?

– Nie. Czy zostaną za to aresztowani?

– To byłoby niewykluczone, gdyby sprawa wyszła na jaw. Ale postanowiłem odpuścić i im, i tobie, i zatrzymać tę wiadomość tylko dla siebie. Przynajmniej na razie.

– A więc jestem twoją dłużniczką.

„Heartbreak Hotel" przeszedł w „Shake, Rattle and Roll". Stella uświadomiła sobie, że to muzyka czasów młodości jej ojca. Było coś nostalgicznego w tym, że jedzie ulicami Memphis, słuchając piosenek, którymi jej ojciec zachwycał się jako nastolatek.

– W najbliższym czasie musisz więc zabrać synów do Reunion na żeberka – oznajmił Logan. – Stamtąd już będziesz miała tylko dwa kroki na Beale Street. Natomiast zanim pójdziecie na ucztę, powinniście wybrać się do Peabody. Chłopaki muszą obejrzeć kaczki.

– Mój ojciec już ich tam zabrał.

– To może uchronić go od pudła.

– Super. – Wszystko toczyło się sympatyczniej i bardziej gładko, niż przypuszczała. Teraz głupio jej było na myśl, że przygotowała sobie zawczasu kilka bezpiecznych tematów do rozmowy. – Czy poza tym krótkim czasem, gdy wyjechałeś na Północ, zawsze mieszkałeś w okolicach Memphis?

– Tak.

– Dziwnie się czuję w Memphis. Wiem, że się tu urodziłam, ale nic nie pamiętam. Bardzo mi się tu jednak podoba i chciałabym wierzyć, że łączy mnie coś szczególnego z tym miastem. No i uwielbiam pracę u Roz.

– Roz jest wyjątkowa.

– Ona mówi to samo o tobie. Jeśli mam być szczera, z początku myślałam, że ty i Roz...

Uśmiechnął się od ucha do ucha.

– Poważnie?

– Roz jest piękna, inteligentna i wiele was łączy. Znacie się od lat.

– Wszystko prawda. Ale właśnie z racji tych lat podobny pomysł wydaje mi się dziwny. Niemniej, dzięki. Pochlebiłaś mi.

– Bardzo lubię Roz, a przede wszystkim podziwiam ją za to, co osiągnęła. I to sama jedna. Wychowała chłopców, prowadziła wielki dom i zbudowała od podstaw dużą firmę. Na własnych warunkach, nie idąc na żadne ustępstwa.

– Czy tego chciałabyś dla siebie?

– Nie. Nie chciałabym mieć własnej firmy. Kilka lat wcześniej zastanawiałam się nad tym, ale doszłam do wniosku, że przy dwójce małych dzieci na utrzymaniu byłby to zbyt ryzykowny krok. – Pokręciła głową. – Roz jest o wiele odważniejsza ode mnie. Poza tym, w pewnym momencie zdałam sobie sprawę, że tak naprawdę lubię pracować dla kogoś, lubię ulepszać i rozwijać to, co już istnieje. Dlatego najlepiej sprawdzam się w zarządzaniu. Żadnych sarkastycznych komentarzy? – spytała, gdy Logan nie odzywał się przez dłuższy czas.

– Zachowam je na chwilę, kiedy znowu mnie wkurzysz.

– Już nie mogę się doczekać. A wracając do tematu, podoba mi się tworzenie ogrodu od podstaw. Ale jeszcze większą przyjemność sprawia mi poprawianie ogrodu niezbyt dobrze zaplanowanego, wymagającego udoskonalenia. – Urwała i zmarszczyła brwi. – To zabawne. Właśnie coś sobie przypomniałam. Kilka dni temu śniłam o ogrodzie. Przedziwny sen... było w nim coś demonicznego. Nie pamiętam dokładnie szczegółów, ale przypominam sobie wielką, błękitną dalię. Dalie są moimi ulubionymi kwiatami, a niebieski to mój ulubiony kolor. Tylko że ten kwiat nie powinien znajdować się w tym ogrodzie, zupełnie nie pasował do całości. Ja go nie posadziłam, a jednak tam wyrósł. Niezwykłe.

– I co zrobiłaś z tą dalią?

– Nie pamiętam. Luke mnie obudził, więc ogród i dalia natychmiast się rozwiały. – A w pokoju, pomyślała, panowało lodowate zimno. – Źle się poczuł. Drobne problemy żołądkowe.

– Ale teraz już wszystko w porządku?

– Tak. – Punkt dla niego, zdecydowała w duchu. – W porządku. Dzięki.

– A jak tam jego ząb?

Oho, drugi punkt. Logan pamiętał o ruszającym się mleczaku jej synka.

– Sprzedany Zębowej Wróżce za nowiutkiego szeleszczącego dolara. Za moment wypadnie drugi. Teraz Luke przeuroczo sepleni.

– Czy starszy brat już nauczył go pluć przez szczerbę?

– Nic mi na ten temat nie wiadomo.

– Cóż, czego oczy nie widzą... Założę się, że magiczna dalia wciąż czeka na ciebie w krainie snów.

– Cudna myśl. – „Zabij ją". Na Boga, skąd jej przyszły do głowy podobne słowa? – Jak sobie przypominam, była wyjątkowo piękna.

Rozejrzała się wokół, gdy Logan skręcił na pobliski parking.

– Już dojechaliśmy?

– Graceland znajduje się po drugiej stronie drogi. Kupimy bilety, a potem wsiądziemy do specjalnego mikrobusu i zwiedzimy ogrody oraz sam dom.

Wyłączył silnik i spojrzał uważnie na Stellę.

– Stawiam pięć dolarów, że gdy stamtąd wyjdziesz, będziesz nawrócona.

– Nawrócona? Ja nie muszę się nawracać, bo nie mam nic przeciwko Elvisowi.

– A więc pięć dolców, że kupisz przynajmniej płytę CD z jego hitami.

– W porządku. Zakład stoi.

Graceland było o wiele mniejsze, niż sobie wyobrażała. Spodziewała się dużego, rozległego budynku, a właściwie rezydencji w stylu Harper House. Tymczasem ujrzała średniej wielkości dom, a w nim niewielkie pokoje – przynajmniej te, po których oprowadzano wycieczki.

Stella posuwała się wolno razem z grupą turystów, wsłuchując się, przez wręczone jej przy wejściu słuchawki, w nagrane na taśmę wspomnienia Lisy Marie Presley.

Zdumiał ją kraciasty materiał w kolorach curry, błękitu i ciemnego brązu, pokrywający każdy skrawek ścian i sufitu w niedużym pokoju bilardowym całkowicie zdominowanym przez stół do gry. Zaskoczył wodospad, maoryska chata i tkaniny o wzorach przypominających skóry dzikich zwierząt w pokoju-dżungli o suficie wybitym zieloną, włochatą wykładziną.

Ktoś mieszkał w tym dziwacznym domu. A właściwie nie ktoś, ale ikona popkultury – artysta o niespotykanym talencie, cieszący się wielką, światową sławą.

Największe wrażenie jednak wywarł na Stelli pokój, w którym pokazano trofea Elvisa. Ściany zdawały się ciągnąć kilometrami i były pokryte złotymi oraz platynowymi płytami. Wprost trudno uwierzyć, jak wiele ten człowiek zdołał osiągnąć w swoim stosunkowo krótkim życiu.

W słuchawkach brzmiały teraz przeboje Elvisa, Stella zaś zachwycała się jego wymyślnymi kostiumami scenicznymi, urokliwymi fotografiami portretowymi i plakatami z filmów, w których zagrał główne role.

Zwiedzając Graceland w towarzystwie Stelli, Logan doszedł do wniosku, że wiele można się dowiedzieć o ludziach, obserwując ich reakcje na przedstawione eksponaty. Jedni kpili z niemodnego, kiczowatego wystroju. Drudzy wpatrywali się we wszystko szklistym wzrokiem, pełnym podziwu i miłości do zmarłego Króla. Jeszcze inni przechodzili obojętnie przez pokoje, rozmawiając o czym innym lub czule się obściskując, byle jak najszybciej dotrzeć do kiosku z pamiątkami, a potem wrócić do domu i chwalić się, że na własne oczy obejrzeli dom Elvisa.

Stella natomiast wszystkiemu się przyglądała. I uważnie słuchała taśmy. Widać to było po sposobie, w jaki nieznacznie przechylała głowę. Słuchała z powagą i Logan gotów byłby się założyć o dużo więcej niż pięć dolarów, że pilnie wypełniała instrukcje i wciskała na odtwarzaczu właściwy guzik dla pomieszczenia oglądanego w tym czasie.

Co skądinąd uznał za urocze.

Dopiero kiedy wyszli na zewnątrz, by przejść do grobu Elvisa, usytuowanego w pobliżu basenu, Stella pierwszy raz zdjęła słuchawki.

– Nie miałam o tym wszystkim pojęcia – powiedziała. – Do tej pory znałam zaledwie podstawowe fakty. Ponad miliard sprzedanych płyt? To wprost niewyobrażalne. Nie wiem, jak w ogóle można dokonać czegoś podobnego i to na dodatek... z czego się śmiejesz?

– Założę się, że gdybyś teraz miała przystąpić do testu ze znajomości biografii Elvisa, zdałabyś śpiewająco.

– Och, daj spokój – odrzekła ze śmiechem, szybko jednak spoważniała, gdy zbliżyli się do Ogrodu Zadumy i grobu Króla.

Leżały tu żywe cięte kwiaty, mdlejące w cieple dnia, i plastikowe, blaknące na słońcu. Niewielki grób był dość ekscentryczny, ale pasował do atmosfery tego miejsca. Wokół trzaskały migawki aparatów fotograficznych, nieopodal ktoś cicho szlochał.

– Niektórzy utrzymują, że widzieli tu jego ducha – powiedział Logan. – Zakładając, oczywiście, że Elvis naprawdę umarł.

– Ale ty w to nie wierzysz.

– W żadnym razie. Elvis opuścił to miejsce dawno temu.

– Miałam na myśli ducha.

– No, cóż, jeśli miałby już nawiedzać jakieś miejsce, to tylko to.

Krętą ścieżką przeszli do mikrobusu obwożącego turystów po terenie.

– W tych okolicach ludzie rozprawiają o duchach z niezwykłą nonszalancją – zauważyła Stella.

Logan potrzebował niemal minuty, żeby zrozumieć, co miała na myśli.

– Ach, tak. Oblubienica Harperów. Miałaś już okazję ją zobaczyć?

– Nie. I to zapewne z najbardziej banalnego powodu: ona po prostu nie istnieje. Chyba nie chcesz mi powiedzieć, że tobie się kiedyś ukazała?

– Mnie nie. Choć wiele osób twierdzi, że ją widziało. Z drugiej strony mnóstwo ludzi gotowych jest przysiąc, że widziało Elvisa w jakiejś podrzędnej jadłodajni, jedzącego sandwicza z masłem orzechowym i bananami, dziesięć lat po jego śmierci.

– Otóż to! – wykrzyknęła Stella tak zachwycona zdroworozsądkowym podejściem Logana, że aż przyjacielsko poklepała go po ramieniu. – Ludzie widzą to, co chcą zobaczyć. Lub co im się zasugeruje. Ponosi ich wyobraźnia, szczególnie w niezwykłych warunkach i w określonej atmosferze. A tak na marginesie, nie uważasz, że tu, w Graceland, powinni bardziej się przyłożyć do pielęgnacji ogrodów?

– Lepiej mnie nie podpuszczaj.

– Masz rację. Żadnych rozmów o pracy. Pozwól w takim razie, że podziękuję ci za dzisiejszą wycieczkę. Nie wiem, czy sama bym się tu wybrała.

– No i co sądzisz o tym miejscu?

– Jest smutne, ale jednocześnie pełne uroku i fascynujące. – Stella oddała słuchawki przewodnikowi i weszła do mikrobusu. – Niektóre pomieszczenia są... powiedzmy... niezwykłe w wystroju.

Fotele w mikrobusie były tak wąskie, że siedzieli przyciśnięci do siebie. Włosy Stelli opadły na ramię Logana, zaraz jednak odgarnęła je do tyłu. Szkoda. Wolałby, żeby tego nie zrobiła.

– Znam pewnego faceta, który jest tak wielkim fanem Elvisa, że postanowił z własnego domu uczynić kopię Graceland. Kupił identyczną tkaninę, taką jak widziałaś w pokoju bilardowym, i obił nią ściany oraz sufit.

Odwróciła się ku niemu z niedowierzaniem.

– Żartujesz.

Logan uroczyście położył dłoń na sercu.

– Nawet zrobił głęboką rysę na stole bilardowym, żeby wyglądał identycznie jak stół Elvisa. Kiedy jednak zaczął przebąkiwać coś o zainstalowaniu tych złocistych ozdób, żona już nie wytrzymała. Postawiła sprawę jasno: albo ona, albo Elvis.

Stella uśmiechnęła się szeroko i nagle do Logana przestały docierać głosy innych pasażerów. W jej uśmiechu, tak szczerym i radosnym, było coś szczególnego, poruszającego do głębi.

– I na co się zdecydował?

– Hm?

– Czy wybrał żonę, czy Elvisa?

– Cóż. – Logan wyciągnął przed siebie długie nogi, ale w żaden sposób nie mógł się tak przesunąć, żeby nie dotykać Stelli. Słońce wpadało do mikrobusu przez tylne szyby, atrakcyjnie podświetlając jej rude, kręcone włosy. – Przeniósł swoją kopię Graceland do piwnicy, no i próbuje namówić żonę, żeby we własnym ogrodzie stworzyć – w odpowiednio zmniejszonej skali – replikę Ogrodu Zadumy.

Teraz już roześmiała się na całe gardło. Jakże miły był ten dźwięk! Kiedy odchyliła głowę, znowu włosami dotknęła jego ramienia.

– Jeśli kiedykolwiek ją przekona, mam nadzieję, że to my dostaniemy tę pracę.

– Możesz być tego pewna. To mój wuj.

Znowu wybuchnęła śmiechem.

– Rany, już nie mogę się doczekać, kiedy poznam twoją rodzinę – wykrztusiła w końcu. Odwróciła się i spojrzała mu w oczy. – Muszę przyznać, że wybrałam się tu z tobą tylko dlatego, żeby nie odrzucać przyjaznego gestu. Ani przez chwilę nie sądziłam, że będę się tak dobrze bawić.

– To nie był przyjazny gest, raczej spontaniczny odruch. Twoje włosy pachniały tak pięknie, że zatraciłem zdolność logicznego myślenia.

– No i?... Teraz ty powinieneś powiedzieć, że też dobrze się bawiłeś.

– Prawdę mówiąc, rzeczywiście bawiłem się doskonale.

Mikrobus się zatrzymał. Logan wyskoczył pierwszy, po czym odsunął się, by przepuścić Stellę.

– Z drugiej strony, twoje włosy nadal pięknie pachną, więc być może znowu nie wiem, co mówię.

Obejrzała się przez ramię, posłała mu szelmowski uśmiech i – niech to szlag! – poczuł w brzuchu szczególne łaskotanie. Zazwyczaj zwiastowało ono dobrą zabawę i spełnienie. W wypadku tej kobiety mogło oznaczać jedynie kłopoty.

Nie mógł jednak tak od razu zniknąć. Ostatecznie otrzymał staranne wychowanie – jego mama byłaby przerażona, gdyby nie nakarmił kobiety, z którą spędził popołudnie.

– Głodna? – zapytał.

– Och... Bo ja wiem... Jeszcze za wcześnie na kolację, a zbyt późno na lunch. Poza tym powinnam...

– Zaszalej raz w życiu, Rudzielcu, i zjedz coś między posiłkami. – Chwycił ją za rękę i pociągnął w stronę kafejki. Była tak zaskoczona, że nie zdążyła zaprotestować.

– Naprawdę powinnam już wracać. Obiecałam Roz, że będę koło czwartej.

– Wiesz co, jak będziesz się tak spinać, to w końcu odetniesz sobie dopływ krwi do mózgu.

– Wcale nie jestem spięta – zaprotestowała. – Tylko obowiązkowa i odpowiedzialna.

– Roz nie zainstalowała w firmie zegara do podbijania kart pracowników, poza tym zjedzenie hot doga nie zajmuje dużo czasu.

– Nie, ale...

Nieoczekiwanie zdała sobie sprawę, że polubiła Logana Kitridge'a. Było to dla niej równie zaskakujące, jak przyjemne mrowienie ręki w miejscu, gdzie chwycił ją swoją twardą, dużą dłonią. Już od tak dawna nie spędzała przyjemnie czasu w towarzystwie mężczyzny. Czemu właściwie miałaby sobie tego odmawiać?

– W porządku – odrzekła, poniewczasie zdając sobie sprawę, że jej zgoda nie była do niczego potrzebna, bo Logan już wciągnął ją do środka i podprowadził do lady. – Skoro mnie tu przywiozłeś, to jednak wpadnę na chwilę lub dwie do sklepu z pamiątkami.

Uśmiechnął się, po czym zamówił dwa hot dogi i dwie cole.

– No dobra, mądralo. – Otworzyła torebkę i z portmonetki wyjęła pięć dolarów. – Zamierzam kupić tę płytę CD. Przypilnuj, żeby moja cola była dietetyczna.

Zjadła hot doga, napiła się coli. Kupiła CD. W odróżnieniu jednak od innych znanych mu kobiet nie dotykała z uwagą wszystkich rzeczy oferowanych w sklepie. Załatwiła, co chciała, i na tym koniec – szybko, gładko, bez zawracania głowy.

Kiedy wracali do ciężarówki, wyciągnęła komórkę i zerknęła na wyświetlacz. Już nie pierwszy raz w czasie ich wycieczki.

– Problemy?

– Nie. – Wsunęła telefon z powrotem do torebki. – Sprawdzam tylko, czy nie ma jakiejś wiadomości.

Okazało się jednak, że wszyscy obeszli się bez niej tego popołudnia.

Chyba że nastąpiła awaria telefonów. Albo Roz zgubiła jej numer. Albo...

– Być może centrum zostało zaatakowane przez bandę psychopatów sfiksowanych na punkcie peonii. – Logan otworzył drzwi od strony pasażera. – I teraz wszyscy pracownicy siedzą związani i zakneblowani w waszej cieplarni.

Stella ostentacyjnie zaciągnęła zamek torebki.

– Gdyby się okazało, że tak właśnie jest, wcale nie byłoby ci do śmiechu.

– Dopiero wtedy bym się uśmiał.

Obszedł przód samochodu i usiadł za kierownicą.

– Mam obsesyjną osobowość – jestem silnie zorientowana na osiągnięcie celu i pedantycznie zorganizowana w działaniu.

– Dobrze, że mi powiedziałaś, bo już zacząłem odnosić wrażenie, że jesteś roztrzepana i chaotyczna.

– Dość już o mnie. Dlaczego...

– Dlaczego wciąż to robisz?

Właśnie starała się doprowadzić do ładu włosy i zamarła w pół ruchu.

– Co takiego?

– Czemu nieustannie wpinasz szpilki we włosy?

– Ponieważ dzięki nim mogę je poskromić.

Oniemiała z wrażenia, gdy wyciągnął z jej poluzowanego węzła na karku spinki i rzucił na podłogę ciężarówki.

– Tylko po co chcesz je poskramiać?

– Och, na Boga! – wykrzyknęła gniewnie. – Ile razy w tygodniu ktoś ci mówi, że jesteś arogancki i apodyktyczny?

– Już przestałem liczyć. – Wyjechał z parkingu i płynnie włączył się do ruchu. – Masz seksowne włosy. Powinnaś je pokazywać światu.

– Wielkie dzięki za tak inspirujące rady stylistyczne.

– Kobiety zazwyczaj się nie dąsają, gdy mężczyźni mówią im, że są seksowne.

– Po pierwsze, wcale się nie dąsam. Po drugie, nie powiedziałeś, że ja jestem seksowna, tylko że seksowne są moje włosy.

Oderwał wzrok od drogi i zmierzył Stellę od stóp do głów.

– Reszta też jest niczego sobie.

Uff, coś z nią nie w porządku, jeśli taki durny komplement sprawił, że poczuła łaskotanie w brzuchu. Najlepiej więc, jeśli wróci do bezpiecznych tematów.

– A wracając do mojego pytania, przerwanego w tak niezwykły sposób, dlaczego zostałeś architektem krajobrazu?

– Wakacyjna praca, która mi się spodobała.

Czekała chwilę. Dwie. Trzy.

– Doprawdy, Logan, czy musisz tak nieprzytomnie nadawać i zarzucać mnie tymi wszystkimi nudnymi szczegółami?

– Wybacz, nigdy nie wiem, kiedy powinienem się zamknąć. Wychowywałem się na farmie.

– Tak? I co? Lubiłeś to życie czy wręcz przeciwnie?

– Uważałem je za coś normalnego, jak sądzę. Podobała mi się praca na świeżym powietrzu, ale nie znosiłem wiecznej harówki.

– Ależ z ciebie gawędziarz – rzuciła, gdy znów zamilkł na dłużej.

– Nie mam nic ciekawego do powiedzenia na ten temat. Nie chciałem zostać na farmie i mój ojciec sprzedał ją kilka lat temu. Ale lubię grzebać w ziemi, kształtować krajobraz. I umiem to robić. Inaczej bym się tym nie zajmował.

– Zacznijmy więc z innej beczki. Skąd wiedziałeś, że umiesz to robić i że masz do tego talent?

– Pierwszym sygnałem było to, że nie zostałem wylany z tamtej wakacyjnej pracy. – Nie miał pojęcia, czemu tak ją interesuje ta kwestia, ale ponieważ drążyła temat, postanowił zaspokoić jej ciekawość. – Wiesz, jak to bywa w szkole, na przykład na lekcjach historii? Słuchasz o bitwie pod Hastings czy przekroczeniu Rubikonu, potem zdajesz test i od razu wszystko zapominasz. Natomiast gdy w pracy szef powiedział mi, że w tym miejscu mają rosnąć berberysy, a w tamtym pigwy, zapamiętywałem to natychmiast. Równie łatwo i szybko uczyłem się, czego potrzebują określone rośliny. Lubiłem też je sadzić. Lubiłem zmieniać krajobraz. Kształtować jego wygląd.

– Wierz mi lub nie, mam identyczny stosunek do swoich dokumentów.

Spojrzał na nią z ukosa.

– Nigdy bym na to nie wpadł. Ale wracając do sprawy, w pewnym momencie zacząłem spostrzegać, że może pigwy lepiej wyglądałyby w innym miejscu, a złotokap zamiast berberysu prezentowałby się oryginalniej i uwypukliłby dany fragment ogrodu. I w ten sposób zacząłem interesować się projektowaniem.

– Ja też przez pewien czas myślałam o architekturze krajobrazu. Ale ostatecznie doszłam do wniosku, że się do tego nie nadaję. Nie umiałam jasno przedstawić swojej koncepcji ekipie bądź w pełni dostosować się do życzeń klienta. I zbyt dużo czasu poświęcałam szczegółom – wymierzaniu i wyliczaniu – które potem kłóciły się z moją artystyczną wizją.

– Kto więc zajmował się twoim ogrodem na Północy?

– Ja – odparła ze śmiechem. – Jeżeli do wykonania danej czynności potrzebowałam specjalistycznego sprzętu lub większej siły mięśni niż moja i Kevina, sporządzałam listę i szkic. Bardzo szczegółowy szkic, na papierze milimetrowym. A potem sterczałam wszystkim nad głową i pilnowałam, żeby każdy detal znalazł się na swoim miejscu.

– I udało ci się wyjść z tego cało?

– Owszem. Ale tylko dlatego, że jestem bardzo miła i życzliwa światu. Może gdy w odpowiednim czasie kupię sobie własny dom, poproszę cię o konsultacje w sprawie ogrodu.

– Ja nie jestem ani miły, ani życzliwy światu.

– To zdążyłam już zauważyć.

– Poza tym, skoro widziałaś tylko jedną moją pracę i to na tak wczesnym etapie, czy to nie byłoby zbyt pochopne posunięcie dla obsesyjnego dziwadła, pedantycznie zorganizowanego w działaniu?

– Protestuję przeciwko określeniu „dziwadło". A jeśli chodzi o twoje ogrody – widziałam ich już całkiem sporo. Wynalazłam w kartotece adresy klientów i pojechałam obejrzeć twoje dzieła. To, między innymi, należy do moich obowiązków – wyjaśniła, gdy gwałtownie zatrzymał się przed znakiem „stop" i zwrócił w jej stronę. – Przez jakiś czas obserwowałam Harpera przy pracy, a także Roz i pozostałych pracowników. Postanowiłam więc, że obejrzę i twoje dokonania. Bardzo mi się spodobały.

– A gdyby było inaczej?

– Wówczas nie rozmawiałabym z tobą na ten temat. To firma Roz, a jej niewątpliwie odpowiadają twoje projekty. Niemniej, popytałabym po cichu tu i ówdzie, obejrzała dzieła innych architektów, a potem opracowała stosowny raport i przedstawiła Roz. Na tym polega moja praca.

– A ja sądziłem, że ogranicza się ona do przestawiania wszystkiego w firmie i zatruwania mojego życia formularzami.

– Nie. To tylko drobny wycinek. Należy do niej również troska o to, by wszyscy pracownicy, podwykonawcy i dostawcy byli najlepsi w swojej branży, a jednocześnie nie zdzierali z nas skóry. Ty jesteś drogi – dodała – ale jakość twojej pracy to uzasadnia.

Kiedy Logan wciąż siedział nachmurzony, trąciła go lekko w ramię.

– Mężczyźni zazwyczaj się nie dąsają, gdy kobiety chwalą ich dzieła.

– Mężczyźni nigdy się nie dąsają, tylko popadają w posępny nastrój – odparł, ale wciąż marszczył brwi. Nagle dotarło do niego, że Stella bardzo dużo wie o jego prywatnych sprawach. Na przykład, zna wysokość jego dochodów. I wcale mu się to nie podobało.

– To, ile zarabiam, jakie przyjmuję zamówienia i na ile wyceniam swoją pracę, to sprawa jedynie pomiędzy mną i Roz.

– Już nie – oznajmiła radośnie. – Chociaż we wszystkich kwestiach ostatnie słowo zawsze należy do niej. Chciałam ci tylko powiedzieć, że Roz wykazała się doskonałym zmysłem do interesów i przezornością, gdy zatrudniała cię u siebie. A płaci ci duże pieniądze, bo jesteś tego wart. Czy mógłbyś więc potraktować moje słowa jako komplement i odpuścić sobie fazę posępnej zadumy?

– Jeszcze nie wiem. A ile ty zarabiasz?

– To już naprawdę dotyczy tylko mnie i Roz, chociaż oczywiście możesz ją o to spytać. – W tym momencie z torebki Stelli dobiegły dźwięki tematu przewodniego „Gwiezdnych wojen". – Znak rozpoznawczy Gavina – mruknęła, sięgając po komórkę. Numer na wyświetlaczu wskazywał, że syn dzwoni z domu. – Halo? Witaj, skarbie.

Irytacja Logana zniknęła natychmiast, gdy ujrzał, jak rozjaśniła się twarz Stelli.

– Naprawdę? To cudownie. Mhm. Oczywiście, że tak. Z pewnością nie zapomnę. Do zobaczenia.

Wrzuciła telefon z powrotem do torebki.

– Gavin napisał celująco dyktando.

– Jej!

– Nawet sobie nie wyobrażasz, jak bardzo „jej". Będę musiała zjawić się w domu z wielką pizzą pepperoni. W naszej rodzinie motywacją – a właściwie najzwyklejszą łapówką – nie jest marchewka na końcu kija, tylko właśnie pizza.

– Przekupujesz własne dzieci?

– Często i bez najmniejszych skrupułów.

– Sprytne. A więc już dobrze im się układa w szkole?

– Owszem. Całe moje zamartwianie się i wyrzuty sumienia były niepotrzebne. Cóż, zachowam je na przyszłość. Dla chłopców to prawdziwa rewolucja w życiu – nowa szkoła, nowy dom, nowi ludzie. Luke szybko się ze wszystkimi zaprzyjaźnia, ale Gavin niekiedy bywa nieśmiały.

– Na mnie nie zrobił takiego wrażenia. Wydawał się bardzo swobodny i radosny.

– Bo łączy was zamiłowanie do komiksów. Każdy przyjaciel Spideya i tak dalej... dlatego tak śmiało sobie poczynał w twoim towarzystwie. Ale przyznaję, że teraz obaj chłopcy dobrze sobie radzą. Wreszcie więc mogę wymazać ze swojej listy „Powodów do zamartwiania się" wyrzuty sumienia, że wyrwałam chłopców z ich środowiska.

– Wcale by mnie nie zdziwiło, gdybyś rzeczywiście miała gdzieś w szufladzie taką listę.

Roześmiała się, a potem westchnęła z zadowoleniem, gdy wjechali na teren centrum ogrodniczego Roz.

– Czyż to nie wspaniałe miejsce? – spytała retorycznie. – Tylko popatrz. Atrakcyjne dla oka, przyjazne dla klientów, zaprojektowane z rozmachem. Zazdroszczę Roz jej wizji, a przede wszystkim odwagi.

– Mam wrażenie, że i tobie na niej nie zbywa.

– Czy to komplement?

Wzruszył ramionami.

– Zwykłe spostrzeżenie.

Ponieważ zawsze chciała uchodzić za silną kobietę, nie zamierzała przyznać, że jej życiem często rządzi strach. Że rutyna i pedantyczny porządek są tarczami obronnymi, mającymi minimalizować obawy.

– Cóż, dziękuję ci za wnikliwe spostrzeżenia i urocze popołudnie. – Otworzyła drzwi i wyskoczyła z kabiny ciężarówki. – Pierwszym punktem na mojej liście priorytetów jest teraz wyprawa do miasta na żeberka.

– Nie będzie to zmarnowany czas, zaręczam. – Logan też wysiadł i stanął obok niej. Sam nie wiedział, dlaczego tak zrobił – prawdopodobnie z przyzwyczajenia. Kłaniały się zasady wpojone przez matkę w dzieciństwie. Chociaż teraz nie była to sytuacja, gdy chłopak odprowadza dziewczynę pod drzwi domu i całuje ją na dobranoc.

Stella w pierwszej chwili chciała mu uścisnąć rękę, ale szybko doszła do wniosku, że byłoby to idiotycznie oficjalne. Uśmiechnęła się więc tylko promiennie.

– Jeszcze dziś puszczę chłopcom tę płytę. Dowiem się, co sądzą o Elvisie.

– Doskonale. A więc do zobaczenia.

Odwrócił się, zaklął jednak pod nosem, rzucił okulary na maskę i ruszył w stronę Stelli.

Nie była nierozgarnięta ani naiwna. Dobrze wiedziała, co zamierzał zrobić, kiedy znajdował się jeszcze dobry krok przed nią, ale nogi odmówiły jej posłuszeństwa i stała niczym wmurowana.

Wsunął dłonie we włosy Stelli i przyciągnął do siebie jej twarz. Pierwszy raz spojrzała mu z bliska w oczy: na zielonym tle widniały złociste cętki.

Wszystko jednak rozmazało się przed jej oczami, gdy poczuła jego usta na swoich. W tym pocałunku nie było wahania. Logan zachowywał się jak mężczyzna, który robił to, co zamierzał zrobić, i z żelazną konsekwencją wypełniał swoje postanowienie, mimo że wcale nie sprawiało mu to szczególnej przyjemności.

Oderwał się od niej na chwilę.

– Szlag by to trafił! – mruknął i znowu przywarł wargami do jej warg, tym razem przyciskając jej ciało do swojego.

Nie powinien w ogóle jej całować. Jednak kiedy już to zrobił, bez sensu byłoby zatrzymywać się w pół drogi. A teraz znalazł się w opałach, bo zniewoliły go jej seksowny zapach i miękkie, pełne usta.

No i włosy. Te gęste, jedwabiste, skręcone pasma. Im bardziej przyciskał do siebie Stellę, im wyraźniej wyczuwał jej kobiece kształty, tym szybciej cichły wszystkie dzwonki alarmowe w jego głowie.

W końcu zdołał się od niej oderwać. Kiedy postąpił krok w tył, zobaczył na jej twarzy rumieńce uwydatniające ciemny błękit oczu, które na dodatek wydawały się jeszcze większe niż zazwyczaj. Na ten widok miał ochotę zarzucić sobie Stellę na ramię i porwać ją w jakieś ustronne miejsce, gdzie mogliby skończyć to, co zaczęli pocałunkiem. Ten impuls był tak silny, że na wszelki wypadek Logan cofnął się jeszcze parę kroków.

– No cóż. – Wydawało mu się, że panuje nad swoim głosem, ale nie był tego całkiem pewien, bo wciąż jeszcze krew pulsowała mu w uszach. – To do zobaczenia.

Wsiadł do ciężarówki, włączył silnik i wrzucił wsteczny bieg. Kiedy oślepiło go słońce, szybko nacisnął na hamulec.

Tymczasem Stella schyliła się i podniosła okulary przeciwsłoneczne, które spadły z maski samochodu na żwir. Logan opuścił okno i patrząc jej w oczy, wyciągnął rękę.

– Dzięki.

– Nie ma za co.

Wsunął okulary na nos, wycofał samochód i wyjechał za bramę.

Stella ze świstem wypuściła powietrze, wzięła głęboki oddech, a potem na miękkich nogach skierowała się ku gankowi. Gdy tylko doszła do schodków, usiadła ciężko na pierwszym stopniu.

– Wielki Boże – wyszeptała.

Nie ruszyła się nawet wtedy, gdy mijali ją wchodzący i wychodzący z centrum klienci, bo wciąż nie mogła dojść do siebie. Czuła się tak, jakby zepchnięto ją z klifu i ledwie trzymała się czubkami palców niewielkiego występu.

I co miała teraz począć? Jak mogła dojść do sensownych wniosków, jeśli w ogóle nie była w stanie jasno myśleć?

Z trudem dźwignęła się ze schodka i otarła wilgotne dłonie o spodnie. Za chwilę pójdzie spokojnie do swojej pracy, a potem zamówi pizzę i pojedzie do domu, do chłopców. Powróci do normalności.

# 10

Harper podsypał świeżą ziemię pod powojnik pnący się po kracie z kutego żelaza. W tym zakątku ogrodu panowała cisza. Domek gościnny od głównej rezydencji oddzielały krzewy, ozdobne drzewa i rabaty kwiatowe.

W ostatnich dniach zakwitły żonkile i teraz odcinały się ostrym żółtym kolorem od soczystej zieleni. Wkrótce rozwiną się tulipany. Ponieważ Harper uwielbiał wczesnowiosenne kwiaty, zasadził je tuż przy tylnym wejściu.

Ten domek, w którym mieszkał od kilku lat, był niegdyś powozownią. Wszystkie kobiety, jakie tu przyprowadzał, uważały, że jest przeuroczy, i najczęściej określały go mianem „domku dla lalek". Osobiście mu to nie przeszkadzało, choć sam wolał myśleć o dawnej powozowni jako o chacie zarządcy – dobrego gospodarza doglądającego posiadłości.

Kilka kroków od tylnego wejścia stała mała szklarnia – jego niepodzielne królestwo. Sam dom był na tyle oddalony od rezydencji, że jego właściciel mógł bez skrępowania przywozić tu kobiety, a jednocześnie stał dość blisko, by Harper w ciągu paru minut mógł znaleźć się u boku matki, gdyby go pilnie potrzebowała.

Nie podobało mu się, że mieszkała sama. Dzięki Bogu, że miała pod ręką Davida. Harper wiedział, że Roz jest niezależna i wyjątkowo silna psychicznie, mimo to przykro mu było na myśl, że snuje się samotnie po tym wielkim, starym domiszczu.

Ale też zdecydowanie wolał, żeby była sama, niż gdyby wciąż miała przy sobie tego dupka, którego poślubiła parę lat temu. Żadne słowa nie mogły wyrazić, jak bardzo pogardzał Bryce'em Clerkiem. Fakt, że matka dała się mu zwieść, wskazywał zapewne, że nie jest nieomylna. Na szczęście błyskawicznie naprawiła ów fatalny błąd.

Szybko i bezlitośnie wykopała Bryce'a z domu. Harper jednak przez długi czas niepokoił się, jak ów palant zniesie pozbawienie go eleganckiego, wygodnego lokum i pieniędzy Roz.

I rzeczywiście, na kilka dni przed uprawomocnieniem rozwodu ten chciwy, kłamliwy, niewierny sukinsyn próbował włamać się do rezydencji. Harper nie miał wątpliwości, że matka sama poradziłaby sobie w tej sytuacji, dużą jednak przyjemność sprawiło mu własnoręczne wywalenie tego typa z domu na zbity łeb.

Od tamtej pory, na szczęście, minęło już trochę czasu, a na dodatek teraz Roz z pewnością nie mogła narzekać na samotność. Dwie kobiety i dwójka dzieci to całkiem spore towarzystwo.

Może i on powinien wreszcie pomyśleć o zmianie adresu? Problem w tym, że nie widział powodu, dla którego miałby się stąd wyprowadzać. Kochał to miejsce tak, jak nigdy nie kochał żadnej kobiety. Żarliwie. A jednocześnie traktował je z szacunkiem i wdzięcznością.

Jego całym światem były ogrody. Bóg jeden wie, że nie mógłby mieszkać w mieście – nie zniósłby tego hałasu i tłumów. Memphis świetnie się nadawało na wypad do klubu, spotkanie z przyjaciółmi czy randkę. Gdyby jednak przeniósł się tam na stałe – w ciągu miesiąca by się udusił.

Przykucnął i poprawił baseballówkę przytrzymującą jego długie włosy. Wiosna zbliżała się wielkimi krokami. A dla Harpera nie było nic piękniejszego niż wiosna w „Edenie". Uwielbiał tutejsze widoki, zapachy, a nawet odgłosy.

Wraz z nadchodzącym wieczorem światło nabrało szczególnej miękkości. Kiedy słońce zajdzie na dobre, w powietrzu zapanuje chłód, ale nie będzie już tego ostrego podmuchu zimy.

Wkrótce Harper skończy sadzić flance, a wtedy pójdzie po piwo, potem zaś rozsiądzie się w ciemności na ganku i zacznie rozkoszować się samotnością.

Wyjął z kartonu dorodny, żółty bratek i wetknął w przygotowany dołek.

Był tak zaabsorbowany pracą, że nie usłyszał zbliżających się kroków ani nie zwrócił uwagi na kładący się przed nim cień. Gdy więc usłyszał przyjazne: „cześć", o mało nie wyskoczył ze skóry.

– Przepraszam. – Hayley ze śmiechem pogładziła dłonią brzuch. – Zdaje się, że byłeś tysiące kilometrów stąd.

– Najwyraźniej. – Nagle odniósł wrażenie, że jego palce grubieją i stają się niezdarne, a mózg odmawia mu posłuszeństwa. Hayley stała pod słońce; gdy na nią spojrzał, jej głowę otaczała aureola, ale twarz spowijał cień.

– Przechodziłam w pobliżu i usłyszałam muzykę. – Wskazała głową na okno, skąd dobiegał utwór REM. – Kiedyś byłam na ich koncercie. Rewelacja. Sadzisz bratki? Idą teraz jak woda.

– Lubią chłód.

– Wiem. Dlaczego jednak wybrałeś dla nich akurat to miejsce? Przecież rośnie tutaj ta pnąca roślina.

– Powojnik. Lubi mieć zacienione korzenie. Więc... więc najlepiej posadzić na nich coś jednorocznego.

– Ach, tak. – Przykucnęła, by lepiej się przyjrzeć jego pracy. – A jakiego koloru są kwiaty powojnika?

– Jasnofioletowe. – Chyba ciężarne kobiety nie powinny kucać. W ten sposób przygniatały sobie wszystko w brzuchu. – Czy przynieść ci krzesło?

– Nie, dzięki. Podoba mi się twój dom.

– Uhm. Mnie też.

– Przypomina chatkę z bajki. To znaczy – duży dom jest fantastyczny, ale jednocześnie trochę onieśmielający. – Wykrzywiła się lekko. – Nie chciałabym w żadnym razie wyjść na niewdzięcznicę.

– Nie. Wiem, co masz na myśli. – Nie pachniała jak kobieta w ciąży. Aromat, który wokół niej się unosił, był cholernie seksowny. To chyba nie w porządku. – Rezydencja jest wspaniała i żadna siła nie wygnałaby z niej mojej matki. Ale nie da się ukryć, że to wielkie, majestatyczne domiszcze.

– Dopiero po tygodniu przestałam chodzić na palcach i przezwyciężyłam odruch mówienia szeptem. Czy mogę też coś posadzić?

– Nie masz rękawiczek. Poczekaj, przyniosę ci...

– Do diabła, nie przeszkadza mi odrobina ziemi pod paznokciami. Dzisiaj przyszła do centrum klientka, która powiedziała, że sadzenie roślin przynosi szczęście kobietom w ciąży. Zdaje się, że ma to coś wspólnego z płodnością.

Harper nie chciał myśleć o płodności. Z jakichś względów go to przerażało.

– A więc bardzo proszę.

– Dzięki. Chciałam ci coś powiedzieć... Wiem, jak to może wyglądać. Zjawiłam się znikąd i wylądowałam w domu twojej mamy. Ale nie mam zamiaru jej wykorzystywać czy naciągać. Chciałam, żebyś wiedział, że nigdy bym czegoś takiego nie zrobiła.

– Znam tylko jedną osobę, której udawało się to przez jakiś czas, ale bardzo krótki.

– Drugi mąż. – Hayley pokiwała głową, uklepując ziemię. – Zapytałam o niego Davida, żeby nie popełnić jakiejś głupiej gafy. Dowiedziałam się, że ten facet wyciągał od Roz pieniądze, a na dodatek ją zdradzał. – Chwyciła następny bratek. – A kiedy twoja mama zwietrzyła pismo nosem, wykopała go tak energicznie, że zatrzymał się dopiero w Memphis. Podziwiam ją za to, bo nawet jeśli była wściekła, ta cała sprawa musiała ją głęboko zranić. To żenujące, gdy... uff!

Gwałtownie przycisnęła rękę do brzucha, a Harper pobielał na twarzy.

– Co takiego? Co się stało?

– Nic. Dziecko się trochę wierci. Czasami kopnie mnie zbyt mocno – to wszystko.

– Powinnaś wstać... Powinnaś usiąść.

– Niech skończę z tym bratkiem. W Little Rock, kiedy moja ciąża stała się widoczna, niektórzy doszli do wniosku, że porzucił mnie chłopak, że wpadłam w poważne tarapaty. Jezu, przecież żyjemy w dwudziestym pierwszym wieku! Wkurzało mnie to, ale jednocześnie czułam się zażenowana. Myślę, że to jeden z powodów, dla których się stamtąd wyniosłam. Nie miałam ochoty przez cały ten cholerny czas czuć się zażenowana. Proszę. – Ostatni raz uklepała ziemię. – Wyglądają bardzo pięknie.

Harper zerwał się na równe nogi, by pomóc Hayley się podnieść.

– Chcesz usiąść na moment? A może mam cię odprowadzić?

Poklepała się po brzuchu.

– Widzę, że mój stan przyprawia cię o nerwowość.

– Na to wychodzi.

– Nie przejmuj się. Wszystko jest w jak najlepszym porządku. A ty na pewno chciałbyś zasadzić resztę tych bratków przed zapadnięciem zmroku. – Zerknęła na flance, a potem na dom i ogród.

W końcu spojrzała mu w oczy i Harper poczuł, że nagle zaschło mu w gardle.

– Bardzo mi się tutaj podoba. Do zobaczenia w pracy.

Stał jak wmurowany, gdy wąską ścieżką odchodziła w zmierzch.

W końcu zniknęła mu z oczu na zakręcie i wówczas zdał sobie sprawę, że jest wyczerpany, jakby przed chwilą brał udział w jakimś szaleńczym wyścigu. Chyba od razu napije się tego piwa i złapie oddech. Ostatecznie bratki mogą poczekać.

Dzieci zabrały Parkera na spacer i wreszcie Stella mogła się zabrać do uprzątania kuchni. Nie do wiary, jaki bałagan może zrobić dwóch chłopców do spółki z psem podczas jedzenia jednej pizzy.

– Następnym razem ja funduję – oznajmiła Hayley, wkładając szklanki do zmywarki.

– Dobra. Trzymam cię za słowo. – Stella zerknęła na dziewczynę przez ramię. – Kiedy chodziłam w ciąży z Lukiem, miałam ochotę tylko na włoskie jedzenie. Objadałam się pizzą, spaghetti i manicotti. Aż dziw, że Luke nie wyskoczył mi z brzucha, śpiewając „Amore mio".

– Ja nie miewam jakichś szczególnych zachcianek. Mam po prostu apetyt na wszystko. – Chłopcy ścigali się z psem przy świetle ogrodowych reflektorów. – Dziecko jest bardzo ruchliwe. To chyba normalne?

– Jasne. Co prawda Gavin był dość leniwy i dużo spał, tak że niekiedy musiałam go szturchnąć palcem lub pić colę, żeby się poruszył. Za to Luke wiecznie się wiercił i ćwiczył przedziwne figury. Czy maleństwo budzi cię po nocach?

– Czasami, ale to mi nie przeszkadza. Mam wtedy wrażenie, że na świecie jest jedynie nas dwoje. Tylko ja i on... lub ona.

– Rozumiem, co masz na myśli. Ale pamiętaj, Hayley, że jeśli się obudzisz i zaczniesz czymś martwić lub poczujesz się gorzej, możesz do mnie w każdej chwili przyjść.

– Naprawdę? Mówisz poważnie?

– Oczywiście. Czasami rozmowa z kimś, kto już przez to samo przeszedł, może wiele pomóc.

Hayley poczuła, że coś ściska ją w gardle. Do oczu napłynęły jej łzy.

– A jednak nie zostałam sama – powiedziała cicho, wpatrując się w chłopców hasających po trawniku. – A byłam przekonana, że tak się stanie i muszę się na to przygotować. – Łzy pociekły jej po policzkach, więc szybko otarła je palcami. – Hormony. O Boże.

– Płacz też niekiedy pomaga. – Stella zaczęła masować jej ramiona. – A gdybyś chciała, żeby ktoś ci towarzyszył w czasie wizyty u lekarza, powiedz tylko słowo.

– Kiedy byłam u niego ostatnio, powiedział, że wszystko jest w najlepszym porządku, ale chciał, żebym zapisała się do szkoły rodzenia. Tymczasem oni tam wymagają, by przychodzić z partnerem.

– Weź mnie!

– Naprawdę? – Hayley spojrzała na Stellę z uśmiechem pełnym niedowierzania. – Jesteś pewna? To byłby dla ciebie duży kłopot.

– Zrobię to z największą przyjemnością. Będzie prawie tak, jakbym oczekiwała własnego dziecka.

– A miałabyś następne, gdyby...

– Zapewne. Planowaliśmy tylko dwójkę, ale po urodzeniu Luke'a pomyślałam, że bardzo chciałabym przeżyć to wszystko jeszcze raz i byłoby fajnie mieć też córeczkę. Chociaż oczywiście nie mielibyśmy nic przeciwko kolejnemu chłopcu. – Stella pochyliła się do przodu i wyjrzała przez okno. – Czyż moje urwisy nie są fantastyczne?

– Są super.

– Kevin był z nich bardzo dumny i bardzo ich obu kochał. Myślę, że chętnie miałby nawet sześcioro dzieci.

Hayley usłyszała subtelną zmianę w głosie Stelli i teraz to ona zaczęła głaskać ją po ramieniu.

– Czy wciąż jeszcze ciężko ci o nim mówić?

– Już nie. Przez jakiś czas to bardzo bolało. – Złapała zmywak, by powycierać blaty. – Ale teraz są to tylko przyjemne, nostalgiczne wspomnienia. Muszę zawołać chłopców do domu.

Z holu dał się słyszeć stukot obcasów. Kiedy Roz weszła do kuchni, Stella mimowolnie otworzyła usta z podziwu.

Przy pierwszym spotkaniu uznała ją za piękność, ale dopiero teraz zobaczyła, jak wygląda Roz, gdy w pełni wykorzystuje atrybuty, jakimi obdarzyła ją natura.

Miała na sobie dopasowaną suknię w kolorze miedzi, który pięknie uwypuklał złocistą cerę. Natomiast delikatne sandały na wysokiej szpilce podkreślały smukłość jej długich nóg.

– David? – Roz rozejrzała się po kuchni, po czym teatralnie przewróciła oczami. – Jak tak dalej pójdzie, to się przez niego spóźnię.

Stella gwizdnęła głośno.

– O rany! Nic innego nie mogę z siebie wykrztusić, jak tylko: „O rany!".

– Hm – Roz uśmiechnęła się i wykonała półobrót. – Nie wiem, co mnie opętało, gdy kupowałam te buty. Całkowicie zmaltretują mi nogi. Ale kiedy już daję się zawlec na którąś z tych charytatywnych imprez, lubię wyraziście zaznaczyć swoją obecność.

– Jeśli przez „wyraziście" rozumiesz przesłanie: „Spójrzcie, jaka ze mnie laska!", to idealnie ci się udało.

– Taki właśnie miałam zamiar.

– Wyglądasz oszałamiająco. Seksownie i z klasą. Każdy obecny tam facet będzie marzył, żeby cię zabrać dzisiejszego wieczoru do domu.

– Tak sądzisz? – Roz wybuchnęła śmiechem. – Jakże miło mieszkać z kobietami. Kto wie, co się wydarzy? Teraz muszę pogonić Davida, bo inaczej będzie się szykował przez następną godzinę.

– Baw się dobrze. Ta kobieta w żadnym razie nie wygląda na czyjąkolwiek matkę – mruknęła Stella pod nosem.

Ciekawe, jak będę wyglądać za dwadzieścia lat, zastanawiała się Hayley, studiując swoją twarz w lustrze i jednocześnie wcierając w skórę olejek z witaminą E. Czy wówczas jeszcze będzie mogła zrobić się na bóstwo?

Natura nie obdarzyła jej tak hojnie jak Roz. Babcia Hayley zwykła mawiać, że piękno kryje się w układzie kości. Ale Hayley w pełni pojęła sens tego powiedzenia dopiero wtedy, gdy poznała Rosalind.

Ona nigdy nie będzie równie piękna jak kuzynka czy tak efektowna jak Stella. Ale zawsze dbała o cerę, stosowała też różne sztuczki wizażystów, o których czytała w magazynach.

I faceci na nią lecieli.

Co dla wszystkich musi być oczywiste, pomyślała, z ironicznym uśmiechem spoglądając na swój duży brzuch.

– Teraz ty jesteś dla mnie najważniejsze, moje maleństwo – powiedziała, wciągając przez głowę wielki t-shirt.

Weszła do łóżka, poprawiła poduszki i sięgnęła po jedną z książek leżących na stoliku. Były to głównie prace dotyczące ciąży, porodu i faz rozwoju dziecka. Hayley codziennie czytała którąś z nich przez co najmniej kwadrans przed snem.

Kiedy powieki zaczęły jej ciążyć, zgasiła światło. Ułożyła się wygodnie, po czym szepnęła:

– Dobranoc, dziecinko.

Już odpływała w sen, gdy poczuła dziwny chłód i nabrała niemiłego przekonania, że nie jest sama w pokoju. Puls jej przyspieszył i po chwili nie słyszała nic poza własnym tętnem. Zbierając się na odwagę, ostrożnie otworzyła oczy.

Obok łóżka ujrzała kobiecą postać o jasnych włosach i ślicznej twarzy. Miała ochotę krzyknąć, jak za każdym razem, gdy widziała tę kobietę. Powstrzymała się jednak, zebrała w sobie i wyciągnęła rękę.

Kiedy jej dłoń przeszyła ramię nieznajomej, Hayley wydała z siebie zduszony okrzyk. I nagle znowu była sama, gdy trzęsącą się dłonią sięgnęła do włącznika lampki.

– To nie halucynacja! – wyszeptała nerwowo. – To nie halucynacja.

Stella weszła na drabinkę, by zawiesić kolejny koszyk obsadzony kwiatami. Przestudiowawszy wyniki ubiegłorocznej wiosennej sprzedaży, postanowiła w tym roku zwiększyć zyski o piętnaście procent.

– Przecież ja mogę to zrobić – upierała się Hayley. – Chyba nie sądzisz, że spadnę z jakiejś głupiej drabiny.

– Nawet o tym nie myśl. Podaj mi teraz te begonie.

– Są przepiękne. Wyjątkowo dorodne.

– Roz i Harper pracowali nad nimi przez całą zimę. Begonie i niecierpki zazwyczaj najlepiej się sprzedają. Przy takich ogrodnikach jak Roz i Harper nie powinno nam ich zabraknąć do końca sezonu, a w wypadku tych gatunków nasze koszty własne są dość niskie. Zarobimy więc kupę pieniędzy.

– Ludzie mogliby przecież sami je wyhodować.

– Jasne. – Stella zeszła z drabiny, przesunęła ją kawałek dalej i znowu weszła na górę. – Ale nie potrafią się oprzeć tym pięknym kształtom i kolorom. Nawet doświadczeni ogrodnicy, sami zajmujący się hodowlą z nasion, nie potrafią przejść obojętnie obok wielkich, pięknych kwiatostanów.

– Dlatego właśnie wszędzie rozwieszamy te kosze.

– Pokusa. Chcemy uwieść naszych klientów. A poczekaj, co się stanie, kiedy ustawimy przed wjazdem wszystkie kwitnące rośliny. Nie opędzimy się od tłumów.

Wybrała kolejny koszyk.

– Zadzwoń na pager Roz, dobrze? Potrzebuję jej zgody, żeby zawiesić więcej koszyków w szklarni numer trzy. A potem wybierz jakąś doniczkę spośród tych największych, które nie poszły w zeszłym roku. Chcę jedną z nich obsadzić kwiatami i postawić na ladzie, tuż przy kasie. Jestem pewna, że sprzedamy ją jeszcze dzisiaj. A właściwie, wiesz co? Wybierz dwie. I usuń z nich ceny po obniżce. Sprzedamy je wszystkie i to z dużym zyskiem.

– Pojmuję.

– Jedna z nich niech będzie kobaltowa! – wykrzyknęła w stronę oddalających się pleców Hayley. – Wiesz, o którą mi chodzi? Tylko, broń Boże, sama jej nie dźwigaj!

Stella zaczęła w myślach układać kompozycję. Same białe kwiaty: heliotrop, niecierpki i zwisające, śnieżne petunie, a do tego srebrne akcenty – szałwia i firletka. Do diabła, powinna powiedzieć Hayley, żeby przygotowała też jedną kamienną donicę. Jej szarość będzie pięknie kontrastować z szafirem kobaltu. Tym bardziej że obsadzi ją kwiatami w gorących odcieniach czerwieni: pelargoniami, lobelią, werbeną i karminowymi niecierpkami.

Szybko skalkulowała cenę roślin, donic, ziemi i odżywek. Zadowolona z wyniku, uśmiechnęła się z satysfakcją i zabrała do wieszania kolejnego kosza.

– Nie powinnaś siedzieć w swoich papierkach?

Zachwiała się i gdyby duża dłoń nie przytrzymała jej za pośladek, zapewne spadłaby na ziemię.

– Nie zajmuję się tylko dokumentami – odparła. Gdy stała na drabinie, ich twarze znajdowały się na jednym poziomie. – Możesz już zabrać rękę, Logan.

– Kiedy jej jest tam bardzo dobrze. – Oderwał jednak dłoń i schował do kieszeni. – Ładne kwiaty.

– Dzięki.

– Kiedy wchodziłem, miałaś szczególną minę.

– To naturalne dla istot posiadających twarz.

– Nie, nie. Wyglądałaś jak kobieta, która się zastanawia, co zrobić, by całkowicie pogrążyć faceta.

– Doprawdy? Mógłbyś mi go podać? – Wskazała na kolejny koszyk. – Trafiłeś jak kulą w płot. Bo akurat myślałam o tym, żeby dwie wielkie donice, te z towarów przecenionych, obsadzić kwiatami i sprzedać ze znacznym zyskiem.

Logan podniósł następny koszyk i zawiesił bez trudu, jedynie wyciągając rękę do góry.

– Szpaner.

– Kurdupel.

Hayley stanęła w drzwiach, ale obróciła się szybko na pięcie i z powrotem ruszyła w stronę zaplecza.

– Hayley!

– Zapomniałam czegoś! – krzyknęła przez ramię.

Stella aż sapnęła ze złości. Chciała poprosić Logana o kolejny koszyk, ale nie miało to większego sensu, bo zdążył już go powiesić.

– Ostatnio byłeś bardzo zajęty.

– Cały tydzień bez deszczu.

– Jeżeli przyjechałeś po te krzewy dla Pitta, mogę wypełnić za ciebie formularze.

– Moi pracownicy już je ładują. Ja natomiast chciałem cię zobaczyć.

– No więc widzisz.

Nie spuszczał z niej wzroku.

– Przecież nie jesteś idiotką.

– Nie jestem. Ale nie jestem też pewna...

– To tak jak ja – wszedł jej w słowo. – Niemniej, miałem ochotę znów się z tobą spotkać. Choć mnie irytuje, że tak natrętnie włazisz w moje myśli.

– Dzięki. Jak słyszę podobne wyznanie, mam ochotę natychmiast paść ci w ramiona.

– Nie chcę, żebyś padła. Gdybym tego chciał, po prostu podciąłbym ci teraz nogi.

Położyła dłoń na sercu i zatrzepotała teatralnie rzęsami.

– O rany, te romantyczne uniesienia to dla mnie zbyt wiele.

– Lubię cię, Rudzielcu – powiedział z uśmiechem. – Przyjadę po ciebie o siódmej.

– Co takiego? Dzisiaj? – Rozbawienie natychmiast przerodziło się w panikę. – Nie mogę tak, ot, wyjść sobie wieczorem. Mam dwoje dzieci.

– A w domu, oprócz tych dzieci, mieszka troje dorosłych. Jestem pewien, że ktoś z nich bądź wszyscy razem mogą się zaopiekować twoimi synami przez kilka godzin.

– Nie. Bo nikogo nie poprosiłam o taką przysługę. Rozumiem, że podobny pomysł jest ci zupełnie obcy, a poza tym... – odgarnęła nerwowo włosy – ...mogłam już coś zaplanować na dzisiejszy wieczór.

– A zaplanowałaś?

– Ja zawsze mam plany.

– Oczywiście. Więc je zmień, wykaż odrobinę elastyczności. Zabrałaś już chłopców na żeberka?

– Tak. W zeszłym tygodniu, tuż po...

– To dobrze.

– Czy zdajesz sobie sprawę, jak często przerywasz mi w środku zdania?

– Nie. Ale od tej pory zacznę liczyć... Cześć, Roz.

– Witaj, Logan. Stello, te kosze wyglądają wspaniale. – Roz zatrzymała się w połowie przejścia i rozejrzała dookoła, odruchowo otrzepując rękawice o dżinsy, już powalane ziemią. – Nie byłam pewna, czy taka ilość roślin nie będzie działać przytłaczająco, ale widzę, że miałaś rację. Ta różnorodność kwiatów zachwyca.

Zdjęła baseballówkę i włożyła do tylnej kieszeni spodni. Do drugiej wetknęła rękawice, po czym spojrzała Stelli prosto w oczy.

– Czy w czymś przeszkodziłam? – spytała.

– Nie.

– Tak – poprawił Stellę Logan. – Ale to nie szkodzi. Czy mogłabyś dziś wieczorem popilnować Luke'a i Gavina?

– Jeszcze nie powiedziałam...

– Oczywiście. Z największą przyjemnością. Gdzieś się razem wybieracie?

– Na małą kolację. – Zwrócił się w stronę Stelli: – Zostawię fakturę na twoim biurku. Do zobaczenia o siódmej.

Gdy Logan zniknął jej z oczu, opadła na pobliski stołek.

– Nie bardzo mi pomogłaś.

– Odniosłam wręcz przeciwne wrażenie. – Roz zaczęła obracać jeden z koszyków, by sprawdzić symetrię kompozycji. – Wyjdziesz z domu, rozerwiesz się. A ja z przyjemnością spędzę trochę czasu z chłopcami. Poza tym, gdybyś naprawdę nie miała ochoty na tę kolację, to byś nie poszła. Ostatecznie należysz do kobiet, które potrafią głośno i zdecydowanie powiedzieć „nie".

– Może masz rację. Ale zdecydowanie wolałabym otrzymać zaproszenie z większym wyprzedzeniem.

– Logan jest, jaki jest. – Roz poklepała Stellę po kolanie. – Ma jednak swoje zalety. Nie musisz się zastanawiać, co ten facet ukrywa w zanadrzu czy też jaką prowadzi grę. Logan to... nie mogę powiedzieć „miły mężczyzna", bo potrafi być wkurzający, ale jest szczery i uczciwy. A wierz mi, to wyjątkowo cenne cechy.

# 11

Randki z reguły nie są tego warte, pomyślała Stella. Zdesperowana, stała w samej bieliźnie przed szafą, nie mogąc zdecydować, co na siebie włożyć.

Przecież nawet nie miała pojęcia, dokąd się wybierają. Nienawidziła takich sytuacji. Jak mogła się odpowiednio przygotować, jeśli nie wiedziała na co?

Samo słowo „kolacja" to żadna wskazówka. Czy mieli pójść do miejsca, gdzie najodpowiedniejszym strojem byłaby mała czarna, czy raczej elegancka, ale mniej oficjalna sukienka? Czy może designerska garsonka? Albo raczej spodnie, koszula i marynarka, czy też dżinsy i jedwabna bluzka?

Na dodatek, decydując, że przyjedzie po nią o siódmej, Logan nie zostawił jej dużo czasu na przygotowanie, nie mówiąc już o starannym doborze stroju.

Randka. Jak coś tak pożądanego i ekscytującego w latach wczesnej młodości, tak naturalnego i zajmującego po dwudziestce, mogło się przekształcić w skomplikowaną, a nawet denerwującą sytuację po skończeniu trzydziestki?

Zapewne dlatego, że ludzie dorośli, umawiający się na kolację, zazwyczaj mieli już za sobą co najmniej jeden poważny związek, przeżyli rozstanie, złamali komuś serce lub sami cierpieli. Byli obarczeni określonym bagażem doświadczeń. Mieli własne nawyki, jasno zdefiniowane oczekiwania i na dodatek znali ten rytuał tak dobrze, że chcieli od razu przejść do konkretów.

Do tego wszystkiego wystarczy dorzucić faceta, który ni stąd, ni zowąd zaprasza gdzieś kobietę wieczorem i nie ma dość zdrowego rozsądku, by dać jej choćby drobne wskazówki co do stroju – i potężne zawirowanie gotowe.

W porządku. W razie czego będzie mógł mieć pretensje tylko do siebie.

Właśnie wciągała krótką, czarną sukienkę, gdy drzwi łazienki otworzyły się z hukiem i do pokoju wpadł Gavin.

– Mamo! Skończyłem lekcje! Luke jeszcze siedzi nad książką, ale ja wszystko zrobiłem. Mogę już iść na dół? Mogę, mamo?

Parker wbiegł za Gavinem i zaczął skrobać łapami nogę Stelli. Jak dobrze, że postanowiła włożyć sandały i nie wciągnęła pończoch.

– Czy nie zapomniałeś o czymś, synku?

– Nieee. Przepisałem dokładnie wszystkie słowa.

– A nie zapomniałeś przypadkiem w coś zapukać?

– Ach! – Uśmiechnął się niewinnie. – Ładnie wyglądasz, mamusiu.

– Niezły z ciebie czarodziej. – Pochyliła się i pocałowała chłopca w czubek głowy. – Ale musisz zapamiętać, że jak drzwi są zamknięte, należy zawsze pukać.

– No dobra. Czy mogę już iść na dół?

– Za chwilę. – Podeszła do toaletki i wsunęła w uszy duże, srebrne koła. – Masz mi obiecać, że będziesz grzeczny i nie sprawisz żadnych kłopotów pani Roz.

– Zjemy na kolację cheeseburgery, a potem pogramy w gry komputerowe. Pani Roz mówi, że nas ogra, ale ja jej nie wierzę.

– I żadnych kłótni z bratem. – Pobożne życzenie, uznała w myślach. – Dzisiejszego wieczoru postaraj się zapomnieć o swojej głównej misji życiowej.

– Mogę już iść?

– Biegnij. – Klepnęła go lekko w pupę. – Pamiętaj, że mam przy sobie telefon. Jakbyś mnie potrzebował, natychmiast dzwoń.

Kiedy wypadł na korytarz, Stella wsunęła stopy w sandały, a na ramiona zarzuciła cienki sweter. Zerknęła w lustro i z zadowoleniem skinęła głową – osiągnęła zamierzony efekt: wyglądała elegancko, ale nieoficjalnie.

Chwyciła torebkę i ruszyła w stronę pokoju chłopców. Luke leżał na brzuchu na podłodze – w swojej ulubionej pozycji – i z nieszczęśliwą miną wpatrywał się w książkę do arytmetyki.

– Kłopoty, przystojniaku?

Uniósł głowę i wykrzywił usta w podkówkę.

– Nienawidzę prac domowych.

– To tak jak ja.

– Gavin odtańczył taniec wojownika, bo skończył pierwszy.

Stella usiadła na podłodze obok synka.

– Popatrzmy, co tu masz.

Wiedziała, że to demoralizujące, ale nie mogła patrzeć na jego żałosną minę.

– Po co właściwie muszę wiedzieć, ile jest dwa dodać trzy?

– A skąd inaczej byś wiedział, ile palców ma każda twoja ręka?

Zmarszczył brwi, a po chwili spojrzał na nią z promiennym uśmiechem.

– Pięć!

Po zażegnaniu pierwszego kryzysu pomogła mu z resztą obliczeń.

– No, proszę. Wszystko gotowe. Nie było tak źle, prawda?

– Ale i tak nie znoszę odrabiania lekcji.

– Rozumiem. A teraz czas na taniec wojownika.

Luke poderwał się z podłogi i dumnie przemaszerował wokół pokoju, wymachując nad głową rękami.

– Dlaczego nie chcesz dziś jeść z nami kolacji? Przecież będą cheeseburgery.

– Sama nie wiem. Nie sprawisz pani Roz kłopotu, prawda?

– Prawda. Pani Roz jest fajna. Lubię ją. Kiedyś wyszła przed dom i rzuciła piłkę Parkerowi. Wcale jej nie przeszkadzało, że piłka była obśliniona. Niektórym dziewczynom to przeszkadza. Pójdę już teraz na dół, dobrze? Bo jestem głodny.

– To leć.

Stella wstała z podłogi i machinalnie zaczęła porządkować porozrzucane zabawki. Przesunęła palcami po niektórych skarbach chłopców. Po ukochanych komiksach Gavina i jego baseballowej rękawicy. Po najulubieńszej ciężarówce Luke'a i sfatygowanym misiu, z którym wciąż jeszcze sypiał.

Po chwili jednak przeszył ją zimny dreszcz i poczuła, jak, pomimo swetra, jej ciało pokrywa gęsia skórka. Kątem oka pochwyciła jakiś refleks w lustrze stojącym na komodzie.

Kiedy odwróciła się gwałtownie, ujrzała w progu Hayley.

– Logan właśnie zajechał przed dom i... – Dziewczyna urwała, przyglądając się uważnie Stelli. – Czy wszystko w porządku? Jesteś blada jak płótno.

– Oczywiście. W jak najlepszym. – Przejechała po włosach drżącą dłonią. – Wydawało mi się... och, nieważne. Nic takiego. Poza tym, że jestem blada, to jak wyglądam?

Zmusiła się, by raz jeszcze zerknąć w lustro, ale tym razem ujrzała tylko odbicie własnej twarzy i Hayley idącej w jej stronę.

– Super. Twoje włosy są naprawdę zachwycające.

– Łatwo ci mówić. To nie ty budzisz się z nimi na głowie co rano. Zastanawiałam się, czy ich nie upiąć, ale doszłam do wniosku, że wyglądałabym zbyt oficjalnie.

– Masz doskonałą fryzurę. – Hayley podeszła jeszcze bliżej i nachyliła się ku Stelli. – Kiedyś ufarbowałam się na rudo. To była prawdziwa katastrofa.

– W tym głębokim brązie wyglądasz szałowo – stwierdziła Stella, patrząc uważnie na dziewczynę. Cóż za twarz, pomyślała z ukłuciem zazdrości. Ani śladu choćby najdrobniejszej zmarszczki.

– Może. Ale rudy jest teraz bardzo modny. No, dobra, idę na dół. Zajmę czymś naszego gościa. A ty poczekaj chwilę, zanim zejdziesz, żeby wszyscy domownicy zeszli już do kuchni i by nikt nie absorbował uwagi Logana.

Na Boga, Stella wcale nie planowała żadnego wielkiego wejścia! Ale Hayley już zniknęła. Trudno.

Musi jeszcze poprawić makijaż i ochłonąć przez moment.

Przynajmniej napięcie związane z randką – tym razem była to już randka – ustąpiło innemu zdenerwowaniu. Bo to nie odbicie Hayley Stella ujrzała wcześniej w lustrze. Mimo że pochwyciła obraz tylko kątem oka, była pewna, że kobieta, którą widziała, była blondynką.

Odetchnęła głęboko i wyszła do holu. Już u szczytu schodów usłyszała śmiech Hayley.

– Stella zaraz zejdzie. Rozgość się, proszę. A ja wracam do kuchni, na hamburgerową ucztę. Przekaż Stelli, że w jej imieniu powiem wszystkim dobranoc. Bawcie się dobrze.

Ta dziewczyna miała chyba szósty zmysł. Zniknęła akurat w chwili, gdy Stella znalazła się w połowie schodów.

Na dźwięk jej kroków Logan uniósł wzrok.

Porządne, czarne spodnie, niebieska koszula – bez krawata, ale ze sportową marynarką.

– Ładnie wyglądasz – powiedział.

– Dzięki. Ty też.

– Hayley powiedziała, że pożegna wszystkich w twoim imieniu. Gotowa?

– Gotowa.

Wyszła z nim przed dom, gdzie stał czarny mustang.

– Widzę, że jednak masz samochód.

– Tylko kobieta mogłaby to nazwać samochodem.

– Wyjątkowo seksistowska uwaga. A więc co to jest, jeśli nie samochód?

– Wspaniała maszyna.

– W porządku. Przyjęłam do wiadomości i zastosuję się do życzenia. Nie powiedziałeś mi, dokąd się wybieramy.

Otworzył przed nią drzwi.

– Zobaczysz.

Z głośników sączyła się muzyka, której nie rozpoznawała. Przypuszczała, że to blues, ale nie była pewna. Gdy o tym napomknęła, Logan spojrzał na nią zszokowany, a potem przez całą drogę nie mówił o niczym innym.

Stella miała niejakie pojęcie o muzyce Johnny'ego Lee Hookera, Muddy'ego Watersa czy B.B. Kinga. Ale na tym kończyła się jej wiedza o bluesie.

Kiedy zajechali na parking, Logan oparł się o drzwi i posłał jej przeciągłe spojrzenie.

– Jesteś pewna, że urodziłaś się w tym mieście?

– Tak napisano w mojej metryce.

Potrząsnął głową i wysiadł z samochodu.

– Myślę, że powinnaś jeszcze raz ją przestudiować.

Weszli do restauracji już pełnej gości. Usiedli przy zarezerwowanym stoliku, a Logan ruchem dłoni odprawił kelnera.

– Może zanim wybierzemy dania, posiedzimy chwilę przy drinku?

– Oczywiście.

Otworzyła menu.

– Podają tu doskonałego zębacza. Jadłaś kiedyś tę rybę?

Uniosła wzrok znad karty.

– Nie. I choć być może czyni to ze mnie typową Jankeskę, zdecyduję się na kurczaka.

– W porządku. Dam ci spróbować, żebyś wiedziała, co tracisz. W karcie win oferują przyzwoite chardonnay, o interesującej górnej nucie, które będzie się dobrze komponować zarówno z rybą, jak i twoim nielotem.

Odłożyła menu i pochyliła się w jego stronę.

– Wiesz to na pewno czy po prostu zmyślasz?

– Lubię wino. A ponieważ je lubię, staram się o nim dużo wiedzieć.

Przywołał kelnera i złożyli zamówienie.

– No, dobrze, Loganie. Co my tu robimy?

– Jeśli o mnie chodzi, zamierzam zjeść pysznego zębacza i napić się niezłego wina.

– Do tej pory doszło między nami do kilku rozmów, głównie na tematy służbowe.

– Do tej pory doszło między nami do kilku rozmów i kilku kłótni.

– Prawda. Poza tym byliśmy na przyjemnej wycieczce, która zakończyła się niespodziewanym akcentem.

– Czasami lubię cię słuchać, Rudzielcu. To niemal tak, jakbym przysłuchiwał się komuś mówiącemu obcym językiem. Wykładasz wszystko po kolei, bo próbujesz ułożyć równą ścieżkę od jednej myśli do drugiej?

– Być może. Faktem jednak jest, że znaleźliśmy się tu dzisiaj, bo umówiliśmy się na randkę. Jeszcze dwadzieścia cztery godziny temu coś podobnego nie przyszłoby mi do głowy. Przecież łączą nas stosunki służbowe.

– Uh-hm. A gdy już o tym mowa, wciąż okropnie mnie wkurza twój nowy system.

– To ci niespodzianka. A gdy już o tym mowa, nie zostawiłeś na moim biurku tej faktury.

– Tak? – wzruszył ramionami. – W takim razie na pewno mam ją jeszcze w kieszeni.

– Rzecz w tym...

Urwała, bo do stolika podszedł kelner z winem i zaprezentował Loganowi etykietę na butelce.

– Właśnie o to mi chodziło. Proszę nalać pani do skosztowania.

Stella niespiesznie uniosła kieliszek do ust i wypiła mały łyk.

– Bardzo dobre... o interesującej górnej nucie.

Logan uśmiechnął się szeroko.

– W takim razie pijmy.

– Zmierzałam do tego – podjęła wątek – że, skoro pracujemy razem, zapewne rozsądnie i korzystnie byłoby, żeby łączyła nas przyjaźń, ale w żadnym razie coś poważniejszego.

– Uh-hm. – Spróbował wina, po czym spojrzał na nią swoimi kocimi oczami. – Sądzisz więc, że nie powinienem cię więcej całować, bo nie byłoby to ani rozsądne, ani korzystne?

– Znalazłam się w innym mieście, rozpoczęłam nową pracę. Przeniosłam chłopców w obce warunki. A dzieci są dla mnie najważniejsze.

– To zrozumiałe. Przypuszczam jednak, że nie po raz pierwszy od śmierci męża wybrałaś się na kolację z mężczyzną.

– Zawsze byłam bardzo ostrożna.

– Co ty powiesz? Nigdy bym na to nie wpadł. Jak straciłaś męża?

– Zginął w katastrofie samolotu. Wracał z podróży służbowej. Usłyszałam o tym w telewizyjnych wiadomościach. Nie podali listy pasażerów, ale od razu wiedziałam, że to samolot czarterowy, którym leciał Kevin. Wiedziałam, że zginął, zanim przyszli mnie o tym oficjalnie powiadomić.

– I oczywiście doskonale pamiętasz, co miałaś na sobie, gdy słuchałaś tych telewizyjnych wiadomości, co robiłaś, gdzie dokładnie stałaś – powiedział cichym głosem, nie spuszczając z niej wzroku. – Nigdy nie zapomnisz żadnego szczegółu związanego z tamtym dniem.

– Skąd wiesz?

– Bo to był najgorszy dzień w twoim życiu. Każdy szczegół już na zawsze utkwił w twojej pamięci.

– Masz rację. – Zdumiała ją i wzruszyła jego intuicja. – Czy ty też straciłeś kogoś bliskiego?

– Nie. Ale wiem, że gdy taka kobieta jak ty zdecyduje się związać z mężczyzną, to uczyni z niego centrum swojego świata. A gdy to centrum nagle zniknie, nigdy tego nie zapomni.

– To prawda. Nie zapomnę. – Jakże by mogła? – Muszę powiedzieć, że to najbardziej wnikliwa i dokładna ocena mojego stanu. Nikt z większym taktem nie wyraził mi swojego współczucia. Nie obraź się, ale to dla mnie wielka niespodzianka.

– Ja się tak szybko nie obrażam. Twoje dzieci straciły ojca, ty jednak zapewniłaś im dobre życie. To wymagało ciężkiej pracy. Kilka razy w życiu umawiałem się z kobietami, które mają dzieci. Szanuję macierzyństwo i jego priorytety. Co nie przeszkadza mi zastanawiać się, kiedy wreszcie będę mógł cię trzymać nagą w ramionach.

Stella odchrząknęła, przełknęła głośno ślinę i wypiła łyk wina.

– Nie owijasz rzeczy w bawełnę.

– Z inną kobietą od razu poszedłbym do łóżka. – Uniósł kieliszek do ust i poczekał, aż kelner poda im sałatę. – Ale wiem, że ty jesteś... Cóż, skoro siedzimy tu w takiej miłej atmosferze, powiem jedynie, że jesteś bardzo ostrożna.

– Chciałeś powiedzieć: obsesyjnie spięta.

Uśmiechnął się szeroko.

– Nigdy się nie dowiesz, co chciałem powiedzieć. Natomiast faktem jest, że oboje pracujemy u Roz. Świadomie nie zrobiłbym niczego, co mogłoby w jakikolwiek sposób skomplikować jej życie. Ty masz dzieci, o które musisz się troszczyć. Poza tym nie wiem, na ile pogodziłaś się ze stratą męża. Dlatego w tej chwili nie uprawiamy seksu, tylko prowadzimy tę uroczą rozmowę.

Przez chwilę zastanawiała się nad tym, co usłyszała. Rzeczywiście, nie mogła zaprzeczyć logice jego wywodu. Prawdę mówiąc, zgadzała się z każdym słowem.

– W porządku. Zacznijmy więc od Roz. Ja również nie zrobiłabym niczego, co mogłoby utrudnić jej życie. Więc bez względu na to, co sobie dziś powiemy, w pracy będziemy się do siebie odnosić z pełną kurtuazją.

– Nie ręczę za tę kurtuazję, ale na pewno będziemy oboje mieli na sercu interesy Roz.

– W porządku. To uczciwe postawienie sprawy. Po drugie, chłopcy są dla mnie najważniejsi na świecie. Nie tylko dlatego, że tak być powinno, ale ponieważ tak chcę. I nic ani nikt tego nie zmieni.

– Gdyby było inaczej, straciłbym do ciebie szacunek.

– Cóż... – Zaniemówiła na chwilę. Choć jego odpowiedź była ponownie obcesowa, doceniła jej wymowę. – Jeżeli zaś chodzi o Kevina... – podjęła na nowo wątek – ...to bardzo go kochałam. Kiedy zginął, cały mój świat się zawalił. Jakaś cząstka mnie miała ochotę zaszyć się w ciemnym kącie i skonać.

Wiedziałam jednak, że ze względu na chłopców muszę przejść przez rozpacz i gniew – i żyć dalej.

– To wymagało dużej odwagi.

– Dziękuję. – Z trudem opanowała łzy. – Już nigdy do nikogo nie będę czuła tego, co czułam do Kevina. Nie znaczy to jednak, że nie pociągają mnie mężczyźni. Że skazałam się na samotne życie.

Logan przez chwilę siedział w milczeniu.

– Jak taka rozsądna kobieta może być równie przywiązana do formularzy i faktur? – spytał w końcu.

– Jak tak utalentowany mężczyzna może być równie niezorganizowany? A tak przy okazji, niedawno zajrzałam na posesję Dawsona.

– I co?

– Niewątpliwie czekasz z pracami wykończeniowymi, aż przestaną nam grozić przymrozki, ale chciałam ci powiedzieć, że to bardzo dobra robota. Choć, nie. Użyłam złego słowa. To fantastyczne osiągnięcie.

– Dzięki. Zrobiłaś kolejne zdjęcia?

– Owszem. Chcę je wykorzystać do witryny internetowej naszego centrum. Właśnie nad nią pracuję.

– Żartujesz.

– W żadnym razie. Zamierzam pomnożyć zyski Roz, Loganie. Jeśli ona będzie zarabiać więcej, to i twoje dochody znacznie wzrosną. Jestem pewna, że ta witryna zwiększy liczbę zamówień dla działu architektury krajobrazu. Mogę to wręcz zagwarantować.

– Doskonale.

– Wiesz, czego ci zazdroszczę najbardziej?

– Mojej skrzącej dowcipem osobowości.

– Nie. Nie widzę w niej nic skrzącego. Twoich mięśni.

– Zazdrościsz mi mięśni? Obawiam się, że nie byłoby ci z nimi do twarzy, Rudzielcu.

– Ilekroć, jeszcze na Północy, brałam się do zakładania jakiegoś ogrodu, nigdy nie mogłam zrobić wszystkiego sama. Nie byłam może tak kreatywna jak ty, ale wiedziałam, czego chcę, miałam określoną wizję. A także odpowiednie umiejętności. Kiedy jednak zaczyna się ciężka fizyczna praca, wysiadam. I bardzo mnie to frustruje, bo naprawdę miałabym ochotę zrobić wiele rzeczy własnymi rękami. A nie mogę. Dlatego ci zazdroszczę.

– Nie wątpię jednak, że czy wykonujesz coś osobiście, czy tylko doglądasz robót, wszystko musi iść zgodnie z twoim planem.

Stella uśmiechnęła się, wpatrzona w kieliszek.

– To się rozumie samo przez się. A zmieniając nieco temat, słyszałam, że masz dom niedaleko posiadłości Roz.

– Mniej więcej trzy kilometry dalej.

W tym momencie kelner przyniósł główne dania. Logan natychmiast odkroił kawałek ryby i położył na talerzu Stelli.

– Hm, bo ja wiem... – mruknęła, spoglądając podejrzliwie na zębacza.

– Swoim dzieciom na pewno powtarzasz, że nie mogą mówić, że czegoś nie lubią, zanim tego nie spróbują.

– Jedną z zalet bycia dorosłym jest to, że możesz wygłaszać różne mądrości, lecz niekoniecznie musisz się do nich stosować. Ale niech będzie. – Skubnęła widelcem mały kęsek i odważnie podniosła do ust. – O dziwo, nie ma w smaku nic wspólnego z zębami. Prawdę mówiąc, bardzo mi smakuje ta ryba.

– Może więc jednak drzemie w tobie południowa dusza. Jak tak dalej pójdzie, zaczniesz jadać kleik na śniadanie.

– Nie sądzę. Kleiku już próbowałam. A wracając do naszej rozmowy, sam doprowadzasz swój dom i ogród do porządku?

– Można tak powiedzieć. Ogród znajduje się na wzniesieniach, co zapewnia naturalny drenaż ziemi. Od północnej strony teren jest porośnięty starymi drzewami – pełnymi uroku jaworami i orzechami, pod którymi bujnie rozrastają się dzikie azalie i wawrzyny. Ogród ma południową wystawę, a na jego tyłach płynie niewielki strumień.

– A dom?

– Co masz na myśli?

– Jaki to rodzaj domu?

– Och. Piętrowy, drewniany. Zapewne dla mnie za duży, ale kupiłem go razem z ziemią.

– Za kilka miesięcy będę poszukiwać czegoś w tym stylu dla siebie. Jeśli usłyszysz, że podobny dom został wystawiony na sprzedaż, daj mi znać.

– Nie ma sprawy. A jak chłopcom podoba się u Roz?

– Są zachwyceni. Ale wcześniej czy później powinni mieć własny dom. Nie szukam niczego wymyślnego i nawet nie mogłabym sobie na to pozwolić. Chętnie jednak kupię budynek wymagający remontu. Nieźle sobie radzę z majsterkowaniem. Najważniejsze, żeby w pobliżu nie było żadnych duchów.

Zdała sobie sprawę z tego, co powiedziała, dopiero gdy Logan spojrzał na nią pytająco. Pokręciła z zażenowaniem głową.

– To zapewne z powodu wina. Nie uświadamiałam sobie aż do tej chwili, że ów incydent wciąż siedzi mi w głowie.

– Jaki incydent?

– Widziałam... to znaczy zdawało mi się, że widziałam tego ducha, który ponoć nawiedza Harper House. W lustrze w mojej sypialni, tuż zanim po mnie przyjechałeś. Chwilę później wpadła do pokoju Hayley, ale to, co zobaczyłam, nie było jej odbiciem. Z drugiej strony, przecież nie mógł to być nikt inny, bo... cóż za nonsens.

– Jak widzę, usilnie chcesz samą siebie o czymś przekonać.

– Jestem rozsądną kobietą, pamiętasz? – Postukała się palcem w skroń. – Rozsądne kobiety nie wierzą w duchy. Nie widują ich, nie słyszą śpiewanych przez nie kołysanek, nie wyczuwają ich obecności.

– A jak wyczuwasz ową obecność?

– Pewien szczególny chłód... niejasne wrażenie. – Stella wzdrygnęła się i zmusiła do śmiechu. – Nie umiem tego precyzyjnie wyjaśnić, bo to bardzo irracjonalne. A dziś te moje doznania były wyjątkowo intensywne. Miałam wrażenie, że jest przy mnie jakaś wroga siła. Chociaż nie, „wroga" to zbyt ostre określenie. Powiedzmy – nieprzychylna.

– Porozmawiaj na ten temat z Roz. Na pewno powie ci wszystko, co wie o tym duchu.

– Chyba tak właśnie zrobię. Ty natomiast jesteś pewien, że nigdy go nie widziałeś?

– Tak.

– Ani nie czułeś jego obecności?

– Nie. Chociaż czasami, gdy kopię w ziemi, wyczuwam jakieś niewytłumaczalne fluidy. Wierzę, że jak roślina umiera, pozostawia po sobie pewien szczególny ślad. Czemu podobnie nie miałoby być z ludźmi?

Stella postanowiła, że zastanowi się nad tym później, bo w tej chwili mogła myśleć jedynie o tym, jak miło upływa jej czas w towarzystwie Logana. I jak bardzo pociąga ją ten mężczyzna. I że jeśli nadal jego towarzystwo będzie takie urocze, a pożądanie nie osłabnie, w końcu wylądują razem w łóżku.

Co pociągnie za sobą pewne komplikacje. Ostatecznie pracowali u tej samej osoby, w tym samym miejscu. W takich warunkach każdy natychmiast będzie wiedział o ich romansie.

Nad tym też powinna się zastanowić. Jak bardzo będzie ją stresować świadomość, że jej prywatne życie jest publiczną tajemnicą?

Po kolacji poszli na Beale Street, gdzie co noc panowała atmosfera karnawału. Roiło się tam od turystów, a także mieszkańców Memphis spędzających wieczór na mieście, zakochanych par i grup młodzieży. Z powodu neonów było niemal tak widno jak w dzień. Z licznych barów i klubów sączyła się muzyka, a w sklepach otwartych dzień i noc pełno było kupujących.

– Tu w pobliżu znajdował się niegdyś klub o nazwie „Monarch". Czy te buty nie zmaltretują ci stóp?

– Nie.

– To dobrze. A tak przy okazji, masz fantastyczne nogi.

– Dzięki. Mam je już od lat.

– A więc „Monarch"... – wrócił do poprzedniego wątku Logan – ...dzielił zaplecze z zakładem pogrzebowym. Co bardzo ułatwiało właścicielom pozbywanie się ofiar porachunków rewolwerowych.

– To przeuroczy epizod z historii Beale Street.

– Och, znam ich dużo więcej. To tu narodziły się blues i rock – a poza tym kwitły nielegalne bimbrownie, krwawe obrzędy wudu, mord, hazard i skandale, a także grasowali kieszonkowcy.

Przyłączyli się do grupki ludzi obserwujących trzech nastolatków wykonujących akrobatyczny taniec na środku ulicy.

– Ja też tak potrafię. – Stella skinęła głową w stronę chłopaka, który podszedł do nich na rękach.

– Akurat.

– Naprawdę. Nie zademonstruję ci tego w tej chwili, ale to dla mnie nie problem. Przez sześć lat trenowałam gimnastykę. Potrafię wygiąć ciało w precel. No, teraz może zaledwie w połowę precla, ale swego czasu...

– Usiłujesz mnie podniecić?

– Skądże – zaprzeczyła ze śmiechem.

– A więc to jakiś skutek uboczny twoich opowieści. A jak wygląda połowa precla?

– Może kiedyś ci pokażę, jak będę stosowniej ubrana.

– A jednak chcesz mnie podniecić.

Znów się roześmiała i popatrzyła na akrobatyczne popisy chłopców. Po chwili Logan wrzucił do ich pudełka garść drobnych i znowu ruszyli przed siebie.

– Kto to jest Betty Paige i czemu jej podobizna widnieje na tych koszulkach?

Logan stanął jak wryty.

– Chyba żartujesz.

– W żadnym razie.

– Ty chyba nie tylko mieszkałaś na Północy, ale na dodatek w jakiejś cholernej jaskini. Betty Paige to legendarna seksbomba lat pięćdziesiątych.

– Skąd wiesz? Przecież wtedy nie było cię jeszcze na świecie.

– Bo interesuje mnie moje dziedzictwo kulturalne – szczególnie gdy ma coś wspólnego ze wspaniałą kobietą, która chętnie zrzucała z siebie ubranie. Tylko popatrz na nią. Dziewczyna z sąsiedztwa o figurze Wenus.

– Założę się, że nie potrafiła chodzić na rękach – rzuciła nonszalanckim tonem Stella i ruszyła przed siebie leniwym krokiem przy akompaniamencie śmiechu Logana.

Kiedy przeszli już Beale Street tam i z powrotem, Logan próbował namówić Stellę, by posiedzieli jeszcze w klubie, gdzie grano na żywo bluesa. Po krótkim wahaniu jednak pokręciła stanowczo głową.

– Naprawdę nie mogę, zrobiło się już bardzo późno. Prawdę mówiąc, sądziłam, że o tej porze dawno będę w domu. Jutro czeka mnie kolejny ciężki dzień, a na dodatek już i tak nadużyłam uprzejmości Roz.

– W takim razie przełożymy to na następną okazję.

– Klub bluesowy będzie następny na mojej liście. Dzisiaj już zaliczyłam parę istotnych punktów: zębacza i Beale Street. Powoli upodabniam się do rodowitych mieszkańców Tennessee.

– Ani się obejrzysz, a sama zaczniesz smażyć zębacza i wrzucać fistaszki do coli.

– Czemu, na Boga, miałabym wrzucać do coli jakiekolwiek orzechy? Och, nieważne. – Machnęła ze zniecierpliwieniem dłonią. – To zapewne jakiś ważny południowy obyczaj. Słuchaj, chciałam ci powiedzieć, że to był uroczy wieczór.

– Cieszę się.

Okazało się, że randka z Loganem nie była ani stresująca, ani nudna. Stella rozluźniła się już po pierwszych kilku minutach. I wówczas uświadomiła sobie, że niemal zapomniała, jak wspaniale można się czuć w towarzystwie mężczyzny.

Roz zostawiła pozapalane światła – na frontowej werandzie, w holu i w sypialni Stelli. Gdy podjeżdżali pod dom, ujrzała ich blask i poczuła przypływ ciepłych uczuć.

Jej własna matka była zbyt zajęta własnym życiem, by zawracać sobie głowę podobnymi drobiazgami. Może dlatego teraz Stella przywiązywała do nich tak dużą wagę.

– To doprawdy zachwycający dom – westchnęła. – Nic dziwnego, że Roz tak go kocha.

– Poczekaj, aż nadejdzie wiosna – wówczas widok ogrodów wprost zapiera dech w piersiach.

– Roz powinna oprowadzać wycieczki po swojej posiadłości.

– Kiedyś robiła to raz do roku. Ale przestała tuż po tym, jak wyrzuciła tego dupka, Clerka. Na twoim miejscu nie podnosiłbym tej kwestii – rzucił szybko, zanim Stella zdążyła otworzyć usta. – Jeśli będzie chciała do tego wrócić, sama podejmie stosowną decyzję.

Wyszli z samochodu i stanęli pod drzwiami.

– Już nie mogę się doczekać, kiedy zobaczę wreszcie ogrody w pełnej krasie. Jestem wdzięczna Roz, że pozwoliła mi tu zamieszkać, bo dzięki temu dzieci lepiej poznają tradycję tych stron.

– Jest jeszcze jedna ważna tradycja, której przestrzegają południowcy. Po randce trzeba koniecznie pocałować dziewczynę na dobranoc.

Kiedy przycisnął usta do jej warg, gdy jego dłonie zaczęły przesuwać się po jej włosach i ramionach, Stella poczuła rozkoszny dreszcz.

Logan ujął ją za biodra i z całej siły przycisnął do siebie, a potem przesunął się tak, że znalazła się pomiędzy nim a drzwiami. Gorące pocałunki wywoływały zawrót głowy, rozbudzając w niej coraz silniejsze pożądanie.

– Poczekaj chwilę – zdołała wyszeptać. – Poczekaj.

– Najpierw muszę skończyć, co zacząłem.

Pragnął o wiele więcej niż namiętnego pocałunku, ale wiedział, że na razie tylko tym będzie się musiał zadowolić. Nie zamierzał przyspieszać naturalnego biegu wydarzeń, nie zamierzał poganiać Stelli. Jej pełne usta i delikatne drżenie ciała podniecały go aż do bólu. Logan miał ochotę posiąść ją natychmiast i gwałtownie, a potem smakować powoli.

Odsunął się jednak. Na to będzie musiał jeszcze poczekać.

– Czy uważasz, że na tym poprzestaniemy? – zapytał.

– Ja nie mogę...

– Nie miałem na myśli dzisiejszego wieczoru – powiedział, gdy Stella nerwowo zerknęła na drzwi.

– W takim razie wcale tak nie uważam.

– To doskonale.

– Ale nie mogę rzucić się w coś takiego bez zastanowienia. Muszę najpierw wszystko...

– Przemyśleć – wszedł jej w słowo. – Zaplanować i zorganizować.

– Spontaniczne reakcje nigdy nie były moją mocną stroną, a gdy ma się dzieci, działanie pod wpływem impulsu nie wchodzi w rachubę.

– W takim razie zajmij się planowaniem i organizacją. A potem daj mi znać. Ja nie mam problemu ze spontanicznym działaniem. – Znowu przywarł ustami do jej warg. – Masz mój numer telefonu. Zadzwoń. – Delikatnie odsunął ją od siebie. – Wejdź już do środka, Stello. Zgodnie z tradycją, nie tylko całujesz dziewczynę na dobranoc, ale czekasz, aż zniknie za drzwiami domu. Dopiero wówczas odchodzisz w mrok, marząc o chwili, gdy znowu będziesz mógł ją wziąć w ramiona.

– A więc dobranoc.

Weszła do holu i ruszyła po schodach, zapominając pogasić światła.

Jeszcze gdy szła korytarzem, była tak oszołomiona, że usłyszała śpiew, dopiero jak znalazła się dwa kroki od drzwi pokoju dzieci.

Jednym skokiem znalazła się w środku. I wówczas zobaczyła – naprawdę zobaczyła! – niewyraźny zarys postaci. Jasne włosy połyskiwały w świetle nocnej lampki, duże oczy wpatrywały się w nią z niezwykłą mocą.

Nagle uderzył ją ostry powiew lodowatego powietrza i postać zniknęła.

Na miękkich nogach Stella podbiegła do chłopców. Dotknęła włosów Gavina, pogłaskała Luke'a po głowie. Położyła dłonie na ich plecach jak wtedy, gdy byli jeszcze niemowlętami i nerwowo sprawdzała, czy na pewno oddychają.

Parker przewrócił się leniwie na drugi bok, zamruczał cicho na powitanie, uderzył o podłogę ogonem, po czym znowu zapadł w sen.

Pies mnie wyczuwa, rozpoznaje. A co z nią? Czemu na nią nie szczeka?

A może po prostu zaczynam tracić zmysły?

Stella przygotowała się do snu, a potem wzięła poduszkę i koc, i przeszła do pokoju dzieci. Położyła się między łóżkami chłopców, by nad nimi czuwać.

# 12

W szklarni numer trzy Roz podlewała flance, które wyhodowała jeszcze zimą. Już niedługo będą się nadawały do sprzedaży. W takich chwilach zawsze ogarniał ją smutek. Wiedziała, że nie wszystkie rośliny będą otoczone należytą opieką. Niektóre umrą, całkowicie zaniedbane, inne zostaną posadzone w zbyt nasłonecznionym lub zbyt cienistym miejscu. Ale teraz jeszcze były dorodne, piękne i pełne obietnic życia.

I jej własne.

Będzie jednak musiała oddać je w inne ręce.

Z roślinami jest podobnie jak z dziećmi, pomyślała. W pewnym momencie trzeba pozwolić im odejść. Bardzo tęskniła do czasów, gdy jej synowie byli jeszcze mali. Zdała sobie z tego sprawę dopiero wtedy, kiedy w domu znów zabrzmiał tupot dziecięcych stóp, dziecięce krzyki i chichoty. Dobrze, że miała przy sobie Harpera. Tylko że on był już dorosły, miał własne życie i nie należał do niej. Dlatego bardzo się pilnowała, by nie obarczać go swoimi emocjami, nie okazywać, jak ogromnie go potrzebuje.

Jeśli zaś chodzi o pozostałych synów – musiała się zadowolić sporadycznymi wizytami, telefonami, e-mailami. I świadomością, że są szczęśliwi, pochłonięci budowaniem własnego świata.

Zapewniła im dobrą podstawę, potem ich doglądała i troskliwie pielęgnowała. A w końcu pozwoliła im odejść.

Nigdy nie zamierzała być apodyktyczną, toksyczną matką. Dzieci, podobnie jak rośliny, potrzebowały przestrzeni i powietrza. Jakże chętnie jednak cofnęłaby czas o dziesięć, dwadzieścia lat, by wciąż jeszcze mieć w domu swoich ukochanych chłopców.

Takie sentymentalne wspominki tylko wprawiają mnie w smętny nastrój, napomniała się ostro w duchu. Zakręciła energicznie wodę – i właśnie w tym momencie do szklarni wkroczyła Stella.

– Nie ma nic piękniejszego od zapachu wilgotnej ziemi, prawda? – odezwała się Roz, wciągając głęboko powietrze.

– Dla nas na pewno. Tylko spójrz na te margerytki. Ludzie będą wyrywać je sobie z rąk. Nie udało mi się złapać cię rano w domu.

– Musiałam przyjść tu dziś jak najwcześniej. Po południu idę na spotkanie Klubu Ogrodniczego. Zamierzam ustawić na stołach dwa tuziny doniczek z kwiatami.

– Doskonała reklama. Chciałam ci jeszcze raz bardzo podziękować, że zajęłaś się chłopcami wczoraj wieczorem.

– Zrobiłam to z największą przyjemnością. A jak ty się bawiłaś?

– Prawdę mówiąc, doskonale. Czy nie miałabyś nic przeciwko temu, żebyśmy się z Loganem spotykali na stopie towarzyskiej?

– A czemu miałabym mieć coś przeciwko temu?

– Cóż, skoro wszyscy razem pracujemy...

– Dorośli powinni umiejętnie kierować swoim życiem w każdej sytuacji. Oboje jesteście dorośli i wolni. Sama musisz zdecydować, czy spotykanie się z nim na gruncie towarzyskim może spowodować jakieś problemy.

– Oczywiście „grunt towarzyski" to w tym wypadku eufemizm.

Roz zabrała się do oskubywania krzaczka begonii z niepożądanych odnóżek.

– Stello, gdybyś nie miała ochoty na seks z takim mężczyzną jak Logan, zaczęłabym się poważnie o ciebie martwić.

– W takim razie nie masz powodów do zmartwienia. Niemniej, chciałam ci powiedzieć... pracuję u ciebie, mieszkam w twoim domu, więc chcę, żebyś wiedziała, że nie sypiam z kim popadnie.

– Nie mam co do tego najmniejszych wątpliwości. – Zerknęła na Stellę spod oka. – Jesteś na to zbyt ostrożna, zbyt rozsądna i zbyt obowiązkowa.

– Chcesz powiedzieć: obsesyjnie spięta.

– Nie to dokładnie miałam na myśli. Ale nawet gdybyś sypiała z kim popadnie, i tak nie byłaby to moja rzecz. Nie potrzebujesz mojej zgody w takich sprawach.

– Wiem, ale mówię ci o tym wszystkim, bo mieszkam pod twoim dachem i bardzo cię szanuję.

– No, dobrze. Porozmawiajmy. – Roz przeszła do skrzynek z niecierpkami. – Chciałam, żebyś u mnie zamieszkała, głównie dlatego, żeby lepiej poznać twój charakter. Zatrudniając cię, oddawałam w twoje ręce coś dla mnie bardzo ważnego i cennego. Gdybym więc w ciągu pierwszych paru tygodni przekonała się, że nie jesteś osobą, którą mogę darzyć szacunkiem i zaufaniem, natychmiast bym cię zwolniła, bez względu na twoje kwalifikacje. Ostatecznie nie tak trudno znaleźć ludzi o odpowiedniej wiedzy merytorycznej.

– Dziękuję. Bo to chyba komplement.

– Myślę, że wezmę na to spotkanie kilka pelargonii. Już są w doniczkach, więc oszczędzę sobie czasu i zachodu, a mamy ich wyjątkowo dużo w tym roku.

– Powiedz mi tylko, ile czego bierzesz, żebym mogła wszystko zaksięgować. Roz... wiesz... chciałabym z tobą porozmawiać jeszcze na inny temat.

– Zamieniam się w słuch – odparła Roz, przyglądając się roślinom.

– Chodzi o tego ducha – tę kobietę.

Roz uniosła doniczkę z łososiową pelargonią i zaczęła oglądać ją uważnie ze wszystkich stron.

– A dokładniej?

– Głupio mi, że w ogóle o tym mówię, ale... czy kiedykolwiek czułaś się przez nią zagrożona?

– Zagrożona? Nie. Nie użyłabym tak ostrego określenia. – Roz odstawiła pelargonię na plastikową tacę, po czym wybrała następną. – A dlaczego pytasz?

– Bo... najprawdopodobniej ją widziałam.

– Nie byłoby w tym nic nadzwyczajnego. Oblubienica często ukazuje się matkom i małym chłopcom. Niekiedy też dziewczynkom, ale dużo rzadziej. Jak byłam dzieckiem, sama widziałam ją kilka razy, ale regularnie zaczęła mi się ukazywać, kiedy na świecie pojawili się moi synowie.

– Powiedz mi, jak ona wygląda.

– Jest mniej więcej twojego wzrostu. – Roz nie przestawała wybierać pelargonii na spotkanie członków Klubu Ogrodniczego. – Bardzo szczupła, niemal wychudzona. Między dwudziestką a trzydziestką, choć to trudno powiedzieć. Nie wygląda dobrze. To znaczy... – uśmiechnęła się z lekką ironią – ...nawet jak na ducha. Zrobiła na mnie wrażenie bardzo pięknej kobiety, która jednak od dłuższego czasu chorowała. Ma jasne włosy i pełne smutku szarozielone oczy. Ubrana jest w szarawą suknię, a przynajmniej sprawiającą wrażenie szarej, która na niej wisi, jakby ta kobieta w krótkim czasie straciła sporo na wadze.

Stella z wolna wypuściła powietrze.

– Widziałam właśnie taką istotę. Wiem, że to niesamowite, ale kobieta, którą widziałam, odpowiada twojemu opisowi.

– W takim razie spotkało cię wielkie wyróżnienie. Oblubienica rzadko pokazuje się komuś spoza rodziny – tak przynajmniej głosi legenda. Tak czy owak, nie masz powodu jej się bać.

– Wczoraj wieczorem jednak poczułam lęk. Gdy wróciłam, chciałam sprawdzić, co u chłopców. Jeszcze w korytarzu usłyszałam jej śpiew – melodia przypominała kołysankę.

– „Błękitna lawenda". To jej, że tak powiem, znak firmowy. – Roz wzięła małe nożyczki i odcięła rachityczny pęd od łodygi jednej z pelargonii. – Nigdy nie słyszałam, żeby coś mówiła. Natomiast chętnie śpiewa dzieciom w nocy.

– „Błękitna lawenda". Tak. To właśnie słyszałam. Wpadłam do pokoju i zobaczyłam ją pomiędzy łóżkami chłopców. Patrzyła na mnie. Było to tylko przelotne spojrzenie, ale dostrzegłam wyraźnie jej oczy. Nie było w nich smutku, Roz, tylko gniew. A potem poczułam ostry powiew lodowatego powietrza, jakby czymś we mnie cisnęła.

Roz, teraz już zaintrygowana, z uwagą spojrzała na Stellę.

– Ja też kilkakrotnie miałam wrażenie, że czymś ją zdenerwowałam. Wyglądało to wówczas mniej więcej tak, jak opisałaś.

– Roz, ja to naprawdę przeżyłam.

– Przecież ci wierzę. Z moich doświadczeń natomiast wynika, że Oblubienica jest łagodna i nieszkodliwa. Te ataki złości czy gniewu zawsze uważałam za przejawy złego nastroju.

– Złego nastroju? – powtórzyła powoli Stella. – Nie mam pojęcia, co przez to rozumiesz.

– Ludzie miewają niekiedy humory, prawda? Dlaczego miałoby się to zmienić po ich śmierci?

– Dobrze – odezwała się Stella po chwili milczenia. – Przez moment więc uznam, że to nie jest jedynie czyste szaleństwo, i spróbuję logicznie się zastanowić nad sytuacją. Może po prostu Oblubienicy się nie podoba, że mieszkam pod twoim dachem.

– Przez ponad sto lat w Harper House przebywało wielu gości, zapewne więc już do nich przywykła. Jeśli jednak wolałabyś się przenieść do innego skrzydła...

– Nie. Nie sądzę, by to cokolwiek zmieniło. I choć byłam wczoraj tak zdenerwowana, że zostałam na noc w pokoju chłopców, muszę obiektywnie przyznać, że jej gniew nie miał nic wspólnego z dziećmi. Jej z pewnością chodziło o mnie. Kim była za życia?

– Nikt tego nie wie na pewno. Grzecznościowo mówimy o niej „Oblubienica Harperów", ale najprawdopodobniej była służącą. Albo nianką lub guwernantką. Według mojej teorii została uwiedziona przez któregoś z Harperów, a potem porzucona, zapewne gdy się okazało, że jest w ciąży. Ponieważ żywi szczególne uczucia wobec dzieci, wydaje się logiczne, że jej życie bądź śmierć także miały coś wspólnego z dzieckiem. Najprawdopodobniej zmarła w Harper House lub gdzieś w pobliżu.

– Przecież na pewno masz dokumenty rodzinne, prawda? Akty urodzin i zgonów, listy, fotografie, dagerotypy czy miniatury i tym podobne pamiątki.

– Całe tony.

– Jeśli pozwolisz, chętnie bym je przejrzała. Może uda mi się odkryć, kim była.

– Dobra myśl – uznała Roz. – Aż dziw, że nikomu, łącznie ze mną, nigdy wcześniej nie przyszło to do głowy. Pomogę ci w poszukiwaniach. Mogą się okazać bardzo interesujące.

– Ale super. – Hayley wbiła wzrok w stół, na którym Stella ułożyła albumy ze zdjęciami, grubą Biblię Harperów z rodzinnymi zapiskami, pudła pełne starych dokumentów, laptop i kilka dużych notatników. – Jesteśmy niczym gang Scooby'ego.

– Nie mogę uwierzyć, że też ją widziałaś i słowem o tym nie pisnęłaś.

Hayley zaczęła krążyć po bibliotece.

– Bałam się, że uznacie mnie za pomyloną. Poza tym, prócz jednego razu, dostrzegałam tylko kątem oka jakiś niewyraźny zarys kobiecej sylwetki. Myślałam, że to złudzenie optyczne. – Odwróciła się w stronę Stelli. – Rany, nigdy wcześniej nie mieszkałam w pobliżu prawdziwego ducha. To odjazdowe.

– Cieszę się, że przynajmniej ty jesteś zachwycona.

Hayley rzeczywiście była zachwycona, ale przede wszystkim dlatego, że znalazła się w tym pokoju. Podobnie jak jej ojciec, uwielbiała książki – to przecież z tego powodu swój mały salon przerobili na „czytelnię": wzdłuż ścian zamontowali regały i wstawili dwa w miarę wygodne fotele.

Teraz natomiast znalazła się w prawdziwej bibliotece. Po obu stronach okien i wzdłuż ścian wznosiły się piękne półki z ciemnego drewna, wypełnione setkami książek, ale dzięki ciepłej zieleni ścian i kominkowi z kremowego granitu pomieszczenie nie było przytłaczające. Na półce nad paleniskiem stały duże, czarne świeczniki i liczne rodzinne fotografie.

Poza książkami w bibliotece znajdowało się również wiele innych, pięknych przedmiotów: drobiazgi z porcelany, statuetki z brązu oraz elegancki, kominkowy zegar pod kryształowym kloszem. I oczywiście kwiaty, jak we wszystkich innych pokojach w domu: z dużego, szklanego wazonu wychylały się ciemnopurpurowe tulipany.

Stały tu także rozłożyste fotele, kryte jasnobrązową skórą, i taka sama sofa. Chociaż z sufitu zwieszał się potężny kandelabr i wszystkie półki były podświetlane, w kilku miejscach umieszczono także staroświeckie lampy z witrażowymi abażurami.

Gdyby Hayley dano do dyspozycji tak wielki pokój, nie miałaby pojęcia, jak go urządzić, żeby był piękny i elegancki, a jednocześnie równie przytulny jak „czytelnia" w jej rodzinnym domu.

Ale Roz wiedziała. Roz, w opinii Hayley, była absolutnie genialna.

– To najpiękniejszy pokój w całym domu – oświadczyła dziewczyna po chwili. – Oczywiście, wiem, że mówię tak o każdym pomieszczeniu, w którym siedzę dłużej niż pięć minut. Ale ta biblioteka naprawdę zasługuje na złoty medal. Mimo że wygląda jak z fotografii w kolorowym magazynie, człowiek czuje się tu swobodnie. Bez najmniejszego skrępowania mogłabym się zdrzemnąć na tej kanapie.

– Tak, wiem, co masz na myśli. – Stella odłożyła na bok album z fotografiami, który właśnie skończyła przeglądać. – Hayley, pamiętaj, żebyś przypadkiem nie wygadała się przy dzieciach o tym, co tu robimy.

– Oczywiście. Możesz być spokojna. – Dziewczyna wróciła do stołu i opadła na fotel. – Słuchaj, a może zorganizujemy seans spirytystyczny? To by dopiero była bomba!

– Aż tak mi jeszcze nie odbiło – odparła Stella. W tym samym momencie w bibliotece pojawił się David.

– Przekąska dla łowców duchów – oznajmił, stawiając tacę na stole. – Kawa, herbata, wybór ciast i ciasteczek.

– Widzę, że cię to bawi?

– Pewnie, że tak. Już nie mogę się doczekać, kiedy podwinę rękawy i zabiorę się do tych papierów. Fajnie by było poznać wreszcie jej imię. – Postukał palcem w laptop Stelli. – A po co ci komputer?

– Do zestawiania faktów, dat, naszych teorii. Sama jeszcze nie wiem. To mój pierwszy dzień w takiej pracy.

Roz weszła do biblioteki, dźwigając przed sobą wielkie pudło. Na jej policzku widniała smuga kurzu, we włosach połyskiwały białe pasma pajęczyny.

– Rachunki domowe, prosto ze strychu. Jest tam tego dużo więcej, ale ta partia pójdzie na pierwszy ogień.

Postawiła pudło na stole i uśmiechnęła się szeroko.

– Czeka nas niezła zabawa. Czemu wcześniej nie przyszło mi to do głowy? No, dobrze. Od czego mamy zacząć?

– Chciałam zorganizować seans spirytystyczny – oznajmiła Hayley. – Może po prostu ta dama sama by nam powiedziała, kim jest i czemu jej dusza została uwięziona w tych murach. Na tym właśnie polega problem z duchami. Gubią się w pętli czasu i niekiedy nawet nie mają świadomości, że nimi są. Jak wam się to podoba?

– Seans. – David energicznie zatarł dłonie. – W porządku. Gdzie mój turban?

Hayley wybuchnęła śmiechem, natomiast Stella zaczęła głośno pukać w stół.

– Czy moglibyśmy powściągnąć tę wesołość? Uważam, że powinniśmy zacząć od rzeczy bardziej przyziemnych. Spróbujmy umiejscowić ją w czasie.

– Nigdy nie badałem wieku ducha – stwierdził David. – Ale chętnie się do tego zabiorę.

– Postaramy się określić okres, w którym żyła, na podstawie jej stroju – powiedziała Stella, spoglądając na niego spod oka.

– Sprytne – zawyrokowała Hayley. – Ale nie zdążyłam zauważyć, w co była ubrana.

– Popielata suknia – zaczęła wyliczać Roz. – Zapięta pod szyję. Długie rękawy.

– Czy ktoś z was mógłby to narysować? – spytała Stella. – Nieźle sobie radzę z figurami geometrycznymi, ale na pewno nie zdołałabym naszkicować postaci.

– Ona jest stworzona do tego zadania – oznajmił David, poklepując Roz po ramieniu.

– Możesz ją narysować, Roz?

– Z pewnością mogę spróbować.

– Mam tu notatniki. – Stella podała jej jeden z dużych bloków.

– Oczywiście, że masz notatniki – skwitowała Roz z uśmiechem na ustach. – Założę się też, że idealnie naostrzyłaś ołówki.

– Inaczej trudno byłoby nimi pisać. Davidzie, kiedy Roz będzie się zajmować rysowaniem, może opowiesz nam o swoich spotkaniach z… myślę, że na razie będziemy ją nadal nazywać Oblubienicą.

– Nie było ich zbyt wiele. I widywałem ją tylko w dzieciństwie, gdy urzędowałem tu z Harperem.

– A kiedy ujrzałeś ją po raz pierwszy?

– No, cóż. Tego się nigdy nie zapomina, prawda? – Mrugnął szelmowsko w stronę Stelli, po czym nalał sobie kawy i wygodniej rozsiadł się w fotelu. – To było wtedy, gdy pierwszy raz zostałem na noc u Harpera. Udawaliśmy, że już śpimy, żeby Roz nie wpadła do pokoju i nie popsuła nam zabawy. Rozmawialiśmy więc szeptem…

– Tak wam się tylko zdawało – wtrąciła Roz, nie odrywając oczu od szkicownika.

– Myślę, że było to wiosną. Pamiętam, że mieliśmy pootwierane okna i że do pokoju wpadał lekki powiew wiatru. Poznałem Harpera w szkole i, chociaż chodził do młodszej klasy, od razu się zaprzyjaźniliśmy. Kiedy zostałem u niego tej nocy, znaliśmy się nie dłużej niż kilka tygodni. Leżeliśmy więc w ciemnościach, przekonani, że rozmawiamy cichym szeptem. I wtedy właśnie Harper opowiedział mi o zjawie. Myślałem, że zmyśla, by mnie przestraszyć, ale przysięgał na wszystkie świętości, że nic a nic nie kłamie. Że naprawdę widział Oblubienicę już wiele razy.

Jeszcze jakiś czas gadaliśmy o duchach, aż w końcu zasnęliśmy. Pamiętam, że gdy się obudziłem, miałem niejasne wrażenie, że ktoś głaszcze mnie po głowie. Pomyślałem, że to Roz. A ponieważ poczułem się skrępowany, tylko trochę uchyliłem powieki. – Wypił duży łyk kawy. – I wtedy ją zobaczyłem. Podeszła do łóżka Harpera, pochyliła się tak, jakby całowała go w głowę, a potem usiadła na bujanym fotelu stojącym w kącie i zaczęła śpiewać. Nie mam pojęcia, czy wydałem z siebie jakiś dźwięk, czy też się poruszyłem, w każdym razie ona na mnie spojrzała. A potem się uśmiechnęła. Kiedy słuchałem jej śpiewu, myślałem, że płacze, a tymczasem ona się uśmiechała! Patrząc na mnie, przyłożyła palec do ust, jakby chciała, żebym zachował milczenie. I zaraz zniknęła.

– I co zrobiłeś? – spytała Hayley szeptem.

– Naciągnąłem kołdrę na głowę i tak przeleżałem do rana.

– Bałeś się jej? – zainteresowała się Stella.

– Dziewięciolatek i duch w jednym pokoju? No pewnie. Zawsze miałem wrażliwą naturę, więc to oczywiste, że w pierwszej chwili się przestraszyłem. Ale mój lęk nie trwał długo. Następnego dnia miałem wrażenie, że to tylko sen – i to bardzo przyjemny. Ta kobieta przecież głaskała mnie po głowie i śpiewała kołysankę. A na dodatek była bardzo ładna. Nie pobrzękiwała łańcuchami ani nie wyła jak potępieniec. Raczej przypominała anioła, więc szybko doszedłem do wniosku, że nie ma czego się bać. Z samego rana opowiedziałem wszystko Harperowi, a on stwierdził, że musimy być braćmi, bo ponoć Oblubienica nigdy się nie ukazała nikomu spoza jego rodziny.

David uśmiechnął się do wspomnień.

– Poczułem się bardzo dumny i nie mogłem już się doczekać, kiedy ją znowu zobaczę. I rzeczywiście, jak zostawałem tu na noc, jeszcze kilka razy ją widywałem. Ale gdy skończyłem trzynaście lat, owe – nazwijmy je, odwiedziny – ustały.

– Czy kiedykolwiek coś do ciebie mówiła?

– Nie, jedynie śpiewała. I zawsze tę samą piosenkę.

– Widywałeś ją tylko w sypialni?

– Nie. Pewnego razu biwakowaliśmy w ogrodzie. Było upalne lato. Tak długo męczyliśmy Roz, że pozwoliła nam spać w namiocie. Nie spędziliśmy tam jednak całej nocy, bo Mason zranił się w stopę. Pamiętasz, Roz?

– Owszem. Druga nad ranem, a ja pakuję czwórkę dzieciaków do samochodu i jadę do szpitala, by jednemu z nich założyli szwy.

– Zaczęliśmy urzędować w tym namiocie, rozstawionym na zachodnim krańcu posiadłości, jeszcze przed zapadnięciem zmierzchu. Około dziesiątej było nam już wszystkim niedobrze od hot dogów i ptasiego mleczka. Wtedy zaczęliśmy sobie opowiadać straszne historie o duchach. W powietrzu latało mnóstwo świetlików. Było tak gorąco, że mieliśmy na sobie tylko majtki. Młodsi zasnęli, ale Harper i ja długo jeszcze gadaliśmy. W końcu i mnie musiało zmorzyć, bo pamiętam, jak Harper szarpał mnie za ramię. „Popatrz, to ona", wyszeptał. I rzeczywiście, zobaczyłem Oblubienicę wędrującą przez ogród.

– O, Boże – mruknęła Hayley i przysunęła się bliżej do Davida. – I co było dalej?

– Zaczął mnie namawiać, żebyśmy za nią poszli, a ja próbowałem wybić mu to z głowy i przy okazji nie stracić twarzy. Obudziliśmy dzieciaki. Wtedy Harper powiedział, że za nią idzie, a my wszyscy możemy sobie zostać, skoro jesteśmy takimi śmierdzącymi tchórzami.

– Co oczywiście sprawiło, że natychmiast ruszyliście razem z nim – rzuciła Stella.

– Żaden szanujący się chłopak nie pozwoli, żeby przylgnęła do niego etykietka śmierdzącego tchórza. Wszyscy więc wysunęliśmy się z namiotu. Mason nie miał wtedy więcej niż sześć lat, jednak dzielnie truchtał z tyłu, próbując za nami nadążyć. Ponieważ księżyc był w pełni, widzieliśmy ją wyraźnie, ale Harper zarządził, byśmy nie podchodzili za blisko, żeby ona nas nie spostrzegła.

Było duszno, powietrze stało i nie poruszał się ani jeden listek. Oblubienica przechodziła przez ścieżki i krzewy zupełnie bezszelestnie. Tej nocy wyglądała inaczej niż zwykle, ale dopiero dużo później zdałem sobie sprawę, o co chodziło.

– O co? – Hayley złapała Davida za ramię. – Co się zmieniło w jej wyglądzie?

– Miała rozpuszczone włosy. Jak widywałem ją wcześniej, były zawsze upięte, ale tej nocy spływały jej po plecach i ramionach. Poza tym miała na sobie coś białego i powiewnego, tak że wyglądała na prawdziwego ducha. Dlatego zacząłem się jej bać – zacząłem się bać bardziej, niż kiedy zobaczyłem ją po raz pierwszy. Po chwili zeszła ze ścieżki i skierowała się na klomb, ale jakby płynęła nad kwiatami, bo w ogóle się pod nią nie uginały. W uszach świszczał mi mój własny oddech i chyba zwolniłem kroku, bo nagle się zorientowałem, że Harper jest daleko z przodu. Oblubienica kierowała się natomiast w stronę stajni i dawnej powozowni.

– Powozowni? – pisnęła Hayley. – To tam, gdzie mieszka Harper!

– Owszem. Chociaż wtedy tam nie mieszkał – zaśmiał się David. – Miał nie więcej niż dziesięć lat. Kiedy doszła do powozowni, odwróciła się i zaczęła rozglądać wokół. Stanąłem w miejscu jak wryty i miałem wrażenie, że cała krew ze mnie odpływa.

– Wyobrażam sobie! – wtrąciła Hayley.

– Wyglądała na kobietę ogarniętą szaleństwem i to było najbardziej przerażające. Zanim zdążyłem zdecydować, czy ruszać za Harperem, czy uciekać jak śmierdzący tchórz, usłyszałem wrzask Masona. Pomyślałem, że wpadł w ręce Oblubienicy, i sam omal nie zacząłem wrzeszczeć. W tym momencie nadbiegł Harper. Okazało się, że Mason zranił stopę o ostry kamień. Kiedy zerknąłem raz jeszcze w kierunku powozowni, zjawy już tam nie było.

– Masonowi założyli aż sześć szwów. – Roz podała notatnik Stelli. – Myślę, że mniej więcej tak ona wygląda.

– Masz rację – przyznała Stella, wpatrując się w szkic wychudzonej kobiety o smutnych oczach. – Co o tym sądzisz, Davidzie?

– Zgadzam się.

– Hayley?

– Tak mi się pokazała.

– W porządku. Mamy więc dość prostą suknię, mocno wciętą w pasie, sięgającą wysoko pod szyję, zapinaną z przodu. Rękawy z bufkami nad łokciem i bardzo obcisłe przy nadgarstkach. Spódnica gładko opadająca na biodra i lekko rozszerzająca się ku dołowi. Włosy, skręcone w loki, upięte wysoko na czubku głowy. Zaraz zacznę szukać w Internecie, ale z pewnością możemy założyć, że ta suknia jest z późniejszego okresu niż lata sześćdziesiąte dziewiętnastego wieku. Pamiętacie Scarlett O'Harę i jej krynoliny? Natomiast po roku tysiąc dziewięćset dwudziestym spódnice były już dużo krótsze.

– Moim zdaniem ta suknia pochodzi z przełomu dziewiętnastego i dwudziestego wieku – powiedziała Hayley. Kiedy wszyscy na nią spojrzeli, lekko wzruszyła ramionami. – W głowie siedzi mi mnóstwo nikomu nieprzydatnych wiadomości. To fason zwany „klepsydrą", obowiązywał w rozpasanych latach dziewięćdziesiątych.

– Doskonale. Zobaczymy, co nam powie Internet. – Stella wprowadziła odpowiednie hasło do wyszukiwarki.

– Muszę się wysiusiać. Nie róbcie nic ważnego beze mnie. – Hayley wypadła z pokoju o tyle spiesznie, o ile pozwalał jej stan.

Stella zaczęła przeglądać wyszczególnione witryny i znalazła jedną, ukazującą modę kobiecą na przełomie dziewiętnastego i dwudziestego wieku.

– Era późnowiktoriańska – mruknęła pod nosem. – Mamy suknie klepsydry. Te pokazane na zdjęciach są elegantsze, ale niewątpliwie to ten sam fason.

Przeszła na stronę ukazującą stroje z początku dwudziestego wieku.

– Spójrzcie. Te suknie mają inne rękawy, dużo szersze u góry.

Zaczęła oglądać stroje sprzed 1890 roku.

– Nie, tu są tiurniury. A więc Hayley ma rację. Mówimy o latach dziewięćdziesiątych.

– Tysiąc osiemset dziewięćdziesiątych? – Hayley wpadła do pokoju. – A więc punkt dla mnie.

– Nie tak szybko – wtrąciła Roz. – Jeżeli ta kobieta była służącą, to zapewne nie ubierała się zgodnie z najnowszą modą.

– Do diabła! – wykrzyknęła Hayley.

– Ale mimo to możemy założyć, że mamy do czynienia z okresem pomiędzy 1890 a, powiedzmy, 1910, prawda? – stwierdziła Stella. – Wobec tego, przyjmując, że Oblubienica ma mniej więcej dwadzieścia pięć lat, przypuszczalnie urodziła się pomiędzy 1865 a 1885 rokiem. – Sapnęła gniewnie. – Zbyt duży rozrzut czasowy, zbyt szeroki margines błędu.

– Włosy – rzucił David. – Nawet jeżeli była służącą i donaszała po kimś suknie, zapewne czesała się zgodnie z panującą modą.

– Doskonale. – Stella zaczęła poszukiwać odpowiedniej strony. – Mam. Ta fryzura wyszła z mody około 1895 roku. Jeżeli więc przyjmiemy, że Oblubienica układała włosy zgodnie z obowiązującymi kanonami, możemy zawęzić interesujący nas czas do lat 1890–1895. No może 1898, jeśli nie interesowała się nowinkami. A więc załóżmy, że zmarła w tym czasie, w wieku... powiedzmy, dwudziestu dwóch do dwudziestu sześciu lat.

– Zacznijmy od Biblii naszej rodziny – zdecydowała Roz. – Dowiemy się, czy jakaś pani Harper – albo z urodzenia, albo po mężu – mieszcząca się w tej grupie wiekowej, zmarła w owej dekadzie.

Położyła przed sobą księgę oprawną w czarną, ozdobnie wytłaczaną skórę. Widać było, że ktoś – zapewne sama Roz – regularnie i starannie konserwuje oprawę.

Roz przeszła do stron z genealogią rodu Harperów.

– Najwcześniejsze zapiski pochodzą z 1793 roku, kiedy to John Andrew Harper poślubił Fionę MacRoy. Z tego związku przyszło na świat ośmioro dzieci.

– Ośmioro? – Hayley wybałuszyła oczy. – Święty Boże.

– No właśnie. Sześcioro dożyło wieku dorosłego – ciągnęła Roz. – Żenili się i mnożyli, mnożyli, mnożyli. – Delikatnie przewracała cienkie strony. – Tutaj widzę kilka dziewczynek urodzonych w latach 1865–1870. I mamy niejaką Alice Harper Doyle, zmarłą w czasie porodu w październiku 1893 roku, w wieku dwudziestu dwóch lat.

– To straszne – jęknęła Hayley. – Była młodsza ode mnie.

– A wcześniej zdążyła już urodzić dwoje dzieci. W czasach przed Margaret Sanger* życie kobiet nie było lekkie.

– Czy możliwe, że owa Alice mieszkała w tym domu? – spytała Stella. – Tu właśnie umarła?

– Niewykluczone. Popatrzmy... Poślubiła Daniela Francisa Doyle'a, z Natchez, w 1890 roku. Później sprawdzimy jej akt zgonu. Znalazłam jeszcze trzy inne kobiety, które zmarły w interesującym nas okresie, ale nie zgadza się ich wiek. Gdy zaś chodzi o Alice – była najmłodszą siostrą Reginalda Harpera. Reginald miał jeszcze dwie inne siostry, ale żadnych braci. To on odziedziczył posiadłość i dom. Spora różnica wieku dzieli Reggiego i jego siostry. Prawdopodobnie skutek poronień.

Hayley wydała z siebie jakiś niewyraźny dźwięk i Roz spojrzała bystro na dziewczynę.

* Margaret Sanger (1879–1966) – znana amerykańska propagatorka planowania rodziny i kontroli urodzin. Prowadziła ważne akcje uświadamiające w najuboższych środowiskach, domagała się zalegalizowania w Stanach Zjednoczonych środków antykoncepcyjnych i prawa kobiety do przerywania ciąży.

– Jeżeli ma cię to przygnębiać, przestaniemy.

– Nie, nie. Wszystko w porządku – zapewniła ją Hayley. – A więc Reginald był jedynym męskim potomkiem tej gałęzi rodziny?

– Owszem. Miał mnóstwo kuzynów i któryś z nich zapewne przejąłby posiadłość po jego śmierci, gdyby nie urodził mu się syn. Reginald miał kilka córek, a potem, w 1892, doczekał się i syna.

– A co z jego żoną? – wtrąciła Stella. – Może to ona jest Oblubienicą?

– Nie. Zmarła w 1925 roku. Dożyła późnego wieku.

– A więc najpierw sprawdźmy tę Alice – zdecydowała Stella.

– Zobaczymy też, co uda nam się znaleźć na temat służących, które pracowały tu w tamtym okresie. Nie zdziwiłabym się, gdyby Reggie chętnie zabawiał się z jakąś nianką czy pokojówką w czasie, gdy żona rodziła mu potomstwo. Ostatecznie był mężczyzną.

– Ejże! – zaprotestował David.

– Wybacz, skarbie. Powinnam powiedzieć, że był mężczyzną z rodu Harperów i żył w czasach, kiedy każdy bogaty dżentelmen miał kochanki i nie wahał się wziąć do łóżka służącej, jeśli miał taki kaprys.

– To już brzmi trochę lepiej. Ale i tak fatalnie.

– Czy mamy pewność, że to on ze swoją rodziną mieszkał w tym domu w interesującym nas okresie? – spytała Stella.

– Harper House zawsze należał do męskiego potomka rodziny – odrzekła Roz. – I o ile mnie pamięć nie myli, to właśnie Reginald zmienił oświetlenie z gazowego na elektryczne. Mieszkał tu aż do śmierci, to jest... – zerknęła na zapiski w księdze – ...do 1919 roku, i wtedy dom przeszedł w ręce jego syna, Reginalda juniora, który w 1916 roku poślubił Elizabeth Harper McKinnon, swoją daleką kuzynkę.

– W porządku. A więc musimy sprawdzić, czy Alice zmarła w tym domu, lub czy w tym czasie zmarły tu jakieś służące mniej więcej w jej wieku. – Stella wprowadziła odpowiednie dane do komputera. – Roz, czy wiesz, kiedy te... z braku lepszego określenia, nazwijmy je nawiedzeniami... kiedy one się zaczęły?

– Nie mam pojęcia i gdy teraz o tym myślę, wydaje mi się to bardzo dziwne. Powinnam to wiedzieć, ba, powinnam mieć dużo więcej informacji na temat tej kobiety. Historia rodziny Harperów jest doskonale udokumentowana, poza tym wiele interesujących opowieści przekazywano ustnie z pokolenia na pokolenie. Tymczasem mamy tu ducha, który od ponad stu lat wędruje po domu, a ja właściwie nic o nim nie wiem. Mój tata nazywał ją jedynie Oblubienicą.

– Co w takim razie o niej wiesz?

– Wiem, jak wygląda. Znam jej ulubioną piosenkę. Widywałam ją, kiedy byłam jeszcze małą dziewczynką. Przychodziła do mojego pokoju i śpiewała mi kołysankę, tak jak podobno pokoleniom dzieci przede mną. Jej śpiew... działał kojąco. Miała w sobie zawsze dużo łagodności. Parę razy próbowałam z nią rozmawiać, ale nigdy nie odezwała się do mnie ani słowem. Siedziała i po prostu się uśmiechała. A niekiedy płakała. Dziękuję, skarbie – rzuciła w stronę Davida, który dolał jej kawy. – Kiedy byłam nastolatką, już mi się nie pokazywała, a ja miałam wtedy inne rzeczy w głowie i zupełnie o niej nie myślałam. Pamiętam natomiast doskonale, kiedy zobaczyłam ją po raz kolejny...

– Nie trzymaj nas w niepewności – rzuciła rozemocjonowana Hayley.

– To się wydarzyło wczesnym latem, pod koniec czerwca. Od niedawna byliśmy z Johnem małżeństwem i przyjechaliśmy na jakiś czas do tego domu. Na dworze panował upał, a powietrze wydawało się przesycone lepką wilgocią. Nie mogłam zasnąć, wyszłam więc z domu do ogrodu. Byłam niespokojna i poirytowana. Zastanawiałam się, czy tego wieczoru nie zaszłam w ciążę. Oboje z Johnem bardzo pragnęliśmy dziecka i ostatnio nie mogłam myśleć o niczym innym. Kiedy wyszłam, usiadłam w starym fotelu bujanym z tekowego drewna. Wpatrywałam się w księżyc i modliłam, by moje marzenia o dziecku wreszcie się spełniły.

Westchnęła cicho.

– Miałam zaledwie osiemnaście lat. W każdym razie, kiedy tam siedziałam, zjawiła się Oblubienica. Nie widziałam ani nie słyszałam, by nadchodziła. Po prostu nagle znalazła się naprzeciwko mnie. Uśmiechała się leciutko. Coś w tym uśmiechu absolutnie utwierdziło mnie w przekonaniu, że zaszłam w ciążę, i zaczęłam płakać z radości. Parę tygodni później poszłam do lekarza, ale już wiedziałam, że noszę pod sercem Harpera.

– Jakie to urocze. – Hayley z trudem powstrzymywała łzy.

– Potem zawsze pokazywała mi się na początku ciąży, kiedy jeszcze nie byłam pewna, czy rzeczywiście spodziewam się dziecka. Ale jak się pojawiała, od razu wiedziałam. Gdy Mason, mój najmłodszy syn, skończył dwanaście lub trzynaście lat, przestałam ją widywać.

– A więc niewątpliwie ma jakiś związek z dziećmi – orzekła Stella, podwójną linią podkreślając słowo „ciąża" w swoich notatkach. – Pokazuje się dzieciom, matkom małych dzieci albo kobietom w ciąży. Teoria o śmierci w czasie porodu wydaje się całkiem przekonująca. – Skrzywiła się lekko. – Przepraszam, Hayley. Nie powinniśmy o tym mówić.

– Coś ty, wcale mi to nie przeszkadza. Może to rzeczywiście Alice. Może odnajdzie spokój, jeśli przywrócimy jej tożsamość.

– Cóż – Stella zerknęła na duże pudła – w takim razie zabierajmy się do pracy.

Tej nocy znów śnił się jej cudowny ogród z błękitną dalią uparcie tkwiącą na środku klombu, na którym jej być nie powinno.

*Kwiat rosnący w nieodpowiednim miejscu jest jedynie chwastem.*

Ponownie usłyszała gniewny głos, który jednak nie był jej własnym.

– To prawda – wymamrotała. – Ale ta dalia jest taka piękna. Taka silna i pełna życia.

*To tylko ułuda. Jeśli tu pozostanie, rozrośnie się i twoja praca pójdzie na marne. Stracisz wszystko, co osiągnęłaś. Czy podejmiesz takie ryzyko dla jednego pięknego kwiatu? Kwiatu, który i tak zginie, gdy nadejdzie pierwszy przymrozek?*

– Sama nie wiem, co robić. – Rozglądając się po ogrodzie, Stella zaczęła masować ramiona, bo niespodziewanie poczuła chłód. – Może po prostu zmienię projekt? Z tej dalii zrobię centralny punkt rabaty.

Nagle rozległ się huk gromu, a niebo zasnuły czarne chmury, tak samo jak pewnego strasznego wieczoru, gdy gotowała sos w swojej kuchni.

Ogarnął ją niewysłowiony smutek.

*Widzisz? Czy jeszcze kiedykolwiek w życiu chciałabyś pogrążyć się w rozpaczy? Pamiętaj, że masz dzieci, więc natychmiast usuń ten kwiat. Zniszcz go. Wyrwij z korzeniami. Póki nie jest jeszcze za późno! Czy nie rozumiesz, że ta roślina próbuje zdusić wszystko wokół? Że kradnie światło? Piękno bywa trujące.*

Stella obudziła się wstrząsana dreszczami.

Wiedziała, że jakaś siła wdziera się nawet w jej sny.

# 13

W kolejny dzień wolny od pracy Stella zabrała dzieci do zoo, gdzie czekali już ojciec wraz z Jolene. Nie minęła godzina, a chłopcy objadali się nieprzytomnie lodami, ciągnęli za sobą masę balonów i wymachiwali gumowymi pytonami.

Stella dawno temu uznała, że głównym przywilejem dziadków jest rozpuszczanie wnuków, nie zamierzała więc interweniować.

Następnym punktem programu była wizyta w terrarium. Stella grzecznie podziękowała za tę przyjemność i oddała synów pod wyłączną opiekę ojca.

– Wasza mama zawsze bała się węży – oznajmił chłopcom Will.

– I wcale się tego nie wstydzę. Ale wy ruszajcie śmiało. Ja tu poczekam.

– Dotrzymam ci towarzystwa – zdecydowała Jolene, poprawiając jasnoniebieską baseballówkę. – Zdecydowanie wolę zostać tutaj, niż oglądać boa dusiciele.

– Ach, te dziewczyny! – Will wymienił z wnukami pobłażliwe spojrzenia. – No dobrze. Wszyscy mężczyźni ruszają do gniazda węży!

Z okrzykiem bojowym na ustach pobiegli w stronę terrarium.

– Ojciec tak doskonale się nimi zajmuje – powiedziała Stella. – Bardzo się cieszę, że mieszkamy tak blisko i chłopcy mogą się regularnie z wami spotykać.

– My też jesteśmy bardzo szczęśliwi z tego powodu. Przysięgam, twój ojciec przez ostatnich parę dni sam zachowywał się jak dziecko, gdy planował dzisiejszą wyprawę. Jest z waszej trójki bardzo dumny.

– Dużo oboje straciliśmy, że nie byliśmy razem w czasach mojego dzieciństwa.

– Ale teraz możecie wiele nadrobić.

Gdy ruszyły w stronę pobliskiej ławki, Stella spojrzała na Jolene spod oka.

– Nigdy nie wypowiadasz się na temat mojej matki. Nigdy jej nie krytykujesz.

– Skarbie, w ciągu ostatnich dwudziestu siedmiu lat setki razy gryzłam się w język.

– Ale dlaczego?

– Cóż, kochanie. Jeśli jest się drugą żoną, a do tego macochą, najrozsądniej zachować pewne rzeczy dla siebie. Najważniejsze, że wyrosłaś na silną, inteligentną kobietę, dzielnie wychowującą dwóch najbardziej uroczych, najmądrzejszych i najpiękniejszych chłopców na ziemi. Czemu więc właściwie miałabym krytykować twoją matkę?

Ona krytykuje cię przy każdej możliwej okazji, skomentowała w myślach Stella.

– Czy już ci kiedyś mówiłam, że małżeństwo z tobą to najlepsza rzecz, która przytrafiła się ojcu w całym jego życiu?

– Parę razy. Ale zawsze chętnie tego słucham.

– Pozwól więc, że dodam, iż jesteś również jedną z najlepszych rzeczy, które przytrafiły się w moim życiu. I w życiu chłopców.

– Ojej. – Oczy Jolene wyraźnie zwilgotniały. – Zupełnie mnie rozczuliłaś. – Sięgnęła do torebki i wyjęła obszytą koronką chusteczkę. – To piękne słowa. Najpiękniejsze. – Pociągnęła nosem i osuszyła chusteczką łzy, jednocześnie próbując uściskać Stellę. – Bardzo cię kocham. Zawsze cię kochałam.

– Wiem. Zawsze to czułam. – Teraz już i Stella zaczęła płakać. – Boże, popatrz, do jakiego stanu się doprowadziłyśmy.

– Niekiedy płacz jest równie dobry jak seks. Czy spływa mi po twarzy tusz do rzęs?

– Nie. Rozmazał się tylko odrobinę w kąciku oka. – Stella znalazła jednorazową chusteczkę i delikatnie usunęła smugę. – Już. Wyglądasz super.

– I tak się też czuję. A teraz, zanim znowu się rozryczę, powiedz, co u ciebie słychać.

– W pracy wszystko układa się rewelacyjnie. Wkrótce wielkie otwarcie sezonu wiosennego, dwoję się więc i troję. Chłopcy są szczęśliwi, mają coraz więcej przyjaciół w szkole. Między nami mówiąc, podejrzewam, że Gavin zadurzył się w małej blondyneczce o kręconych włosach. Chodzi z nim do klasy i ma na imię Melissa. Ilekroć mój syn o niej wspomina, czerwienieją mu uszy.

– Jakie to urocze. Nie ma jak pierwsze zadurzenie, co? Pamiętam, kiedy mi się to przytrafiło. Oszalałam na punkcie pewnego chłopaka, który miał mnóstwo piegów i wicherek na głowie. Gdy mi przyniósł ropuchę w pudełku od butów, omal nie umarłam z radości.

– Ropuchę!

– Cóż, skarbie, miałam osiem lat i mieszkałam na farmie, taki prezent był więc jak najbardziej odpowiedni. Ostatecznie ten pierwszy ukochany ożenił się z moją przyjaciółką. Byłam druhną na ich ślubie i musiałam włożyć najohydniejszą różową sukienkę: podobną do krynoliny i w dodatku z falbanami, wyglądałam więc jak wielopiętrowy tort z różowym lukrem.

Stella wybuchnęła śmiechem, a Jo machnęła niedbale ręką.

– Właściwie nie wiem, czemu się nad tym rozwodzę – pewnie dlatego, że tak traumatycznego przeżycia nigdy się nie zapomina, nawet gdy wydarzyło się trzydzieści lat temu. Teraz mój ukochany i moja przyjaciółka mieszkają na drugim końcu miasta. Czasami spotykamy się na kolacji. On wciąż ma mnóstwo piegów, natomiast wicherek zniknął razem z resztą jego włosów.

– Zapewne znasz tu bardzo dużo ludzi i wiele o nich wiesz.

– Przyznaję, że gdy idę do Wal-Mart, spotykam zawsze co najmniej tuzin znajomych.

– A co ci wiadomo o zjawie widywanej w domu Harperów?

– Hm. – Jolene wyjęła puderniczkę oraz szminkę i zaczęła poprawiać makijaż. – Tyle tylko, że odkąd sięga ludzka pamięć, duch nawiedza tę posiadłość. A czemu pytasz?

– Wiem, że to zabrzmi idiotycznie, szczególnie z moich ust, ale... ja ją widziałam.

– Coś podobnego! – Jo z trzaskiem zamknęła wieczko. – Musisz mi wszystko opowiedzieć.

– Nie ma wiele do opowiadania.

Zrelacjonowała jednak Jolene swoje przeżycia i wyjaśniła, co postanowili zrobić w sprawie ducha.

– Ależ to ekscytujące! Jesteście prawdziwymi detektywami! Może twój tata i ja moglibyśmy wam jakoś pomóc? Wiesz, jak on uwielbia bawić się tym swoim komputerem. – Zacisnęła dłoń na ramieniu Stelli. – Założę się, że owa nieszczęsna kobieta została zamordowana; zarąbana na śmierć siekierą i pochowana w płytkim grobie. Albo jej poćwiartowane zwłoki wrzucono do rzeki.

– Brr, co za makabra! Chciałam ci jednak zwrócić uwagę, że nasz duch jest w jednym kawałku. Na dodatek istnieje duże prawdopodobieństwo, że to kobieta z rodziny Harperów, która umarła przy porodzie.

– Ach, tak – mruknęła Jolene, wyraźnie zawiedziona. – W każdym razie opowiedz o tym tacie. Oboje mamy mnóstwo wolnego czasu i chętnie przyłączymy się do zabawy.

– Jeszcze kilka miesięcy temu nigdy bym nie uwierzyła, że zacznę się interesować duchami – wyznała Stella. – Ostatnio coraz częściej robię rzeczy zupełnie do mnie niepodobne.

– A czy mają one jakiś związek z wysokim, barczystym mężczyzną o zniewalającym uśmiechu?

Stella zmrużyła powieki.

– Czemu o to pytasz?

– Moja daleka kuzynka, Lucille, kiedyś ją u nas poznałaś, kilka dni temu jadła kolację w pewnej restauracji i podobno widziała cię tam z bardzo przystojnym facetem. Nie podeszła, bo była ze swoim najnowszym przyjacielem, który nie jest tak do końca rozwiedziony. W zasadzie nie jest do końca rozwiedziony już od półtora roku. To właśnie cała Lucille. A więc, co to za przystojniak?

– Logan Kitridge.

– Och, to rzeczywiście wyjątkowo atrakcyjny mężczyzna. Wydawało mi się jednak, że go nie lubisz.

– Nigdy nie mówiłam, że go nie lubię, tylko że ciężko z nim współpracować. Teraz jednak nasze stosunki w pracy układają się już dużo lepiej, no i zaczęliśmy się spotykać na gruncie towarzyskim. Prawdę mówiąc, od paru dni się zastanawiam, czy miałabym ochotę znowu się z nim umówić.

– A nad czym tu się zastanawiać? Albo tego chcesz, albo nie.

– Właściwie chcę, ale... Słuchaj, wiem, że nie powinnam cię nakłaniać do plotkowania...

Jolene przysunęła się bliżej pasierbicy.

– Skarbie, kogo miałabyś do tego nakłaniać, jeśli nie mnie?

– Chciałabym wiedzieć, zanim się zaangażuję, czy Logan spotyka się z wieloma kobietami.

– Jednym słowem jesteś ciekawa, czy nie jest podrywaczem.

– Myślę, że tak to można nazwać.

– Mężczyzna o wyglądzie Kitridge'a na pewno mógłby przebierać w kobietach, ale nigdy nie słyszałam o jego wyczynach na tym polu. Kiedy ludzie, a właściwie głównie kobiety, mówią o Loganie, zastanawiają się, jak żona mogła go wypuścić z rąk albo czemu jakaś sprytna kobieta jeszcze go nie złowiła. Masz zamiar go złowić?

– Nie. W żadnym razie.

– Może w takim razie on zamierza złowić ciebie?

– Myślę, że na razie oboje badamy grunt. – W tym momencie Stella zauważyła ojca i chłopców wychodzących z terrarium. – Oto wracają pogromcy groźnych gadów. Jo, nie mów o tym przy dzieciach, dobrze?

– Będę milczeć jak grób.

W dniu rozreklamowanego wcześniej otwarcia wiosennego sezonu już o ósmej rano „Eden" był przygotowany jak na bitwę. Stella zwarła swoje zastępy starannie przeszkolonych rekrutów i razem z Roz sprawdziła wszystkie zapasy. Pole walki zostało idealnie przygotowane do starcia.

O dziesiątej tłumy szturmujących miłośników ogrodów kłębiły się w centrum i w szklarniach, a dzwonki kas brzęczały jak szalone.

Stella wędrowała od sektora do sektora, zatrzymując się na dłużej tam, gdzie w danej chwili była akurat najbardziej potrzebna. Odpowiadała na pytania pracowników i klientów, podawała wózki, często sama pomagała załadować zakupy do bagażników samochodów.

I raz po raz, niczym prawdziwy generał, wydawała polecenia przez walkie-talkie.

– Przepraszam, czy pani tu pracuje?

Stella odwróciła się i ujrzała kobietę w luźnych dżinsach i znoszonej bawełnianej bluzie.

– Tak. Mam na imię Stella. W czym mogę pani pomóc?

– Nie mogę znaleźć orlików ani naparstnicy, ani... nie mogę znaleźć połowy roślin z mojej listy. Wszystko jest poprzestawiane.

– Rzeczywiście, przeprowadziliśmy drobną reorganizację. Z przyjemnością pomogę pani odnaleźć wszystko, czego pani szuka.

– Już jeden wózek zdążyłam załadować. Nie chciałabym go ciągnąć ze sobą po całym terenie.

– Widzę, że czeka panią sporo pracy w ogrodzie – zauważyła Stella radośnie. – Zrobiła pani doskonałe zakupy. Steve? Czy mógłbyś wziąć ten wózek i oznakować go dla pani...

– Haggerty – odparła kobieta i zmarszczyła brwi. – Pamiętaj, chłopcze, żebyś go dobrze przypilnował. Nie pozwól nikomu podebrać roślin z mojego wózka. Dużo czasu poświęciłam na ich wybór.

– Oczywiście, pani Haggerty. Jak się pani miewa ostatnio?

– Doskonale. A co tam u twoich rodziców, Steve?

– Wszystko dobrze, dziękuję. – Chłopak chwycił za rączkę wózka. – Pani Haggerty ma jeden z najpiękniejszych ogrodów w hrabstwie – poinformował Stellę.

– Postanowiłam zrobić nowe klomby. Pilnuj dobrze tych roślin, Steve, bo będziesz miał ze mną do czynienia. Więc gdzie, do diabła, są teraz orliki?

– Tędy, proszę.

– Jest pani tą nową dziewczyną zatrudnioną przez Rosalind?

– Owszem.

– Z Północy?

– Przyznaję się do winy, wysoki sądzie.

Kobieta zacisnęła usta i rozejrzała się po centrum z wyraźną irytacją.

– Rzeczywiście, wszystko tu poprzestawialiście.

– Mam nadzieję, że nowy system oszczędzi klientom czasu i zachodu.

– Mnie niczego dziś nie zaoszczędził. Proszę chwilę zaczekać. – Poprawiła rondo słomkowego, sfatygowanego kapelusza, by słońce nie świeciło jej w oczy, po czym pochyliła się nad doniczkami z krwawnikiem.

– Jak już tu jestem, to wezmę trochę roślin dla mojej córki. – Chwyciła trzy doniczki i ruszyła dalej. Stella cały czas opowiadała o kwiatach i w końcu udało jej się wciągnąć panią Haggerty w rozmowę. Napełniły drugi wózek i połowę trzeciego, zanim wyszły z sektora z roślinami wieloletnimi.

– Muszę przyznać, że wiesz dużo o ogrodnictwie, Stello.

– Pani też jest prawdziwą znawczynią tematu.

Klientka zatrzymała się i ponownie rozejrzała wokół, ale tym razem w zamyśleniu.

– Z powodu nowego układu prawdopodobnie kupiłam dwa razy tyle, ile zamierzałam.

Stella uśmiechnęła się promiennie.

– Naprawdę?

– Bardzo sprytne. Podoba mi się. Czy twoja rodzina została na Północy?

– Nie. Mój tata i jego żona mieszkają w Memphis. Stąd się oboje wywodzą.

– Doprawdy? Proszę, wpadnij do mnie kiedyś, oprowadzę cię po swoim ogrodzie. Roz ci powie, jak do mnie trafić.

– Z największą przyjemnością. Bardzo dziękuję.

Gdy wybiło południe, Stella podejrzewała, że przeszła już co najmniej piętnaście kilometrów.

Po trzeciej przestała się zastanawiać, jaki dystans przedreptała, ile kilogramów przeniosła z miejsca na miejsce, na ile pytań zdołała odpowiedzieć.

Zaczęła natomiast marzyć o długim, chłodnym prysznicu i dużym kieliszku wina.

– Ale odjazd – rzuciła Hayley w biegu. Właśnie ściągała wózki z parkingu.

– Kiedy ostatni raz zrobiłaś sobie przerwę?

– Nie przejmuj się. Dużo się dzisiaj nasiedziałam za ladą. Gawędziłam z klientami. Prawdę mówiąc, musiałam rozprostować nogi.

– Zamykamy mniej więcej za dwie godziny. Ruch już się zdecydowanie zmniejszył. Znajdź więc Harpera lub dobierz sobie kogoś z pracowników i sprawdź nasze zapasy.

– Oczywiście. Ejże, czy to przypadkiem nie ciężarówka pana Mięśniaka?

Stella zerknęła przez ramię i spostrzegła samochód Logana.

– Pana Mięśniaka?

– To do niego pasuje, prawda? No, dobra. Muszę zabierać się do pracy.

Stella też powinna wrócić do swoich zajęć, stała jednak i przyglądała się, jak Logan zakręca przy stertach worków z ziemią i nawozami, zatrzymuje samochód i wyskakuje z kabiny. Drugimi drzwiami wysiedli jego pracownicy. Logan zamienił z nimi kilka słów i ruszył w stronę Stelli.

– Klient zdecydował się na ściółkę cedrową. Zabieram ćwierć tony.

– Który klient?

– Jameson. Podrzucimy mu to jeszcze dzisiaj. Jutro przyniosę ci dokumenty.

– Równie dobrze możesz je przygotować w tej chwili.

– Muszę wszystko dokładnie skalkulować, a na to potrzebuję więcej czasu. A jeśli mu dzisiaj nie zawieziemy tej cholernej ściółki, będzie niezadowolony.

Stella otarła czoło ramieniem.

– Masz szczęście, że jestem zbyt zmęczona, aby zrzędzić.

– Spory ruch.

– Istne szaleństwo. Co mnie bardzo cieszy. Założę się, że pobiliśmy wszelkie rekordy sprzedaży. Tyle że nie czuję już nóg. A tak przy okazji, pomyślałam, że chętnie wpadłabym obejrzeć twój dom.

– Bardzo proszę. – Obrzucił ją uważnym spojrzeniem. – Dziś wieczorem jestem wolny.

– Dzisiejszy wieczór odpada. Co byś powiedział na środę? Po zamknięciu „Edenu"? Oczywiście, jeśli Roz zechce popilnować chłopców.

– Środa będzie bardzo dobra. Koło wpół do siódmej?

– Doskonale. To do zobaczenia.

Odwrócił się i ruszył w stronę ciężarówki, Stella natomiast pomyślała, że nigdy w życiu nie przeprowadziła dziwaczniejszej rozmowy o seksie.

Wieczorem, gdy dzieci już zjadły kolację i zajęły się zabawą, Stella wreszcie mogła wziąć wymarzony prysznic. Jak tylko opadło z niej największe zmęczenie i osłabł ból w mięśniach, ogarnęła ją euforia.

Ten dzień był prawdziwym triumfem!

Wciąż się co prawda niepokoiła, czy ich asortyment jest odpowiednio zrównoważony – czy nie mają niektórych roślin za dużo, innych zaś za mało. Doszła jednak do wniosku, że nie powinna podawać w wątpliwość intuicji Roz.

Wyszła z kabiny, włożyła szlafrok frotté, zawinęła mokre włosy w ręcznik, po czym tanecznym krokiem wybiegła z łazienki.

W drzwiach pokoju ujrzała kobiecą postać i z przestrachu krzyknęła na całe gardło.

– Przepraszam! Przepraszam! – Roz z trudem powstrzymała śmiech. – Tym razem masz przed sobą istotę z krwi i kości.

– O Boże. – Wciąż jeszcze uginały się pod nią kolana, szybko przysiadła więc na skraju łóżka. – O mały włos nie dostałam zawału.

– Mam coś, co z miejsca postawi cię na nogi. – Roz wyciągnęła zza pleców butelkę szampana.

– Dom Perignon? Super! Od razu mi lepiej.

– Mamy co świętować. Hayley już czeka w saloniku naprzeciwko. Pozwolę jej nawet wypić pół kieliszka bąbelków bez żadnego zrzędzenia.

– W Europie kobietom w ciąży podobno zaleca się picie kieliszka wina raz w tygodniu. Możemy więc dziś udawać, że jesteśmy we Francji.

– No dobrze, idziemy. Chłopców wysłałam już pod opiekę Davida. Urządzili jakiś turniej gier komputerowych.

– Dziękuję. Jeszcze przez pół godziny mogą poszaleć. Potem jednak będę musiała ich zapakować do wanny i do łóżek. Czy to kawior? – spytała, gdy znalazła się w saloniku.

– Roz mówi, że nie wolno mi nawet spróbować. – Hayley pochyliła się nad srebrną miseczką pełną czarnych, połyskliwych kulek i mocno pociągnęła nosem. – Bo to może zaszkodzić dziecku. Prawdę mówiąc, wcale nie jestem pewna, czy w ogóle miałabym na coś takiego ochotę.

– Doskonale. Więcej zostanie dla mnie. O rany, szampan i kawior. Jest pani szefową z wielką klasą, pani Harper.

– To był wspaniały dzień. Początek sezonu zawsze wprawia mnie w lekkie przygnębienie. – Roz wprawnie otworzyła szampana. – Wszystkie moje maleństwa odchodzą w obce ręce. Oczywiście, w czasie pracy jestem zbyt zajęta, żeby się nad tym zastanawiać. – Napełniła trzy wysmukłe kieliszki. – Pod koniec dnia zaś powtarzam sobie, że przecież po to założyłam firmę ogrodniczą, aby sprzedawać rośliny i czerpać z tego zyski. Tylko że gdy wracam do domu, znowu ogarnia mnie melancholia. Ale dziś jest inaczej.

Podała kieliszki Stelli i Hayley.

– Nie mogę w tym momencie przytoczyć odpowiednich danych, ale i tak wiem, że nigdy dotąd „Eden" nie zarobił tyle pieniędzy jednego dnia.

– O dziesięć procent więcej niż podczas otwarcia w zeszłym roku – wtrąciła Stella. – Tak się składa, że mogę przytoczyć odpowiednie dane.

– Oczywiście! – Roz parsknęła śmiechem, po czym, ku zdumieniu Stelli, objęła ją ramieniem i ucałowała w policzek. – Oczywiście, że możesz. Stello, wykonałaś wspaniałą pracę. I ty też, Hayley. Obie zasługujecie na medale.

Muszę przyznać, Stello, że i sobie, i „Edenowi" sprawiłam wspaniały prezent w dniu, w którym przyjęłam cię do pracy.

– O, rety! – Stella spróbowała szampana. – W żadnym razie nie zamierzam polemizować z twoją opinią. – Pociągnęła kolejny łyk, poczuła przyjemne szczypanie na języku i przysunęła sobie kawior. – Niemniej, choć chętnie przypisałabym sobie całą zasługę za te dziesięć procent, nie mogę tego zrobić. Przede wszystkim mamy wspaniały towar. Jesteście z Harperem niezwykle utalentowanymi ogrodnikami. Dlatego mój wkład w obecny wzrost sprzedaży wynosi najwyżej połowę z tych dziesięciu procent.

– Świetnie się dziś bawiłam – wtrąciła Hayley. – Co prawda było mnóstwo ludzi, ale mi to odpowiadało. Wszyscy sprawiali wrażenie zadowolonych. Pewnie przebywanie wśród roślin tak dobrze nastraja ludzi.

– A ja uważam, że uszczęśliwione miny naszych klientów zawdzięczamy działowi obsługi. To znaczy tobie – powiedziała Stella, trącając kieliszkiem kieliszek Hayley.

– Tworzymy dobry zespół – stwierdziła Roz. – Jutro rano przejrzymy dokładnie zapasy. Zobaczymy, nad czym powinniśmy jak najszybciej popracować z Harperem. – Chwyciła maleńką grzankę i nałożyła na nią kawioru. – Ale dziś wieczorem będziemy jedynie świętować nasz sukces.

– Słuchajcie, to najwspanialsza praca, jaką miałam w życiu – oznajmiła Hayley. – I bynajmniej nie uważam tak dlatego, że mogę popijać wytwornego szampana i patrzeć, jak opychacie się kawiorem.

– Ja natomiast chciałabym poruszyć inny temat – odezwała się Roz. – Sprawdziłam akt zgonu Alice Harper Doyle. Zgodnie z oficjalnym wpisem nasza Alice zmarła w Natchez, w domu, w którym mieszkała z mężem i dwojgiem dzieci.

– Do diabła! – Stella ściągnęła brwi. – Z drugiej strony, to byłoby zbyt proste.

– W takim razie musimy dalej przedzierać się przez rachunki i inne zapiski rodzinne, by znaleźć dane o wszystkich kobietach mieszkających w Harper House w owym czasie – zdecydowała Roz.

– Poważne zadanie – mruknęła Stella.

– Ejże, damy radę! – oświadczyła rozentuzjazmowana Hayley. – Takie optymistki jak my zdołają poradzić sobie ze wszystkim. I wiecie co? Trochę myślałam o tej sprawie. David powiedział, że widział, jak zjawa zmierzała w stronę stajni i powozowni. Może więc miała romans z którymś ze stajennych? Pokłócili się i on ją zamordował. Podobno nagła śmierć może uwięzić duchy na tym padole.

– Morderstwo... – powtórzyła Roz. – To niewykluczone.

– Jakbym słyszała swoją macochę. Pozwoliłam sobie napomknąć jej o naszych poszukiwaniach. – Stella zwróciła się w stronę Roz. – Mam nadzieję, że nie masz nic przeciwko temu.

– W żadnym razie. Ja z kolei zastanawiałam się, czy teraz, gdy postanowiłyśmy ustalić jej tożsamość, Oblubienica nie ukaże się którejś z nas, by wskazać, gdzie powinnyśmy szukać.

– Ja natomiast miałam sen. – Żeby dodać sobie animuszu, Stella wypiła do końca zawartość kieliszka. – Coś na kształt kontynuacji tego sprzed paru tygodni. Szczegóły już mi się zatarły w pamięci, wiem jednak, że rzecz się działa w zaprojektowanym przeze mnie ogrodzie, w którym niespodziewanie wyrosła błękitna dalia.

– Czy dalie w ogóle bywają błękitne? – zdziwiła się Hayley.

– Owszem – odrzekła Roz. – Choć bardzo rzadko. Można jednak wyhodować hybrydy w rozmaitych odcieniach błękitu.

– Ten kwiat nie przypominał żadnego, jaki kiedykolwiek widziałam w życiu – ciągnęła Stella. – Był olbrzymi i nienaturalnie intensywnego koloru. W moim śnie znalazła się również Oblubienica. Co prawda jej nie widziałam, ale wyraźnie czułam jej obecność.

– Słuchajcie, może ona miała na imię Dalia?! – wykrzyknęła Hayley.

– Jest to jakaś myśl – uznała Roz. – Niewykluczone, że duchy potrafią nam coś komunikować we śnie.

Stella dolała sobie szampana i wypiła kolejny, spory łyk.

– Nie widziałam jej, ale słyszałam, co do mnie mówi. A przede wszystkim bardzo wyraźnie wyczuwałam jej obecność – mroczną, budzącą lęk. Oblubienica chciała, żebym zniszczyła kwiat. I z jakiegoś powodu była bardzo rozgniewana. Nie rozumiem jednak, jak w ogóle mogła wtargnąć do mojego snu?

– Nie wiem – powiedziała Roz. – I, prawdę mówiąc, nie chcę się nad tym zastanawiać.

– Miałam wrażenie, że doszło do naruszenia mojej prywatności – wyznała Stella. – Kiedy się obudziłam, byłam pewna, że zjawa nie tylko wtargnęła do mojego snu, ale przez cały czas znajdowała się w moim pokoju.

– To straszne – zgodziła się Hayley. – Sny są czymś bardzo osobistym, nikt nie powinien się nimi interesować, o ile sami nie chcemy podzielić się ich treścią. Czy sądzisz jednak, że ten kwiat miał coś wspólnego z Oblubienicą? Zupełnie nie pojmuję, czemu chciała, żebyś go zniszczyła.

– Ja też nie umiem tego wyjaśnić. Tym bardziej że dalie to moje ulubione kwiaty, a niebieski jest moim ulubionym kolorem.

– Przestańmy się teraz nad tym zastanawiać – zaproponowała Roz. – Nie ma sensu nawzajem się straszyć przed nocą. Zajmiemy się naszą zjawą innego wieczoru.

– A gdy już mowa o wieczorach... – wtrąciła Stella. – Mam pewne plany na środę po pracy. Oczywiście, jeśli zechciałybyście popilnować chłopców przez parę godzin.

– Myślę, że we dwie poradzimy sobie bez trudu – powiedziała Roz.

– Kolejna randka z panem Mięśniakiem?

Roz parsknęła śmiechem i nałożyła sobie na grzankę kolejną porcję kawioru.

– Rozumiem, że chodzi o Logana.

– To najnowszy wymysł Hayley – oznajmiła Stella. – A wracając do sprawy, umówiłam się z Loganem, żeby obejrzeć jego dom i ogrody. Jestem ciekawa, jak postanowił je zagospodarować. – Kolejny raz wysączyła szampana. – Chociaż tak naprawdę jadę tam, żeby uprawiać seks. Jeśli wcześniej nie zmienię zdania. Lub o ile Logan nie postanowi inaczej. Tak więc macie teraz pełen obraz sytuacji – zakończyła, odstawiając pusty kieliszek.

– Nie wiem, co właściwie miałybyśmy ci na to odpowiedzieć – odezwała się Roz po dłuższej chwili milczenia.

– Baw się dobrze – zasugerowała Hayley. – I pamiętaj, żeby się zabezpieczyć – dorzuciła, spoglądając wymownie na swój wielki brzuch.

– Mówię wam o tym tylko dlatego, żeby sytuacja była absolutnie jasna. Źle bym się czuła, prosząc o opiekę nad moimi dziećmi, a jednocześnie w jakiś sposób was oszukując.

– Stello – odrzekła Roz – to twoje prywatne życie. Nie powinno nikogo obchodzić.

– Oczywiście – zgodziła się Hayley, wysączając ostatnie krople szampana. – Choć nie ukrywam, że z wielką przyjemnością wysłucham szczegółów. Jeśli chodzi o seks, to zapewne przez wiele najbliższych miesięcy mogę o nim jedynie pomarzyć. Gdybyś więc zechciała się ze mną podzielić przeżyciami...

– Będę miała to na uwadze. A teraz, jeżeli pozwolicie, zagonię chłopców do łóżek. Dzięki za urocze przyjęcie, Roz.

– Wszystkie sobie na to zasłużyłyśmy.

Gdy Stella znalazła się za progiem saloniku, usłyszała głos Rosalind:

– Pan Mięśniak?

I zaraz potem głośny śmiech.

# 14

Kiedy w środę po pracy wskakiwała pod prysznic, nękało ją poczucie winy, że pozostawia dzieci pod opieką obcych osób, a sama wybiera się na randkę z Loganem.

Chociaż nie, poprawiła się w duchu. To w żadnym razie nie randka, lecz jedynie krótka, niezobowiązująca wizyta.

Jakkolwiek to jednak nazywała, gryzło ją sumienie. Bo to nie ona będzie dzisiaj podawać chłopcom kolację, kłaść ich spać i wysłuchiwać sprawozdania z przebiegu dnia.

Z drugiej strony nie musi im przecież poświęcać każdej wolnej chwili swojego życia, stwierdziła, wychodząc spod prysznica. Bo tak naprawdę byłoby to chore i wcale nie służyłoby jej synom. Czemu więc uważała się za egoistkę? Bo zostawiała Gavina i Luke'a, żeby spotkać się z mężczyzną?

„Wybaczcie, chłopcy, ale mamusia ma ochotę na gorący seks".

Och, nie!

Może w takim razie powinna odwołać spotkanie z Loganem?

Jednak skończyła trzydzieści trzy lata – ba, w sierpniu skończy już trzydzieści cztery – miała więc prawo do fizycznego związku z mężczyzną, który jej się podobał i który ją podniecał.

Owinęła się szczelnie szlafrokiem i usiadła przed lustrem, żeby się umalować.

Niemal w tym samym momencie rozległo się gwałtowne pukanie do drzwi.

– Mamo!

– Słucham?

Pukanie nabrało tempa serii z karabinu maszynowego.

– Mamo, czy mogę wejść? Czy mogę?

Poderwała się, otworzyła drzwi do łazienki i ujrzała zarumienionego Luke'a, zaciskającego dłonie w pięści.

– Co się stało?

– On znowu tak na mnie patrzy.

– Och, synku!

– Naprawdę. Wciąż robi tę straszną minę, mamusiu. Tę... straszną... minę.

Stella doskonale wiedziała, o czym mówił Luke: o zmrużonych oczach i pogardliwym uśmieszku, którymi Gavin od dawna torturował młodszego brata. Stella nawet kiedyś przyłapała starszego syna ćwiczącego ów wyraz twarzy przed lustrem.

– Więc po prostu nie patrz na niego.

– Ale jak na niego nie patrzę, to wtedy wydaje z siebie ten paskudny dźwięk.

Ów „paskudny" dźwięk był zjadliwym sykiem, który Gavin mógł produkować bez przerwy przez wiele godzin. Stella kilkakrotnie słyszała ów syk i szybko doszła do wniosku, że nawet najbardziej wytrawny agent CIA w końcu by się załamał, gdyby musiał słuchać takich odgłosów przez dłuższy czas.

– Zaraz. – Jak, na Boga, miała wprawić się w romantyczny nastrój, jeśli nieustannie musiała rozstrzygać spory pomiędzy dziećmi? Szybko przebiegła przez hol i wpadła do saloniku, gdzie chłopcy teoretycznie powinni w spokoju oglądać kreskówki.

Ty idiotko, upominała się w myślach. Jak mogłaś uwierzyć, że wszystko przebiegnie bez najmniejszych zakłóceń?

Gavin leżał na podłodze w swojej ulubionej pozie – na brzuchu – i spod przydługiej szopy jasnoblond włosów patrzył na nią wzrokiem niewiniątka.

W przyszłym tygodniu chłopcy maszerują do fryzjera, zdecydowała Stella w duchu.

Synek trzymał w ręku model sportowego samochodu i machinalnie obracał palcem jego kółka, wpatrując się przy tym w migające na ekranie kreskówki. W pobliżu leżały inne poprzewracane autka, jakby przed chwilą doszło do potężnego karambolu.

– Mamusiu, jakoś dziwnie na mnie patrzysz.

– Tak, wiem, Gavinie. Bo chcę, żebyś natychmiast się uspokoił.

– Ale przecież ja nic nie robię!

Stella miała ochotę wrzasnąć, na szczęście, w ostatniej chwili, zdołała się powstrzymać. Spokojnie, powtarzała sobie w myślach. Natychmiast się uspokój. Nie wolno ci wydzierać się na dzieci tak, jak matka wydzierała się na ciebie.

– Jeśli natychmiast nie przestaniesz, spędzisz wieczór sam, zamknięty w pokoju.

– Ale ja nie...

– Gavin! – przerwała zdecydowanie protesty syna. – Nie wolno ci stroić żadnych min do brata. Masz na niego nie syczeć. Dobrze wiesz, że on tego nie lubi i, oczywiście, tylko dlatego to robisz. Dosyć.

Gavin spojrzał gniewnie na matkę i z całej siły uderzył samochodzikiem w poprzewracane już auta.

– Dlaczego to ja zawsze dostaję od ciebie burę?

– No, właśnie. Dlaczego?

– Bo on się zachowuje jak maluch.

– Wcale się tak nie zachowuję, ty kutasie.

– Luke! – Zaszokowana, a jednocześnie z trudem powstrzymując śmiech, Stella odwróciła się w stronę młodszego syna. – Gdzie usłyszałeś to słowo?

– Nie pamiętam. A czy to coś brzydkiego?

– Tak. Nie chcę, żebyś je powtarzał – odparła i w tej samej chwili kątem oka spostrzegła, że Gavin znowu robi swoją słynną minę.

– Posłuchaj, ja mogę zmienić plany na wieczór – oznajmiła niemal pieszczotliwym tonem. – Ale wtedy zamiast się bawić, zabierzesz się razem ze mną do porządków w swoim pokoju. Czy tego właśnie chcesz?

– Nie. – Chłopiec spuścił wzrok i zaczął dźgać palcem powywracane autka. – Już nie będę robić tej miny.

– W takim razie, jeśli nie macie nic przeciwko temu, pójdę się przebrać.

Kiedy wychodziła, usłyszała, jak Luke szepcze do brata:

– Czy wiesz, co to jest „kutas"?

– Skaczą sobie dzisiaj do oczu. – Stella ostrzegła Roz.

– Wszyscy bracia robią tak od czasu do czasu. – Roz zerknęła przez okno na chłopców hasających po trawniku z psem. – Ale wygląda na to, że już się pogodzili.

– Każdy z nich tylko czeka na odpowiedni moment, żeby dopaść drugiego.

– Zobaczymy, czy uda się nam ich spacyfikować. Jeśli nie, skuję ich i porozsadzam w oddzielnych kątach. Mam kajdanki jeszcze po moich chłopcach. Trzymam je ze względów sentymentalnych.

Stella parsknęła śmiechem.

– Masz wolną rękę. Ale gdyby naprawdę stali się nieznośni, natychmiast do mnie zadzwoń. Przyjadę, żeby ich położyć spać.

– Niczym się nie przejmuj. Jedź i baw się dobrze. Już ja sobie poradzę z zapakowaniem ich do łóżek.

– Jesteś pewna?

– Oczywiście. Pamiętasz, jak dojechać do Logana?

– Tak. Dzięki.

Wsiadła do samochodu i pomachała wszystkim ręką na pożegnanie. Cieszyła się na przejażdżkę. Przez otwarte okno wpadał lekki wietrzyk, na drzewach pojawiły się już drobne, świeże listki, derenie okryły się kwiatami. Do Tennessee zawitała wiosna. W powietrzu unosił się zapach magnolii. Aż trudno uwierzyć, że tam, gdzie poprzednio mieszkała, ludzie jeszcze muszą odgarniać śnieg.

Przejechała obok centrum i natychmiast wróciła myślami do pracy. Podczas weekendu na pewno pojawi się mnóstwo klientów. Będą przechadzać się po terenie, rozmawiać z obsługą, przebierać w roślinach – niespiesznie, z wdziękiem typowym dla południowców. Wolne tempo sprawiało, że niekiedy Stella miała ochotę sama wszystko zrobić. Okazało się jednak, że dłuższe wypisywanie zamówienia nie przeszkadza nikomu oprócz niej samej.

A przygotowany przez nią grafik pracy gwarantował, że nie zabraknie rąk do obsługi klientów.

Natomiast Luke i Gavin spędzą sobotę u Willa i Jolene. Z tego powodu jednak Stella nie miała najmniejszych wyrzutów sumienia, gdyż zarówno chłopcy, jak i dziadkowie byli szczerze zachwyceni tą perspektywą.

Pokonała ostatni zakręt i wówczas ujrzała dom.

Był wspaniały.

Nieco zapuszczony, wymagający remontu, ale piękny.

Na pociętym tarasami wzniesieniu stała piętrowa budowla o wielu dużych oknach, wzniesiona z cedrowych bali. Na zadaszonej, szerokiej werandzie Stella zobaczyła huśtawkę, a także ławkę o wysokim oparciu i stary fotel bujany.

Logan obsadził tarasy krzewami: wawrzynami o błyszczących liściach, staromodną wajgelią oraz wielkimi azaliami, na których uformowały się już tłuste pąki.

Powyżej rosła magnolia, jeszcze bardzo młodziutka, oraz dereń okryty różowymi kwiatami.

Stella zatrzymała się na podjeździe, obok ciężarówki. Do werandy prowadziła niewielka ścieżka, a w jej pobliżu leżała sterta dużych kamieni – najwyraźniej Logan zamierzał założyć również ogródek skalny. Kawałek dalej, na linii drzew, dostrzegała idealne do tego miejsce.

Wzdłuż podjazdu ona osobiście posadziłaby więcej krzewów, a obok nich lilie i być może irysy.

Dom oraz huśtawka na werandzie wymagały odmalowania. Przydałby się tam także stół, a w pobliżu magnolii ogrodowa ławka. Tutaj też powinna biec druga ścieżka. Może wyłożona łupkiem albo jedynie kamieniami polnymi, między którymi rosłby dziki tymianek.

Stella weszła na werandę, wzięła głęboki oddech i zapukała.

Wydawało jej się, że minęło mnóstwo czasu, zanim otworzył drzwi. Uśmiechnęła się na jego widok – wyglądał bardzo męsko w spłowiałych dżinsach i białym t-shircie.

Wyciągnęła przed siebie doniczkę z kłączami dalii.

– Proszę, to dla ciebie. Mam nadzieję, że zrobisz z nich dobry użytek.

– Na pewno. Dzięki. Wchodź, proszę.

– Bardzo podoba mi się twój dom. Złapałam się nawet na tym, że w myślach zaczęłam obsadzać ogród różnymi roślinami...

Urwała gwałtownie, bo nagle znalazła się w kompletnie pustym pomieszczeniu – jeżeli nie liczyć powalanego sadzą dużego kominka.

– O czym to mówiłaś?

– Wspaniały widok – odrzekła, bo nic innego nie przyszło jej do głowy, a wielkie okna rzeczywiście sprawiały, że ogród niemal wchodził do domu.

– Obecnie nie korzystam z tego pokoju.

– To dość oczywiste.

– Zrobię tu remont, kiedy znajdę na to czas i ochotę. Wyjdźmy więc może stąd, zanim się rozpłaczesz.

– Czy tak tu wyglądało, gdy kupiłeś dom?

– Chodzi ci o wnętrza?

Przeszli do następnego pokoju, który zapewne był kiedyś jadalnią. Tu również nie stały żadne meble, a ściany pokrywała spłowiała, obłażąca tapeta.

– Dębowe podłogi były przykryte dywanową wykładziną – powiedział po chwili Logan. – Przeciekał dach, więc na sufitach porobiły się wielkie plamy.

Ściany zostały również zaatakowane przez termity. Zrobiłem z nimi porządek zeszłej zimy.

– A co tu będzie?

– Jeszcze nie zdecydowałem.

Przeszli do kolejnego pomieszczenia i Stella aż gwizdnęła z wrażenia.

– Pomyślałem, że tutaj będzie nam wygodniej. – Odstawił doniczkę z daliami na granitowy blat w kolorze piaskowym.

Stella nie miała wątpliwości, że Logan osobiście zaprojektował tę kuchnię. Piaskowy kolor blatów był zharmonizowany z kolorem gresu na podłodze i barwą ścian. Szafki wykonano z ciemnego drewna, a drzwiczki z matowego szkła. Na szerokim parapecie okiennym, tuż nad zlewozmywakiem, stały terakotowe doniczki pełne ziół. W kącie znajdował się niewielki kominek.

Kontuar w kształcie litery L oddzielał część kuchenną od jadalnej, gdzie ustawiono sofę pokrytą czarną skórą i dwa duże fotele. Olbrzymie okna wychodziły na ogród.

– Bardzo tu pięknie – odezwała się Stella. – To twoje dzieło?

W tej chwili, na widok jej pełnego zachwytu spojrzenia, Logan chętnie by powiedział, że własnoręcznie kopał piach, z którego potem wykonano szkło na szyby.

– W dużym stopniu. W zimie jest dużo mniej pracy w firmie, mogę więc zajmować się domem. Poza tym znam kilku dobrych fachowców. Napijesz się czegoś?

– Tak. Poproszę.

Podeszła do kontuaru i wzięła z rąk Logana kieliszek wina.

– Bardzo mi się podoba kolorystyka kuchni. Jest tu ciepło i przytulnie.

– Poprzednia kobieta, którą zaprosiłem, stwierdziła, że barwy są zbyt przytłumione.

– Nie znała się. – Stella pokręciła głową. – Są wspaniałe, bardzo naturalne. Pasują do ciebie i do tego miejsca. – Zerknęła na dużą deskę do krojenia, na której leżały świeże jarzyny. – Rozumiem, czemu kuchnia jest dla ciebie taka ważna. Widzę, że zajmujesz się gotowaniem, i ci chyba przeszkodziłam. Może więc przejdę się z kieliszkiem po domu, a ty w tym czasie spokojnie zjesz kolację.

– Nie jesteś głodna? Mam w lodówce piękny filet z tuńczyka, który w takim razie się zmarnuje.

– O, rety. Nie zamierzałam wpraszać się na kolację. Ja tylko...

– Lubisz tuńczyka z rusztu?

– Owszem. Bardzo.

– Doskonale. Chcesz zjeść przed czy po?

Poczuła, jak krew napływa jej do twarzy.

– Ja... hm...

– Przed czy po tym, jak oprowadzę cię po domu?

Powiedział to tak rozbawionym tonem, iż nie miała wątpliwości, że zrozumiał, o czym pomyślała.

– Po – odrzekła i dla dodania sobie odwagi wypiła potężny łyk wina. – Może zacznijmy od ogrodu, dopóki jeszcze jest widno.

Wyprowadził ją na werandę i Stella od razu się rozluźniła, bo zaczęli rozmawiać o ogrodnictwie. Logan wyjaśnił, gdzie zamierza założyć warzywnik, gdzie skalniak, a gdzie zrobić oczko z roślinami wodnymi.

– Znam pewnego doskonałego murarza. Z trzech stron ogrodzi moją posiadłość murem ze starej klinkierowej cegły.

– Ogród otoczony murem. Ależ ci zazdroszczę! Zawsze marzyłam o czymś takim. W Michigan nie było to możliwe. Obiecałam sobie jednak, że gdy tylko kupię tu dom, to na pewno sprawię sobie taki prezent.

Stella rozglądała się z uwagą. Widziała, jak dużo ciężkiej pracy włożono już w ten dom i ogród. I że jeszcze sporo wysiłku trzeba będzie włożyć w remont. Mężczyzna, który miał ochotę podjąć takie wyzwanie, bez wątpienia był wart zainteresowania.

– Zazdroszczę ci i szczerze podziwiam za to, czego już tu dokonałeś. Jeśli potrzebna ci będzie dodatkowa para rąk do pomocy, nie wahaj się po mnie zadzwonić. Stęskniłam się za pracą w ogrodzie.

– Wpadnij, kiedy tylko będziesz miała ochotę. I weź ze sobą chłopaków. Dla nich też znajdę robotę.

Kiedy pytająco uniosła brwi, powiedział:

– Dzieci mi nie przeszkadzają, jeśli to masz na myśli.

– A czemu właściwie ty nie masz dzieci?

– Kiedyś wierzyłem, że do tej pory już będę miał. – Wyciągnął rękę i dotknął włosów Stelli, zadowolony, że tym razem ich nie upięła. – Ale nie wszystko w życiu układa się tak, jak planujemy.

Ruszyli z powrotem w stronę domu.

– Niektórzy mawiają, że rozwód jest jak śmierć – rzuciła Stella.

– Nie sądzę. – Logan pokręcił zdecydowanie głową. – To po prostu zakończenie jakiegoś etapu. Człowiek popełnia błąd, widzi to, naprawia go i zaczyna od nowa. W tym wypadku oboje – i ja, i moja była żona – popełniliśmy błąd. Niestety, zdaliśmy sobie z tego sprawę dopiero po ślubie.

– Większość mężczyzn nie zostawia suchej nitki na swoich eks.

– Strata czasu i energii. Najpierw przestaliśmy się kochać, potem przestaliśmy się lubić. I tego tylko żałuję – że nie mogliśmy pozostać przyjaciółmi – odrzekł, otwierając przeszklone drzwi do kuchni. – W końcu przestaliśmy być małżeństwem, co nam obojgu wyszło na zdrowie. Ona została na Północy, a ja wróciłem w rodzinne strony. Spędziliśmy razem kilka lat. Nie wszystkie były złe.

– Rozsądne podejście.

Ale przecież małżeństwo to najpoważniejszy związek w życiu, pomyślała. Kiedy się rozpada, muszą pozostać blizny.

Logan tymczasem ponownie napełnił kieliszki i wziął Stellę za rękę.

– Chodź, pokażę ci dom.

Ich kroki niosły się echem po pustych pomieszczeniach.

– Zamierzam jeden z pokoi przeznaczyć na bibliotekę i pracownię.

– A gdzie teraz pracujesz?

– Zazwyczaj w sypialni. Niekiedy w kuchni. Tutaj jest łazienka, ale wymaga kapitalnego remontu. Schody są w dobrym stanie, trzeba je tylko wycyklinować.

Poprowadził Stellę na górę.

– Ja w twojej sytuacji miałabym na pewno segregatory pełne planów, szkiców, zdjęć z czasopism poświęconych urządzaniu wnętrz. – Spojrzała na Logana spod oka. – Ty, oczywiście, nie masz nic podobnego.

– Mam wiele różnych pomysłów i sporo czasu, by się nad nimi zastanowić. Moja mama kupowała stare meble, po czym sama je odnawiała. Dom był nimi zawalony, szczególnie stołami, bo miała do nich jakąś dziwną słabość. Cieszę się więc, że chwilowo mogę się rozkoszować pustą przestrzenią.

– A co się stało z tymi meblami, gdy twoi rodzice się stąd wyprowadzili? – Posłał jej zdziwione spojrzenie, więc wyjaśniła szybko: – Ktoś mi wspomniał, że wyjechali do Montany.

– Owszem, mają sympatyczny domek w Helena, a mój ojciec ponoć codziennie chodzi na ryby. Tak przynajmniej twierdzi mama. Te najulubieńsze zabrała ze sobą, wypełniła po brzegi całą potężną ciężarówkę. Część pozostałych sprzedała, część podarowała mojej siostrze i mnie. Trzymam je w wynajętym magazynie. Będę musiał pewnego dnia tam się wybrać, zobaczyć, co mi się może przydać.

– Wówczas szybciej zdecydujesz, jak urządzić pozostałe pomieszczenia. Niektóre sprzęty mogą się stać istotnymi punktami odniesienia dla całego wystroju.

– Punktami odniesienia... – Oparł się o ścianę i popatrzył na Stellę z uśmiechem.

– Och, dobrze. Już siedzę cicho.

– Ależ ja z przyjemnością słucham twojego głosu.

– W tej sprawie nie mam nic więcej do powiedzenia. A więc, co jest w następnym pomieszczeniu?

– Coś w rodzaju mojego biura. – Wskazał na pobliskie drzwi. – Raczej nie miałabyś ochoty tam zaglądać.

– Potrafię wiele znieść.

– Nie jestem pewien, czy to samo mogę powiedzieć o sobie. – Pociągnął ją w stronę innego pokoju. – Tylko byś się zdenerwowała, gdybyś zobaczyła, gdzie i jak przechowuję dokumenty. To zdecydowanie popsułoby nam nastrój. Jaki sens miałoby oprowadzanie cię po ogrodzie w charakterze gry wstępnej, jeśli chwilę później świadomie naraziłbym na wstrząs twoje poczucie estetyki?

– Spacer po ogrodzie to gra wstępna?

W odpowiedzi Logan uśmiechnął się jedynie i pociągnął ją do kolejnego pomieszczenia.

Sypialnia, podobnie jak kuchnia, odzwierciedlała jego osobowość. Była przestronna, urządzona w prosty sposób, z wielkimi oknami wychodzącymi na taras. Ściany pomalowano na słomkowy kolor, doskonale komponujący się z ciepłym tonem drewnianej podłogi i mansardowego sufitu, w który wbudowano trzy świetliki, wpuszczające teraz do wnętrza różowe światło zachodu.

Łóżko z kutego żelaza, przykryte kapą w czekoladowym odcieniu, było wyjątkowo szerokie. Nad nim zaś widniały trzy rysunki ołówkiem przedstawiające ogrody. Stella przyjrzała się im uważnie i dostrzegła sygnaturę w dolnym rogu.

– To naprawdę twoje dzieło? Są wspaniałe.

– Niekiedy utrwalam swoje projekty. I czasami wychodzą z tego nie najgorsze szkice.

– Nie najgorsze? Przecież dobrze wiesz, że to świetne kompozycje. – Nie mogła pojąć, jak tak wielkie dłonie mogły wykonać tak delikatne i subtelne rysunki. – Wiesz, nieustannie mnie czymś zaskakujesz. Jesteś pełen kontrastów.

Odwróciła się ku niemu i wskazała na szkice.

– To kolejna błękitna dalia.

– Przepraszam, ale nie bardzo rozumiem, co masz na myśli. Mówisz o tej dalii ze swojego snu?

– Snów. Dziwnie niepokojących, wzbudzających lęk. Sama dalia była piękna, ale w żadnym razie nie spodziewałam się, że ujrzę ją w swoim ogrodzie. Podobnie jest z twoimi rysunkami.

– Wiesz, już od jakiegoś czasu chciałem, żebyś zjawiła się w tej sypialni.

Wypiła kolejny łyk wina.

– I oto jestem. Może więc powinniśmy porozmawiać o naszych oczekiwaniach i o tym, jak...

Logan podszedł do niej i zdecydowanym ruchem przyciągnął Stellę do siebie.

– A może po prostu zasadźmy kolejną błękitną dalię i zobaczymy, co z tego wyniknie.

Czemu nie? – pomyślała, gdy zaczął ją całować. A zaraz potem zwróciła się ku niemu i przywarła do niego całym ciałem.

Logan delikatnie wyjął kieliszek z dłoni Stelli i zaczął gładzić jej włosy.

– Kręci mi się w głowie – wyszeptała. – Działasz na mnie zniewalająco.

– A więc powinnaś się położyć – oznajmił i uniósł ją w ramionach. Stella należała do kobiet, które chętnie brało się w objęcia: była delikatna, kobieca i miękka.

– Mam ochotę dotykać każdego skrawka twojego ciała – wyznał, kładąc ją na łóżku. – Nawet kiedy mnie denerwujesz, budzisz we mnie pożądanie.

– W takim razie musisz bez przerwy mnie pożądać.

– Święta prawda. Twoje włosy doprowadzają mnie do obłędu. – Zanurzył twarz w rudych lokach.

– Mnie też. – Stella poczuła przyjemne mrowienie w dole brzucha. – Ale prawdopodobnie z zupełnie innych przyczyn.

Chwycił delikatnie zębami jej skórę na szyi.

– Jesteśmy dorosłymi ludźmi... – zaczęła Stella.

– Dzięki Bogu – wszedł jej w słowo.

– Chciałam przez to powiedzieć... – W tym samym momencie Logan zaczął gładzić jej ramiona, a potem biodra, uda, dłonie. – Och, nieważne.

W końcu znowu przywarł ustami do jej warg – gwałtownie i zachłannie.

Stella poczuła falę pożądania. Podciągnęła t-shirt Logana i z przyjemnością dotknęła gorącego, nagiego ciała.

Same mięśnie, pomyślała z rozkoszą.

Logan tymczasem zaczął pieścić jej piersi i nie mogła już się doczekać, kiedy wreszcie poczuje go w sobie. On jednak rozkoszował się smakiem jej ciała i wpatrywał w te intensywnie niebieskie, niemal fiołkowe oczy.

W końcu wyszeptał jej imię i jednym zdecydowanym ruchem znalazł się na niej. Wkrótce obojgiem wstrząsnął dreszcz rozkoszy. Logan spojrzał na Stellę i pomyślał, że nigdy w życiu nie widział równie pięknej kobiecej twarzy.

Leżeli spleceni w uścisku. Loganowi wciąż waliło serce. Jakaż kobieta nie czułaby się dumna, że tak mocarnego mężczyznę doprowadziła do utraty tchu?

Zachwycona Stella zaczęła gładzić go po plecach. Logan jęknął cicho i przetoczył się na bok.

Kiedy spojrzał na jej nagie ciało, poczuła się zawstydzona i zaczęła naciągać na siebie prześcieradło. Tymczasem Logan zrobił coś zdumiewającego i wzruszającego zarazem.

Chwycił jej dłoń i w milczeniu zaczął całować palce.

W końcu powiedział:

– Czas, żeby cię nakarmić.

– Ja natomiast powinnam zadzwonić do domu i sprawdzić, co słychać u chłopców.

– Oczywiście. – Poderwał się szybko, poklepał ją delikatnie po udzie, a następnie złapał swoje spłowiałe dżinsy. – Idę do kuchni, zająć się kolacją.

W progu odwrócił się i posłał jej przeciągłe spojrzenie.

– O co chodzi? – Niby niedbałym ruchem próbowała zasłonić piersi.

– Podobasz mi się taka zarumieniona.

– Ach, tak. – Zastanawiała się, co na to odpowiedzieć, ale wyszedł już z sypialni i pogwizdując, ruszył w dół po schodach.

# 15

Naprawdę potrafił gotować. Z niewielką pomocą Stelli przyrządził delikatnego tuńczyka z rusztu, przyprawiany ziołami ryż oraz duszone w oliwie kawałki papryki i grzybów. Był kucharzem, który wszystkie składniki łączył na oko, wybierając je spontanicznie, i niewątpliwie doskonale się przy tym bawił.

I osiągał zachwycające rezultaty.

Stella natomiast nie wyobrażała sobie, jak można w ogóle przygotować coś smacznego, nie odmierzając starannie wszystkich produktów.

To doskonale odzwierciedlało dzielące ich różnice. Tak głębokie, że w gruncie rzeczy nigdy nie powinna siedzieć z nim przy tym stole – czy leżeć nago w łóżku.

Seks był... fantastyczny. Po takim seksie powinna się czuć zrelaksowana i swobodna. A tymczasem była spięta i zażenowana.

Przeżyli razem coś tak intensywnego, pełnego pasji, a potem on po prostu zerwał się z łóżka i zabrał do gotowania. Jakby właśnie skończyli partię tenisa.

To twój problem, twój problem, powtarzała sobie w duchu.

Wciąż coś zbyt drobiazgowo analizowała, zbyt obsesyjnie próbowała zaszufladkować każdy fakt. Gdyby jednak tego nie robiła, jak miałaby funkcjonować?

– Smakuje ci?

Oderwała się od niespokojnych myśli. Logan wpatrywał się w nią pilnie swoimi kocimi oczami.

– Wszystko jest przepyszne – odrzekła, demonstracyjnie unosząc do ust spory kawałek tuńczyka. – Nie mogę jednak pojąć, jak można gotować w taki sposób. Dorzucasz jedno do drugiego pod wpływem impulsu, tu potrząśniesz, tam zamieszasz, sypniesz szczyptę tego i owego – i gotowe. Skąd wiesz, że to, co ugotowałeś, ma odpowiedni smak?

Jeżeli rzeczywiście o tym myślała, siedząc z tą smętną miną nad talerzem, gotów byłby zjeść pełną garść ziemi.

– Nie wiem. Ale zazwyczaj ma. A w każdym razie na ogół jest smaczne.

Musi się jak najszybciej dowiedzieć, czy jej zwarzony humor ma coś wspólnego z seksem jako takim, czy też z pewną nową jakością, do jakiej uprawianie tego seksu ich doprowadziło. Postanowił jednak, że przez chwilę będzie grał według jej reguł.

– Jeżeli już zamierzam gotować – a skoro nie chcę wysiadywać co wieczór w restauracjach, to nie mam wyboru – musi mi to sprawiać przyjemność. Gdybym miał się kierować sztywnymi regułami, natychmiast bym się zniechęcił.

– Ja natomiast wpadam w panikę, jeżeli nie kieruję się sztywnymi regułami. Czy danie nie będzie zbyt mdłe lub za ostre? Rozgotowane lub na wpół surowe? Zanim podałabym coś na stół, byłabym już jednym wielkim kłębkiem nerwów. – Na jej twarzy pojawił się wyraz zatroskania. – Ja tutaj nie pasuję, prawda?

– Zdefiniuj „tutaj".

– Tutaj, właśnie tu. – Zaczęła wymachiwać rękami. – Nie pasuję do tej pięknie zaprojektowanej kuchni, w której jem z tobą pyszny posiłek, do tego uroczego, zapuszczonego domu, do tej sypialni i pełnego pasji seksu.

Logan rozparł się na krześle i pociągnął potężny łyk wina.

– Jeszcze nigdy nie słyszałem podobnej definicji tego słowa. Musi pochodzić z Północy.

– Dobrze wiesz, co mam na myśli! – wykrzyknęła. – To nie jest... nie jest...

– Dostatecznie zaplanowane, zorganizowane i uporządkowane?

– Nie traktuj mnie protekcjonalnie.

– Nie jestem protekcjonalny, ale zirytowany. O co ci właściwie chodzi, Rudzielcu?

– Sprawiasz, że mam w głowie zamęt.

– Och, tylko tyle? – Wzruszył ramionami i znowu zabrał się do jedzenia.

– Uważasz, że to zabawne?

– Nie. Wiem jednak, że jestem głodny i że nic nie mogę poradzić na twój problem. A nawet ten twój zamęt bardzo mi odpowiada, bo kiedy go odczuwasz, przestajesz postrzegać życie w alfabetycznym porządku.

Spojrzała na niego zmrużonymi oczami.

– Po pierwsze, jesteś arogancki i irytujący. Po drugie – apodyktyczny i uparty, po trzecie...

– Ty natomiast jesteś pedantyczna i przesadnie spięta, ale już mnie to nie denerwuje tak, jak kiedyś. Słuchaj, mam wrażenie, że między nami rodzi się coś interesującego. Żadne z nas tego nie szukało, ale się stało. Ty wyraźnie musisz poddać całą sytuację wiwisekcji. Choć nie mam pojęcia czemu. I dziwnie mi to nie przeszkadza.

– Więcej ryzykuję od ciebie.

Natychmiast wyprostował się na krześle.

– Nigdy nie zrobiłbym nic, by w jakikolwiek sposób skrzywdzić twoje dzieci.

– Gdybym sądziła, że jesteś do tego zdolny, nasza znajomość nigdy nie doszłaby do tego etapu.

– To znaczy jakiego?

– Upojnego seksu i kolacji przy kuchennym stole.

– Widzę, że chyba lepiej zniosłaś seks niż ten posiłek.

– To prawda. Ponieważ nie mam pojęcia, czego ode mnie oczekujesz, i nie jestem pewna, czego właściwie oczekuję od ciebie.

– Czyli masz takie uczucie, jakbyś nagle zabrała się do spontanicznego gotowania.

– Zdaje się, że znasz mnie lepiej niż ja ciebie.

– Nie jestem szczególnie skomplikowany.

– Och, daj spokój. Jesteś jak cholerny labirynt, w którym nie obowiązują żadne reguły geometrii. Pod względem zawodowym należysz do najbardziej twórczych, wszechstronnych i znających się na rzeczy architektów krajobrazu, z jakimi zetknęłam się w życiu, jednak większość pracy koncepcyjnej wykonujesz w biegu, notując pomysły na małych karteczkach, które upychasz po kieszeniach lub wozisz przyklejone do deski rozdzielczej ciężarówki.

– Moja praca na tym nie cierpi.

– Najwyraźniej. Problem w tym, że powinna. Uwielbiasz chaos – a ten dom jest tego najlepszą ilustracją.

– Chwileczkę! – Machnął w jej stronę widelcem. – Gdzie ty tu widzisz chaos? Mój dom jest niemal całkowicie pusty.

– No właśnie! Masz cudowną kuchnię, stylową sypialnię...

– Stylową? – Wyraźnie nie spodobało mu się to słowo. – O Jezu!

– A poza tym same puste pokoje. Normalny człowiek zastanawiałby się dzień i noc, jak je urządzić, ty jednak tego nie robisz. Ty po prostu... po prostu... uciekasz od problemu.

– Nigdy w życiu nie uciekałem od żadnych problemów – oświadczył stanowczo Logan.

– Poza tym znasz się na winie, a jednocześnie czytasz komiksy. To nie ma żadnego sensu.

– Oczywiście, że ma, jeśli weźmiesz pod uwagę, że ja po prostu lubię zarówno wino, jak i komiksy.

– Byłeś żonaty i ewidentnie na tyle zaangażowany w związek, żeby opuścić swoje ukochane Południe.

– A po cholerę miałbym się żenić, jeśli nie byłbym gotów robić tego, co uszczęśliwia drugą stronę? A przynajmniej podjąć taką próbę.

– Kochałeś ją – powiedziała Stella, kiwając głową. – A mimo to rozwód nie pozostawił na tobie trwałych śladów. Małżeństwo się nie udało, więc je zakończyłeś. W jednej chwili jesteś arogancki i obcesowy, a w następnej ciepły i życzliwy. Dobrze wiedziałeś, po co tu dzisiaj przyszłam, a jednak zadałeś sobie trud, by przygotować posiłek – co było z twojej strony bardzo miłym gestem.

– O, rany, Rudzielcu, ty mnie wykończysz. Chętnie powiedziałbym, że jesteś rozkoszna, ale w tej chwili robisz na mnie wrażenie obłąkanej.

Choć Logan jawnie z niej podkpiwał, Stella była zbyt nakręcona, żeby się zatrzymać.

– Uprawiamy cudowny, pełen pasji seks, a ty potem tak, ot, wyskakujesz z łóżka, jakbyśmy robili to co noc, od lat. Niczego już nie rozumiem.

Kiedy zdecydował, że Stella już skończyła, chwycił kieliszek i przez chwilę sączył wino w zamyśleniu.

– Zobaczmy, czy dobrze zrozumiałem, co przed chwilą powiedziałaś – odezwał się wreszcie. – Choć na początku muszę zaznaczyć, że w twojej przemowie również nie zauważyłem żadnego geometrycznego porządku.

– Och, zamknij się!

Chwycił jej dłoń, zanim Stella zdążyła poderwać się od stołu.

– Nie, nie ruszaj się. Teraz moja kolej. Gdybym nie pracował w taki sposób, w jaki pracuję, nie mógłbym wykonywać swojego zawodu. A w każdym razie nie sprawiałoby mi to takiej wielkiej frajdy. Odkryłem to już dawno temu, gdy mieszkałem na Północy. Moje małżeństwo okazało się pomyłką. Nikt tego nie lubi, ale ostatecznie wszyscy ludzie popełniają błędy w życiu. Spieprzyliśmy nasz związek, naprawiliśmy więc, co się dało, i każde z nas zaczęło od nowa.

– Jednak...

– Szsz. Jeśli jestem arogancki i obcesowy, to dlatego, że w danym momencie mam na to ochotę. Jeśli jestem życzliwy, to dlatego, że chcę bądź uważam, że tak właśnie powinienem się zachować w określonej sytuacji.

Jednym haustem wypił wino i przy okazji zauważył, że Stella niemal nie tknęła swojego.

– O czym to mówiłaś dalej? Ach, tak. O swojej wizycie w moim domu. Owszem, wiedziałem, po co przyszłaś. Nie jesteśmy już nastolatkami. Pożądałem ciebie i kilka razy dałem ci to niedwuznacznie do zrozumienia. Gdybyś nie była gotowa na seks ze mną, nie zapukałabyś do moich drzwi. Gdy zaś chodzi o kolację, przygotowałem ją z paru powodów. Po pierwsze, lubię jeść. Po drugie, chciałem coś dla ciebie ugotować i chciałem, żebyś usiadła przy moim stole. Przed, po czy w trakcie. W zależności od tego, jak rozwinąłby się wieczór.

– Jakimś cudem sprawiłeś, że to wszystko zabrzmiało logicznie – powiedziała Stella pojednawczym tonem.

– Jeszcze nie skończyłem. Zgadzam się z tobą – seks był wspaniały – protestuję jednak przeciw określeniu „wyskakujesz". Wstałem, ponieważ gdybym dłużej trzymał cię w ramionach, musiałbym poprosić, żebyś została. Ty nie mogłabyś zostać. A i ja nie wiem, czy byłbym na to gotowy. Jeżeli zaś należysz do kobiet, którym po seksie trzeba opowiadać rzeczy w rodzaju: „Kochanie, było fantastycznie"...

– Nie, nie jestem. – W jego poirytowanym tonie brzmiała taka nuta, że Stella miała ochotę parsknąć śmiechem. – Sama potrafię to ocenić i wiem, że dziś, na górze, powaliłam cię na kolana.

Pogłaskał ją po nadgarstku.

– I vice versa – odparł.

– W porządku, niech ci będzie. Rzecz w tym, że gdy kobieta idzie po raz pierwszy do łóżka z mężczyzną, jest podekscytowana, ale i odczuwa lęk. A już naprawdę ogarnia ją strach, gdy po seksie odkrywa, że ten mężczyzna poruszył w niej jakąś ukrytą strunę. Coś w niej rozbudził. Tak się dzisiaj stało i dlatego jestem przerażona.

– Jasne postawienie sprawy.

– Jesteśmy jak ogień i woda. To niebezpieczne połączenie. Musimy oboje się nad tym zastanowić. Przykro mi, że z naszego spotkania zrobiłam wielki problem.

– Rudzielcu, ty ze wszystkiego robisz wielki problem. Taka się już urodziłaś. Ale teraz, gdy się już przyzwyczaiłem, uważam to nawet za interesujące.

– Dziękuję. W takim razie pomogę ci posprzątać i zaraz zbieram się do domu.

Gdy wstała z krzesła, chwycił ją za ramiona, oparł plecami o lodówkę, a potem zaczął gwałtownie całować – wkładając w ten pocałunek całą swoją frustrację, namiętność i tęsknotę.

– Niech to będzie dla ciebie kolejny problem do przemyślenia – powiedział na pożegnanie.

Roz nie wtrącała się do cudzych spraw. Chętnie słuchała plotek, gdy do niej docierały, ale nigdy nikogo o nic nie wypytywała. Nie pozwalała, by ktokolwiek mieszał się do jej życia, i postępowała tak samo wobec innych ludzi.

Dlatego, choć cisnęło jej się na usta wiele pytań, nie zadała Stelli żadnego z nich.

Za to pilnie ją obserwowała.

Stella nadal wykonywała swoje obowiązki ze spokojem oraz niezwykłą efektywnością i Roz doszła do wniosku, że ta kobieta umiałaby zachować spokój i rozsądek nawet w czasie cyklonu.

Była to godna podziwu, choć i nieco przerażająca cecha.

Roz bardzo polubiła Stellę i, co oczywiste, scedowała na nią mnóstwo obowiązków związanych z prowadzeniem firmy. Uwielbiała też obu chłopców. Bo też nie sposób było nie dostrzec ich uroku, czupurności, inteligencji i radosnego usposobienia.

Prawdę mówiąc, tak już przywykła do obecności w domu dzieci, Stelli i Hayley, że nie wyobrażała sobie, by nagle mogła zostać bez któregoś z nich.

Ale nie pozwalała sobie na wścibstwo. Dlatego nie zadała ani jednego pytania, gdy Stella powróciła po wieczorze u Logana z miną kobiety, która zaznała rozkoszy.

Chętnie jednak słuchała, co na ten temat ma do powiedzenia Hayley.

– Nie chciała wiele powiedzieć – żaliła się dziewczyna, gdy wraz z Roz wyrywały chwasty z rabaty kwiatowej w ogrodzie. – A ja lubię opowieści z soczystymi szczegółami. Powiedziała jedynie, że ugotował dla niej kolację. No a kiedy facet gotuje dla kobiety, to albo chce ją zaciągnąć do łóżka, albo się w niej zakochał.

– Albo po prostu jest głodny.

– Kiedy facet jest głodny, to dzwoni po pizzę. Myślę, że Logan się w niej zakochał. – Zawiesiła głos, czekając wyraźnie na komentarz Roz. Gdy się nie doczekała, wyrzuciła w końcu: – A co ty o tym myślisz? Przecież znasz go od lat.

– Nie mam pojęcia, co mu chodzi po głowie. Mogę ci tylko powiedzieć, że dla mnie nigdy nie ugotował kolacji.

– Czy jego żona była wredną suką?

– Nie wiem. Nigdy jej nie poznałam.

– Załóżmy, że była. Może głęboko zraniła Logana i wzbudziła w nim niechęć do kobiet. A teraz zjawi się w jego życiu nasza Stella, zawróci mu w głowie i uleczy z ran.

Roz uśmiechnęła się do dziewczyny.

– Jesteś jeszcze bardzo młodziutka, skarbie.

– Zamiłowanie do romantycznych historii wcale nie zależy od wieku. A... hm... twój drugi mąż... to był kawał łajdaka, prawda?

– Był... jest... kłamcą, oszustem i złodziejem. Poza tym ma w sobie wiele zniewalającego uroku.

– Czy złamał ci serce?

– Nie. Zranił moją dumę i cholernie mnie wkurzył. Co w mojej opinii jest jeszcze gorsze. Ale to stara historia, Hayley. Mam zamiar posadzić tu kilka roślin z gatunku *Silene armeria* – ciągnęła. – Mają długi okres kwitnienia i ładnie wypełnią to miejsce.

– Przykro mi z powodu twojego męża.

– Zupełnie niepotrzebnie.

– Wiesz, zaczęłam o nim mówić, bo dziś rano przyszła do sklepu pani Peebles.

– Ach, Rosanne. – Roz przez chwilę przyglądała się rabacie, a potem chwyciła trójkątną łopatkę i wykopała kilka dołków na flance. – Czy w ogóle coś kupiła?

– Kręciła się przez godzinę. Powiedziała, że jeszcze wróci.

– To normalne. Czego więc chciała? Bo przecież nie chodziło jej o rośliny.

– Szybko na to wpadłam. To wyjątkowo wścibska osoba. Mam wrażenie, że jej głównym celem w życiu jest zbieranie i rozsiewanie plotek, niekoniecznie nieszkodliwych. Takie typy spotyka się wszędzie na świecie.

– Zapewne.

– Skądś się dowiedziała, że mieszkam u ciebie, i że łączą nas więzi rodzinne, próbowała więc wziąć mnie na spytki. Ode mnie nie tak łatwo cokolwiek wyciągnąć, ale pozwoliłam jej rozpuścić język.

– Sprytne dziewczę.

– Najwyraźniej ta kobieta chciała, bym ci przekazała, że Bryce Clerk pojawił się w Memphis.

Dłoń, w której Roz trzymała sadzonkę, drgnęła nagle.

– Doprawdy? – spytała niemal szeptem Rosalind.

– Powiedziała, że Clerk mieszka w Peabody i założył jakieś dochodowe przedsiębiorstwo, choć akurat ten temat potraktowała w bardzo enigmatyczny sposób. Utrzymuje natomiast, że twój były mąż zamierza przenieść się tu na stałe i wynająć jakieś biura. Ponoć wygląda na człowieka, któremu się doskonale powodzi.

– Zapewne udało mu się złowić kolejną idiotkę.

– Ty nie jesteś idiotką, Roz.

– Ale byłam. Na szczęście przez bardzo krótki czas. Cóż, to nie moja sprawa, co ten facet zamierza robić w życiu. Nie należę do osób, które dwa razy dadzą się sparzyć na tym samym.

Starannie posadziła roślinę i wzięła następną.

– Widzisz lepkie plamy na łodygach? – zwróciła się do Hayley. – Są pułapką na muchy. Co stanowi dobrą ilustrację stwierdzenia, że rzeczy atrakcyjne bywają niebezpieczne.

Stojąc pod prysznicem, Roz doszła do wniosku, że nie będzie zawracać sobie głowy sukinsynem, którego w przypływie głupoty kiedyś poślubiła. Kobieta ma prawo popełnić parę pomyłek w życiu – nawet jeśli wynikają one z samotności czy próżności.

Ma do tego prawo, stwierdziła w duchu Roz, pod warunkiem, że wyciągnie z własnych błędów odpowiednie wnioski.

Włożyła świeżą koszulę, przejechała dłońmi po wilgotnych włosach i zaczęła studiować swoje odbicie w lustrze. Wciąż mogła wyglądać bardzo atrakcyjnie, jeśli włożyła w to odrobinę wysiłku. Gdyby chciała, bez trudu znalazłaby sobie mężczyznę – i to nie takiego, który uważałby ją za idiotkę i próbował bezkarnie wyciągać pieniądze. Być może Bryce podkopał jej pewność siebie na jakiś czas, ale teraz już wszystko było w porządku.

Zanim pojawił się jej drugi mąż, nie potrzebowała mężczyzny, by wypełniał wolny czas w jej życiu. Nie potrzebowała tego i teraz. Wszystko wróciło do stanu miłej równowagi. Jej synowie wiedli szczęśliwe życie, biznes rozkwitał. Miała kilkoro przyjaciół, których lubiła, i wielu znajomych, których tolerowała w swoim otoczeniu.

A teraz na dodatek zamierzała odkryć tożsamość ducha, od ponad wieku nawiedzającego jej dom.

Raz jeszcze przeczesała palcami włosy i ruszyła na spotkanie w bibliotece. Kiedy znalazła się u stóp schodów, usłyszała pukanie do drzwi, poszła więc je otworzyć.

– Logan! Jaka miła niespodzianka!

– Hayley nie uprzedziła, że mnie zaprosiła?

– Nie, ale to bez znaczenia. Wchodź, proszę.

– Wpadłem na nią dzisiaj w sklepie i zapytała, czy nie miałbym ochoty uczestniczyć w waszych poszukiwaniach. Jakże mógłbym się oprzeć pokusie tropienia ducha?

– Rozumiem. Muszę cię jednak ostrzec, że Hayley ostatnio obsadziła cię w roli pana Rochestera, a Stellę – w roli Jane Eyre.

– Ach, tak.

Roz tylko się uśmiechnęła.

– Stella wciąż jest na górze z chłopcami – pakuje ich do łóżek. Może miałbyś ochotę do nich zajrzeć? Po prostu kieruj się hałasem.

Ruszyła w stronę biblioteki, zanim Logan zdążył cokolwiek odpowiedzieć. Nie wtrącała się w cudze sprawy, co nie oznaczało, że od czasu do czasu nie miała ochoty odrobinę dopomóc losowi.

Logan stał przez chwilę w zamyśleniu, w końcu jednak zaczął wchodzić po schodach.

Jeszcze nie znalazł się na piętrze, kiedy zrozumiał, co Roz miała na myśli, mówiąc o hałasie. Usłyszał głośne śmiechy, piski i szybki tupot stóp. Chwilę później stanął w drzwiach otwartego pokoju.

Niewątpliwie była to sypialnia chłopców. I choć panował tam większy porządek niż w jego pokoju, gdy był w wieku Gavina czy Luke'a, nic nie stało tu pod sznurek. Na podłodze leżały zabawki, na półkach i komodzie – stosy książek. W powietrzu unosił się zapach mydła, szamponu i świecowych kredek.

Stella siedziała na dywanie i bezlitośnie łaskotała Gavina, podczas gdy nagusieńki Luke biegał po pokoju, wydając z siebie wojownicze okrzyki przez dłonie złożone w trąbkę.

– Jak się na mnie mówi? – spytała Stella, gdy jej starszy syn wybuchnął niepohamowanym chichotem.

– Mama!

Mruknęła gniewnie i znowu zaczęła przebierać palcami po brzuchu chłopca.

– Spróbuj jeszcze raz, mizerny, słaby człowieczku. Jak się na mnie mówi?

– Mama, mama, mama, mama, mama! – Próbował się wyrwać z jej objęć, ale na próżno.

– Nie słyszałam.

– Cesarzowa – wyrzucił, dławiąc się ze śmiechu.

– I co dalej? Jak nie powiesz, tortury zostaną przedłużone.

– Wspaniała Cesarzowa Całego Wszechświata!

– Żebyś więcej o tym nie zapominał! – Przez bawełnianą piżamę cmoknęła go w pupę. – A teraz przejdziemy do ciebie, maleńka żabko! – Podniosła się i, zacierając dłonie, ruszyła w stronę popiskującego Luke'a.

Sama jednak pisnęła głośno, gdy ujrzała Logana stojącego w progu.

– O, Boże! Ale mnie przestraszyłeś!

– Przepraszam, nie chciałem przeszkadzać w torturach, Wasza Wysokość. Cześć, chłopie. – Skinął głową w stronę leżącego na podłodze Gavina. – Jak leci?

– Pokonała mnie, dlatego muszę iść do łóżka. Takie jest prawo królestwa.

– Chyba coś podobnego obiło mi się o uszy. – Schylił się, podniósł piżamę z motywami z komiksu o X-Manie i spojrzał pytająco na Luke'a. – To waszej mamy?

Luke wybuchnął śmiechem, nie przestając skakać po pokoju.

– Niee. To moja piżama. Ale nie muszę jej wkładać, póki mama mnie nie złapie.

Rzucił się w stronę łazienki, lecz Stella zdołała go chwycić za ramię.

– Nieszczęsny chłopcze. Przede mną nigdy nie uciekniesz! – Uniosła go nad głowę. – A teraz wskakuj w piżamę i do łóżka. – Odwróciła się i zerknęła na Logana. – Czy coś...

– Zostałem zaproszony na... zebranie w bibliotece.

– Będziecie mieli przyjęcie? – spytał Luke, biorąc z rąk Logana piżamę. – Takie z ciastkami?

– To nie przyjęcie, tylko zebranie, i tylko dla dorosłych.

– David robi pyszne ciastka – poinformował Logana Gavin. – O wiele lepsze niż mama.

– Gdyby to nie była prawda, spotkałaby cię sroga kara. – Stella odwróciła się w stronę siedzącego na łóżku syna i delikatnie pchnęła go na plecy.

– Ale za to ty jesteś ładniejsza od Davida.

– Mądre dziecko. Loganie, czy mógłbyś wszystkim powiedzieć, że niedługo zejdę na dół? Jeszcze tylko kilka minut im poczytam przed snem.

– A czy pan Logan mógłby nam poczytać?

– Mógłbym. Co teraz czytacie?

– „Kapitana Pantalona". – Luke pobiegł po książkę i wcisnął ją Loganowi do ręki.

– Czy on też jest jakimś supermanem?

Oczy Luke'a zrobiły się wielkie jak spodki.

– Nie słyszał pan o kapitanie Pantalonie?

– Niestety, nie. – Obracał książkę w dłoni, ale nie odrywał wzroku od chłopca. Nigdy wcześniej nie czytał dzieciom. To mogłoby być zabawne. – Może gdybym poczytał, to bym się czegoś dowiedział. O ile Cesarzowa nie ma nic przeciwko temu.

– Och... ja nie...

– Proszę, mamo! Proszę! – odezwali się chłopcy zgodnym chórem.

– No dobrze – zgodziła się Stella, czując dziwny ucisk w żołądku. – Ja tymczasem uporządkuję łazienkę.

Zabrała się do wycierania mokrej podłogi i zbierania zabawek, które chłopcy brali ze sobą do wanny, wsłuchując się przy tym w niski głos Logana, zabarwiony lekką wesołością.

Rozwiesiła wilgotne ręczniki, wrzuciła gąbki do plastikowej siatki, żeby obeschły, i niemal w tej samej chwili poczuła przejmujący chłód.

Na półce zaczęły się przewracać jej kremy i lotiony, jakby ktoś je gniewnie pchnął. Stella rzuciła się, by je złapać, zanim pospadają na podłogę.

Każde pudełko i tubka były zimne niczym bryłka lodu.

Instynktownie stanęła w drzwiach prowadzących do sypialni chłopców, by osłonić dzieci.

Ujrzała Logana, który siedział na krześle pomiędzy łóżkami i czytał ciepłym głosem o zwariowanych przygodach kapitana Pantalona. Chłopcy leżeli otuleni kołdrami i powoli odpływali w sen.

Pozwalała, by to lodowate zimno smagało ją po plecach, bo chciała, żeby Logan spokojnie dokończył rozdział.

– Dziękuję ci – powiedziała, gdy zamknął książkę. Sama była zdziwiona, że stać ją na tak spokojny głos. – Chłopcy, powiedzcie dobranoc panu Kitridge'owi.

Ostrożnie weszła do pokoju. Kiedy okazało się, że chłód za nią nie podąża, podeszła do Logana i zmusiła się do uśmiechu.

– Za parę minut zejdę na dół.

– Dobrze. Do zobaczenia, panowie.

To wieczorne czytanie dzieciom bardzo go odprężyło i wprowadziło w pogodny nastrój. Kapitan Pantalon? Niezła zabawa. Chętnie od czasu do czasu zatrudni się w roli lektora.

Podszedł do szczytu schodów i nagle ogarnęło go wrażenie, że coś wysysa powietrze z jego płuc. W plecy uderzyła go potężna fala zimna, popychając gwałtownie do przodu. W ostatniej chwili złapał się poręczy, zatoczył na ścianę i ześliznął kilka stopni w dół. Przed oczami wirowały mu czarne płatki. Wsunął z całej siły ramię pod poręcz, a i tak miał wrażenie, że zaraz spadnie.

Kącikiem oka pochwycił jakiś cień – niewyraźny zarys kobiecej sylwetki, która emanowała zimną furią.

I zaraz zniknęła.

W uszach zaświszczał mu własny ciężki oddech, poczuł strużki potu spływające po plecach. Chociaż kolana się pod nim uginały, próbował za wszelką cenę utrzymać się na nogach. I w takim stanie ujrzała go Stella.

Jej uśmiech zniknął, gdy tylko zerknęła na twarz Logana.

– O co chodzi? – Podbiegła do niego. – Co się stało?

– Ona – ta wasza zjawa – czy kiedykolwiek przestraszyła chłopców?

– Nie. Wręcz przeciwnie. Działa na nich... kojąco. I jest bardzo opiekuńcza.

– W porządku. W takim razie chodźmy na dół. – Chwycił ją mocno za rękę.

– Masz lodowatą dłoń.

– Co ty powiesz?

– Chciałabym wiedzieć dlaczego.

– Zaraz się dowiesz.

Gdy rozsiedli się w bibliotece wokół stołu zarzuconego dokumentami i notatkami, Logan wzmocnił się dużym kieliszkiem brandy i opowiedział wszystkim o niedawnej przygodzie. Roz ze zdumieniem wysłuchała jego słów.

– W ciągu tych wszystkich lat dla nikogo nie stanowiła zagrożenia. Ludzie niekiedy jej się bali lub czuli nieswojo na jej widok, ale nigdy nikt nie został fizycznie zaatakowany.

– Czy duchy w ogóle mogą fizycznie atakować? – wtrącił David.

– Nie zadawałbyś takich pytań, gdybyś stał ze mną u szczytu tych schodów.

– Niektóre upiory mogą unosić przedmioty w powietrzu – wtrąciła Hayley. – Ale zazwyczaj pokazują się w domach, gdzie mieszkają nastolatki. Jakoś dziwnie pobudza je pokwitanie. W tym wypadku nie ma o tym mowy. Może któryś z przodków Logana zrobił jej coś złego, postanowiła więc się zemścić.

– Byłem w tym domu tysiące razy. Nigdy wcześniej nie zawracała sobie mną głowy.

– Dzieci – powiedziała Stella cichym głosem, spoglądając znad notatek. – To musi mieć jakiś związek z dziećmi. Wiemy, że szczególnie interesują ją mali chłopcy. Jest w stosunku do nich bardzo opiekuńcza. Kiedy pokazywała mi się na początku, była jedynie smutna. Pierwszy raz wpadła w gniew, gdy wybierałam się na kolację z Loganem.

– Przedłożyłaś mężczyznę nad swoje dzieci – wyjaśniła Roz i natychmiast uniosła pojednawczo dłoń. – Nie twierdzę, że rzeczywiście tak postąpiłaś. Ale musimy patrzeć na to jej kategoriami. Kiedyś mówiłyśmy o napadach złości Oblubienicy, pamiętasz, Stello? Dużo myślałam na ten temat i przypomniałam sobie, że okazywała gniew, kiedy okazjonalnie umawiałam się z mężczyznami, a chłopcy byli jeszcze mali. Nigdy jednak nie zaatakowała mnie tak ostro. Z drugiej strony z żadnym z owych mężczyzn nie łączyło mnie nic poważnego.

– Jakim cudem mogłaby wiedzieć, co do kogo czuję?

Sny, pomyślała Stella. Była w moich snach. Zna moje myśli.

– Nie ma sensu w ogóle rozważać tej kwestii – wtrącił David. – Po prostu uznajmy, że ona uważa, iż ciebie i Logana łączy głębokie uczucie. I z jakichś względów bardzo jej się to nie podoba. To oczywiste, bo jedynymi osobami, na które się zezłościła, jesteście wy dwoje. Dlaczego tak ją to gniewa? Czy jest zazdrosna?

– Zazdrosny duch. – Hayley zaczęła bębnić palcami po stole. – Tego nam tylko brakowało. A więc Oblubienica czuje do ciebie sympatię jako do samotnej matki z dziećmi. Pomaga ci się nimi opiekować, śpiewa im do snu. Kiedy jednak w twoim życiu pojawia się mężczyzna, wpada w szał. To jest tak, jakby mówiła: „Nie chcę, żebyś miała miłą, tradycyjną rodzinę, taką w której są mama, tata i dzieci – bo mnie nie było to dane".

– Ja i Logan w żadnym razie nie jesteśmy... On jedynie czytał chłopcom historyjkę przed snem.

– A więc robił coś, co często robią ojcowie – zauważyła Roz.

– Kiedy... kiedy Logan im czytał, ja porządkowałam łazienkę. I ona się tam zjawiła. Czułam wyraźnie jej obecność. A potem... potem moje kremy zaczęły spadać z półki.

– Jasna cholera – mruknęła Hayley.

– Stanęłam w drzwiach do pokoju chłopców. Tam nic złego się nie działo. Z ich sypialni dobiegało przyjemne ciepło, natomiast w plecy uderzały mnie lodowate fale. Ona nie chciała przestraszyć dzieci. Jedynie mnie.

Mimo to jutro kupię monitor głosu i ustawię w pokoju dzieci, postanowiła Stella w duchu. Od tej pory chcę słyszeć, co się dzieje w ich sypialni.

– Jesteśmy na właściwym tropie, Stello. Przecież wiesz. – Roz położyła dłonie na stole. – Nie znalazłyśmy nic, co by potwierdzało, że ta kobieta pochodziła z rodziny Harperów. Ktoś w tym domu jednak ją znał, wiedział, co robiła i kiedy umarła. Czy jej śmierć została zatuszowana? Ukryta? To by tłumaczyło, czemu się tu pokazuje.

– Założę się, że miała dziecko. – Hayley odruchowo przycisnęła dłoń do brzucha. – Może zmarła, wydając je na świat, może musiała je oddać i serce pękło jej z bólu. Zapewne wpędził ją w kłopoty jakiś mężczyzna z rodu Harperów. Bo czemu miałaby się pokazywać w tym domu, jeśli tu nie mieszkała lub...

– Nie zakończyła życia – skończyła za nią Stella. – W czasie gdy umarła, dom należał do Reginalda Harpera. Roz, jak do diabła możemy się dowiedzieć, czy Reggie miał kochankę lub nieślubne dziecko?

# 16

Logan był zakochany jedynie dwa razy w życiu. Tylko dwukrotnie doświadczył prawdziwej miłości. Po raz pierwszy, gdy był nastolatkiem i zarówno on, jak i jego dziewczyna nie umieli sobie poradzić z własnymi uczuciami. Ich miłość wypaliła się w ogniu namiętności i wzajemnej zazdrości. Chociaż gdy teraz wracał myślami do tamtych czasów, wspominał Lisę Anne Lauer z ciepłą nostalgią.

A potem pojawiła się Rae. Był już wówczas nieco starszy i mądrzejszy. Spotykali się przez dwa lata, zanim podjęli decyzję o małżeństwie. Oboje tego chcieli, a jednak ludzie, którzy znali Logana, dziwili się, że zdecydował się na zaręczyny i ślub, a przede wszystkim na przeprowadzkę na Północ.

Logan nie rozumiał, czemu wzbudzało to takie zaskoczenie. Kochał Rae, a ona chciała mieszkać na Północy. Uwierzył więc – jak się okazało naiwnie – że potrafi zadomowić się w każdym miejscu w kraju.

Teoretycznie miał tam bardzo dobrą pracę. Czuł się jednak nieszczęśliwy w betonowym, pełnym zgiełku mieście.

Był zbyt małomiasteczkowy, pomyślał, gdy wraz z pracownikami kończył przybijać deski na szczycie pergoli. Dlatego nie pasował do wielkomiejskiego krajobrazu.

Powoli też umierało jego małżeństwo. Zaczęło się od drobiazgów. Gdy patrzył na to z perspektywy czasu, wiedział, że powinni sobie z nimi poradzić, pójść na pewne kompromisy. Tymczasem pozwolili, by owe drobiazgi nabrzmiewały, rozrastały się do ropiejących narośli, a w końcu stały się barierą nie do przebycia.

Rae była tam w swoim żywiole, on nie. W gruncie rzeczy czuł się nieszczęśliwy, ją zaś gnębiło, że Logan nie może się zaaklimatyzować. Jak każda poważna, nieleczona choroba, poczucie nieszczęścia zaatakowało cały układ.

Rozpad związku bolał. Stella nie miała racji, uważając, że rozwód nie pozostawił na nim trwałych śladów. Tyle że z niektórymi bliznami można spokojnie żyć dalej.

Klient życzył sobie, żeby pergolę porastała wistaria. Logan poinstruował pracowników, gdzie i jak ją rozmieścić, a sam przeszedł do niewielkiego stawu, który miał zostać obsadzony roślinami.

Wciągnął wysokie, rybackie kalosze, wszedł do wody, aby pozatapiać pojemniczki z pałkami. Gdyby usunął pojemniki, pałki szybko by się rozpleniły i wydusiły wszystkie inne rośliny, a tak będą jedynie przyjemnym wiejskim akcentem. W ten sam sposób obszedł się z trzema liliami wodnymi i tatarakiem. Wyszedł ze stawu i spojrzał na swoją pracę – był zadowolony z jej rezultatów.

Ponownie zaczął myśleć o miłości. A więc kochał dwa razy w życiu. No i teraz coś się w nim znowu budziło. Mógł to jeszcze stłumić. I zapewne powinien to zrobić.

Czy może wziąć sobie na głowę taką kobietę, jak Stella, a do tego jej absurdalnie uroczych synów? Przecież ze swoim skrajnie odmiennym podejściem niemal do wszystkiego w życiu wkrótce oboje doprowadziliby się do szału. Ich uczucia zapewne nie wypaliłyby się szybko – choć gdy miał ją w łóżku, ogarniał go płomień – tylko powoli zwiędłyby i uschły – jak jego związek z Rae. A to byłoby o wiele boleśniejsze.

Do tego należało mieć jeszcze na względzie szczęście i dobro dwóch małych chłopców.

Może więc ta zjawa miała rację, gdy z całej siły kopnęła go w tyłek? Wprost nie mógł uwierzyć, że naprawdę rozmyśla o spotkaniu z duchem. Zawsze miał bardzo sceptyczny stosunek do tak zwanych zjawisk nadprzyrodzonych. A właściwie, nazywając rzeczy po imieniu, absolutnie nie wierzył w duchy. Oczywiście, słyszał o nawiedzonych domach, ale zawsze uważał to za element lokalnego kolorytu – barwną opowiastkę, tak wysoko cenioną na Południu. Uważał, że to część dziedzictwa kulturowego. Duchy mogła zobaczyć jedynie osoba nie całkiem trzeźwa lub wysoce podatna na pewne emocje.

Ale on nie był pijany i nie poddawał się łatwo sugestiom. A mimo to czuł lodowate tchnienie zjawy i jej potężny, niewytłumaczalny gniew. Chciała zrobić mu krzywdę, rozdzielić go z chłopcami i ich matką.

Czy jednak owa widmowa dama na pewno wiedziała, co jest najlepsze dla Stelli i jej dzieci? Czy jeżeli Logan teraz się usunie, tamci troje naprawdę będą szczęśliwsi?

Zadzwonił telefon komórkowy, który miał u paska. Ponieważ już w zasadzie skończył pracę, nie zignorował swoim zwyczajem sygnału.

– Kitridge.

– Logan? Tu Stella.

Poczuł drobne ukłucie w sercu i to go zirytowało.

– Tak... tak... Mam te cholerne formularze w ciężarówce.

– Jakie formularze?

– Te, z powodu których zaraz zaczniesz mi suszyć głowę.

– Nie dzwonię do ciebie, by z jakiegokolwiek powodu suszyć ci głowę. – Jej głos zabrzmiał nagle chłodno i oficjalnie, co tylko zwiększyło jego irytację.

– Cóż, przykro mi, ale nie mam czasu na pogawędki. Moje plany są bardzo napięte.

– Wiem o tym i dlatego dzwonię, by się dowiedzieć, czy jeszcze dziś zdołasz się umówić na konsultację. Mam tu klientkę, której zależy na kontakcie. Uda ci się po południu z nią zobaczyć?

– Gdzie?

Podała mu adres. Okazało się, że to dwadzieścia minut drogi z miejsca, w którym właśnie się znajdował.

– Dobrze. O drugiej.

– Przekażę to klientce. Nazywa się Marsha Fields. Czy potrzebne ci jeszcze jakieś dodatkowe informacje?

– Nie.

– To doskonale.

Usłyszał głośne kliknięcie i bardzo go wkurzyło, że to nie on rozłączył się pierwszy.

Kiedy Logan zmierzał tego wieczoru w stronę domu, był zmęczony, spocony, ale już w dużo lepszym nastroju. Ciężka fizyczna praca zazwyczaj poprawiała mu humor, a tego dnia nie narzekał na brak roboty. Jedynie w czasie potężnej ulewy zrobili sobie przerwę na lunch. Usiedli w przegrzanej ciężarówce i kiedy deszcz walił w przednią szybę, oni raczyli się kanapkami z wołowiną na zimno, które popijali słodką herbatą.

Praca u Marshy Fields zapowiadała się bardzo interesująco. Ta kobieta miała bardzo sprecyzowane pomysły, a Loganowi podobała się większość z nich, postanowił więc je starannie rozrysować i udoskonalić w kilku szczegółach.

Ponieważ okazało się, że kuzynka Marshy ze strony matki jest kuzynką ojca Logana, konsultacja trwała dużo dłużej niż zazwyczaj i przebiegała w miłej atmosferze, która stała się niemal kordialna, gdy Marsha obiecała, że poleci jego usługi znajomym.

Tak więc wyjechał zza ostatniego zakrętu przed swoim domem w bardzo dobrym nastroju, który jednak natychmiast się zwarzył, gdy Logan ujrzał samochód Stelli zaparkowany na podjeździe.

Nie chciał teraz z nią się widzieć. Jeszcze nie poukładał sobie wszystkiego w głowie, a jej dzisiejszy telefon tylko dodatkowo zagmatwał sprawę. Miał ochotę na prysznic, zimne piwo i odrobinę samotności. A potem zamierzał zjeść kolację i przy akompaniamencie ulubionej muzyki rozłożyć się z pracą na kuchennym stole.

Ten scenariusz nie przewidywał obecności jakiejkolwiek kobiety.

Zaparkował obok auta Stelli z silnym postanowieniem, że powie jej parę słów do słuchu. Nie ujrzał jej jednak nigdzie w zasięgu wzroku. Czyżby była kobietą, której się wydaje, że jak przespała się z facetem, to może wmeldować się do niego pod jego nieobecność? Nie, to niemożliwe, zdecydował i w tym samym momencie usłyszał szum wody płynącej z ogrodowego węża.

Wsunął ręce do kieszeni i skręcił za róg domu.

Stała na patio w szarych, eleganckich spodniach i luźnej niebieskiej koszuli. Włosy ściągnęła w koński ogon, co wydało mu się nagle szalenie seksowne. Ponieważ jakiś czas temu słońce wyszło zza chmur, wsunęła na nos przeciwsłoneczne okulary o szarych szkłach.

Podlewała rośliny w doniczkach, starając się przy tym nie zamoczyć szarych płóciennych pantofli.

– Dziś padało! – wykrzyknął.

– Ale nie dość – odparła, nie odrywając się od swego zajęcia.

Kiedy skończyła, zakręciła wodę, wciąż trzymając wąż w dłoni.

– Zdaję sobie sprawę, że masz określony styl pracy oraz przeróżne humory. To nie moja sprawa. Nie życzę sobie jednak, żebyś rozmawiał ze mną w taki sposób, jakbym była jakąś idiotką, która musi zadzwonić do swojego chłopaka w czasie pracy, by szepnąć mu kilka czułych słów, lub obsesyjnym współpracownikiem nękającym cię bez przerwy drobiazgami. Bo nikim takim nie jestem.

– To znaczy nie jesteś moją dziewczyną czy moim współpracownikiem?

Wyraźnie zauważył, że Stella zaciska zęby.

– Jeżeli się z tobą kontaktuję w godzinach służbowych, to znaczy, że mam ważny powód. Tak jak dziś rano.

Miała rację, oczywiście, ale nie zamierzał tego otwarcie przyznać.

– Dostaliśmy tę pracę u Marshy Fields.

– Hip, hip, hura.

Przygryzł usta, bo rozbawił go jej kwaśny ton.

– Opracuję dla niej projekt i kosztorys. Dostaniesz kopię jednego i drugiego. Czy to ci odpowiada?

– To mi odpowiada. Natomiast nie odpowiada mi...

– Gdzie są dzieci?

To pytanie całkowicie wybiło ją z rytmu.

– Mój tata zabrał je po szkole. Przenocują dzisiaj u dziadków, bo wieczorem jadę z Hayley do szkoły rodzenia.

– O której godzinie?

– Co o której godzinie?

– Jedziesz do tej szkoły?

– Mamy być tam o wpół do dziewiątej. Słuchaj, nie przyszłam tu na towarzyską pogawędkę. Zdecydowanie uważam, że...

Logan postąpił w jej stronę, a Stella się cofnęła, patrząc na niego spod przymrużonych powiek.

– Nawet o tym nie myśl! Nie mam w tej chwili ochoty na żadne pocałunki.

– W takim razie może jej nabierzesz, jak już zacznę.

– Słuchaj, ja nie żartuję. – Skierowała w jego stronę wylot węża. – Trzymaj się ode mnie z daleka.

– Zrozumiałem twój punkt widzenia. A teraz, jeśli chcesz, to włączaj wodę. Wypociłem się dziś za trzech. Przyda mi się mały prysznic.

– Daj spokój! – Znów cofnęła się kilka kroków. – To wcale nie jest śmieszne.

– Kiedy mówisz tym tonem, od razu się podniecam.

– Nie mówię żadnym tonem.

– Tonem jankeskiej nauczycielki. Będę bardzo żałował, jeśli kiedyś go utracisz.

Spróbował wyrwać z jej dłoni wąż, ale była szybsza i puściła wodę.

Ostry strumień uderzył go w pierś i Stella z trudem opanowała chichot.

– Dość tych zabaw, Logan. Naprawdę nie jest mi do śmiechu.

Ociekając wodą, zamarkował ruch w lewo, po czym rzucił się na nią od drugiej strony. Pisnęła głośno, upuściła wąż i zaczęła uciekać.

Logan pochwycił ją w pasie i uniósł w górę. Stella zaczęła wyrywać się i kopać, po czym aż się zakrztusiła z wrażenia, gdy wylądowała na trawie u jego boku.

– Puść mnie, ty wariacie.

– A niby dlaczego? Wdzierasz się na prywatny teren, podlewasz moje rośliny, wygłaszasz mi kazania... u siebie mogę robić wszystko, na co mam ochotę.

– Przestań. Jeszcze nie powiedziałam wszystkiego, co miałam do powiedzenia.

– Nie wątpię, że nawet po kilku godzinach zdołasz podjąć przerwany wątek.

– Jesteś mokry i spocony, a ja za chwilę będę miała na spodniach niespieralne plamy z trawy, a do tego...

Przywarł ustami do jej warg.

– Nie mogę... nie możemy... nie w ogrodzie...

Nagle jednak wszystkie argumenty umknęły jej z głowy.

– Chcesz się założyć?

Bardzo jej pożądał, czemu więc miał się opierać temu pragnieniu? Pożądał tej kobiety cierpiącej na obsesję porządku, która jednocześnie baraszkowała na podłodze z dziećmi. Kobiety aż do bólu rozsądnej, która jednak potrafiła pozwolić sobie na odrobinę szaleństwa. Kobiety, która podlewała mu kwiaty, besztając go niemiłosiernie.

Która drżała pod dotknięciem jego dłoni.

Zaczął zachłannie pieścić jej piersi, przesuwać ustami po szyi, ramionach, dłoniach.

Stella wiedziała, że to szaleństwo, ale nie mogła się opanować. Logan pachniał tak seksownie: potem i wilgotną ziemią. Wsunęła dłonie w jego włosy i przyciągnęła jego usta do swoich.

– Twój pasek – szepnęła po chwili. – Wpija mi się...

– Przepraszam.

Podniósł się lekko, by go odpiąć, i spojrzał na jej twarz. Rude loki wymknęły się spod gumki, cera była zaróżowiona, oczy zasnuwała lekka mgła. I w tym momencie poczuł, że już nie jest w stanie zdusić w sobie uczucia do tej kobiety.

– Stello...

Nie wiedział, co ma jej powiedzieć. Słowa uwięzły mu w gardle.

Wtedy ona uśmiechnęła się powoli.

– Może ci pomogę? – zaproponowała.

Odpięła guzik dżinsów i zdecydowanym ruchem rozpięła zamek.

Przywarła do niego całym ciałem, wodziła językiem po jego nagim torsie, gładziła dłońmi plecy i cudownie szerokie ramiona.

A potem usiadła na nim, pozwoliła, by się w nią zagłębił, i zaczęła szalony taniec.

Leżała w jego objęciach – naga, wilgotna, oszołomiona. Miała wrażenie, że są dwójką rozbitków ocalałych z jakiejś potężnej katastrofy morskiej.

Odwróciła głowę i przytuliła policzek do jego piersi. Wprost nie mogła uwierzyć, że kochała się z mężczyzną w ogrodzie, w pełnym świetle dnia.

– To kompletne szaleństwo – wymruczała, nie ruszając się jednak z miejsca. – A gdyby tak ktoś przyszedł?

– Jeśli ktoś zjawia się nieproszony, musi być gotowy na wszelkie ewentualności.

– Czuję się, jakbym miała szesnaście lat. Do diabła, przecież nawet jak byłam nastolatką, nie robiłam takich rzeczy! Muszę odzyskać trzeźwość myślenia. A przede wszystkim ubranie.

– Poczekaj chwilę.

Delikatnie odsunął ją na bok, po czym wstał. Najwyraźniej nie przejmował się tym, że chodzi po ogrodzie kompletnie nagi.

– Słuchaj, ja naprawdę przyszłam tu, żeby z tobą porozmawiać.

– Nie porozmawiać, lecz zmyć mi głowę. I całkiem nieźle ci poszło.

– Ale jeszcze nie skończyłam. – Przewróciła się na bok i chwyciła gumkę do włosów. – Zrobię to jednak, gdy tylko się ubiorę i...

W tym momencie zaczęła krzyczeć, jakby ją mordowali. Po jej ciele spływały strugi zimnej wody z węża.

– Pomyślałem, że nam obojgu przyda się odrobina otrzeźwienia.

Bez względu na okoliczności, nigdy by się nie zdobyła na to, by biegać z gołą pupą po trawie. Przycisnęła więc brodę do kolan i zaczęła obrzucać Logana wyjątkowo wymyślnymi wyzwiskami.

On tymczasem pękał ze śmiechu.

– Skąd taka grzeczna dziewczynka zna podobne przekleństwa? I jak mam teraz całować usta splamione równie plugawymi słowami?

Po czym uniósł wąż nad własną głowę i zrobił sobie szybki prysznic.

– Od razu czuję się lepiej. Miałabyś ochotę na piwo?

– Nie, nie chcę żadnego cholernego piwa. Natomiast marzę o ręczniku. Ty szaleńcu, kompletnie przemoczyłeś mi ubranie!

– Wrzucimy je do suszarki. – Odrzucił wąż, a następnie podniósł jej spodnie, bieliznę i koszulę. – Chodź do środka. Tam dostaniesz ręcznik.

Ponieważ leniwym krokiem ruszył przez patio w stronę drzwi, nie miała innego wyjścia, tylko za nim podążyć.

– Masz szlafrok? – spytała ostro.

– A co, do diabła, miałbym robić ze szlafrokiem? Poczekaj chwilę, Rudzielcu.

Ociekająca wodą Stella zaczęła drżeć z zimna.

Na szczęście Logan zjawił się chwilę później, niosąc dwa duże prześcieradła kąpielowe.

– Powinny ci wystarczyć. Wytrzyj się dobrze, a ja tymczasem zajmę się twoim ubraniem.

Zniknął za wąskimi drzwiami, które najprawdopodobniej prowadziły do pomieszczenia gospodarczego, a chwilę później Stella usłyszała szum suszarki.

– Może w takim razie napijesz się wina? – zapytał, ponownie zjawiając się w kuchni. – Albo herbaty lub kawy?

– Posłuchaj, Logan...

– Rudzielcu, przysięgam, że jeszcze żadnej kobiety w życiu nie musiałem wysłuchiwać tak długo jak ciebie. Więc tym trudniej mi zrozumieć, czemu się w tobie zakochałem.

– Nie życzę sobie, żeby... Słucham?

– Zaczęło się od włosów. – Otworzył lodówkę i wyjął piwo. – Zaraz potem zauroczył mnie twój głos. – Zdjął kapsel i pociągnął potężny łyk prosto z butelki. – A w końcu dołączyło się mnóstwo innych drobiazgów. Nie umiem ich dokładnie zdefiniować.

– Ty... ty sądzisz, że jesteś we mnie zakochany? I okazujesz to, rzucając mną o ziemię niczym jakiś maniak seksualny, by po wszystkim oblać mnie zimną wodą z ogrodowego węża?

Pociągnął kolejny łyk.

– W owej chwili wydawało mi się to bardzo odpowiednie.

– Cóż za czarujący gest!

– Wcale nie zamierzałem być uroczy. Tak jak nie zamierzałem się w tobie zakochać. Prawdę mówiąc, gdy sobie to uświadomiłem, od razu straciłem humor.

– Doprawdy? – W jej oczach zaczęły migotać niebieskie ogniki.

– Ale teraz już czuję się dużo lepiej.

– To doskonale. Więc może przynieś mi ubranie.

– Jeszcze nie zdążyło wyschnąć.

– Nie szkodzi.

– Ludzie z Północy ciągle gdzieś się spieszą. – Oparł się leniwie o kontuar. – Jest jeszcze jedna rzecz, o której dzisiaj rozmyślałem.

– To mnie absolutnie nie obchodzi.

– Uświadomiłem sobie, że do tej pory byłem zakochany tylko dwa razy. I że za każdym razem... cóż, nie owijajmy w bawełnę, za każdym razem wszystko się spieprzyło. Niewykluczone, że zmierzamy w tę samą fatalną stronę.

– Niewykluczone, że właśnie dotarliśmy do fatalnego końca.

– O nie. Na razie jesteś wkurzona i przerażona, bo nie szukałaś mężczyzny.

– Niczego nie szukałam.

– To tak jak ja. – Odstawił piwo, po czym ujął jej twarz w dłonie. – Może zdołałbym jeszcze stłumić w sobie to uczucie. Może nawet powinienem to zrobić. Ale kiedy na ciebie patrzę, kiedy cię dotykam, ogarnia mnie coraz większe pożądanie.

Musnął delikatnie wargami jej czoło, po czym się odsunął.

– Ilekroć już mi się wydaje, że choć trochę pojęłam, jaki jesteś naprawdę, znowu mnie czymś zaskakujesz – powiedziała cicho. – Ja kochałam tylko raz i otrzymałam wtedy wszystko, czego pragnęłam. Teraz zaś nie mam pojęcia, czego pragnę i potrzebuję. I na dodatek nie wiem, czy wystarczy mi odwagi, by rzucić się w wir uczuć.

– Jeśli tak dalej pójdzie, może pchnę cię we właściwym kierunku i podejmę decyzję za ciebie.

– Ja nie daję się tak łatwo popychać. – Tym razem to ona do niego podeszła i chwyciła go za rękę. – Jestem bardzo wzruszona, że powiedziałeś, co do mnie czujesz. Potrzebuję jednak czasu, by dojść do ładu z samą sobą.

Ubranie już było suche, ale niemiłosiernie wygniecione, natomiast jej włosy skręciły się w tak mocne loki, że teraz sprawiały wrażenie, jakby było ich dwa razy tyle co zwykle.

Stella wysiadła z samochodu i serce w niej zamarło, gdy ujrzała, że Roz i Hayley siedzą na ławce przed domem i popijają coś z wysokich szklanek.

– Tylko się przebiorę! – wykrzyknęła. – Zaraz do was przyjdę.

– Nie musisz się spieszyć – odparła Hayley. Odprowadziła Stellę wzrokiem do drzwi, a potem zwróciła się w stronę Roz. – Wiesz, co to znaczy, gdy kobieta zjawia się w domu w pogniecionym ubraniu i plamach od trawy na spodniach?

– Przypuszczam, że Stella była u Logana.

– To oznacza drobne rżnięcie w ogrodzie.

Roz wypiła łyk mrożonej herbaty i parsknęła śmiechem.

– Hayley! Na Boga! Co za język!

– Czy kiedykolwiek robiłaś to na świeżym powietrzu?

Roz westchnęła lekko.

– W strasznie zamierzchłych czasach.

Stella doskonale wiedziała, że Roz i Hayley rozmawiają na jej temat, i natychmiast się zaczerwieniła. Wpadła do swojego pokoju, szybko zdjęła wygniecione ubranie i wrzuciła do pralki.

– Nie mam się czego wstydzić – mruknęła pod nosem, otwierając szafę.

Włożyła świeżą bieliznę i od razu poczuła się lepiej. Ale kiedy sięgała po bluzkę, owionął ją lodowaty chłód.

Zamarła, pewna, że tym razem poleci w jej stronę jakaś lampa lub wazon.

Gdy jednak przez dłuższą chwilę nic się nie wydarzyło, Stella zebrała się na odwagę i spojrzała przez ramię. I wtedy po raz pierwszy wyraźnie zobaczyła Oblubienicę. Cała postać zdawała się jakby utkana z dymu – przeświecało przez nią światło z okna – niemniej widoczne były przepełnione smutkiem oczy, złociste loki i długa suknia.

Oblubienica stała w drzwiach łączących łazienkę z sypialnią chłopców.

Tym razem jej twarz nie wyrażała gniewu czy choćby dezaprobaty, ale malował się na niej wyraz bezbrzeżnej rozpaczy.

Strach Stelli ustąpił miejsca współczuciu.

– Tak bardzo chciałabym ci pomóc. – Przyciskając bluzkę do piersi, niepewnie postąpiła do przodu. – Dowiedzieć się, kim byłaś, co cię spotkało i czemu jesteś tak bardzo smutna.

Zjawa żałośnie kiwnęła głową w stronę pustego pokoju chłopców.

– Ależ nikomu ich nie oddałam ani nigdzie nie odesłałam. – Stella usłyszała swój własny głos. – Nigdy bym tego nie zrobiła. Dzieci są całym moim życiem. Dzisiejszy wieczór spędzają u dziadków. To dla nich wielka frajda – będą się nieprzytomnie objadać lodami i robić wszystko, na co mają ochotę. Mój ojciec i jego żona bardzo kochają Luke'a i Gavina, rozpieszczają ich i hołubią. Ale już jutro obaj wrócą do domu.

Niepewnie podeszła jeszcze krok w stronę zjawy.

– Chłopcy uwielbiają odwiedziny u dziadków, ale gdy już tam pójdą, nagle robi się tu strasznie cicho, prawda?

Na Boga, czyżby oszalała? Próbowała wciągnąć ducha w rozmowę!

– Chcemy się dowiedzieć, kim byłaś. Powiedz coś, co mogłoby nam pomóc. Czy nie mogłabyś zdradzić mi swojego imienia?

Wyciągnęła przed siebie drżącą rękę, która bez trudu przeniknęła przez widmową postać. Stella poczuła lodowate zimno i ostry, jakby elektryczny wstrząs. Przez chwilę jeszcze widziała przepełnione smutkiem oczy, a zaraz potem zjawa zniknęła.

– Przecież jeżeli możesz śpiewać, to możesz i mówić! – wykrzyknęła Stella, choć w pokoju było już pusto.

Roztrzęsiona, ubrała się do końca, spięła włosy i usiadła przed lustrem, by poprawić makijaż. Była niemal pewna, że za chwilę, oprócz własnego odbicia, ujrzy także tamtą, widmową twarz.

Nic takiego jednak się nie wydarzyło.

Stella wsunęła stopy w zamszowe pantofle i ruszyła w dół po schodach. Trzeba zostawić zmarłych za sobą, pomyślała, i przygotować się na przyjęcie nowego życia.

# 17

Wiosna zadomowiła się na dobre, a temperatura – w mniemaniu Stelli – osiągnęła subtropikalne wartości. Klienci wciąż napływali tłumnie do „Edenu" i choć większość z nich przybywała tu teraz głównie po to, by przejść się po pięknym terenie i pogawędzić z obsługą, i tak codziennie z centrum wyjeżdżało mnóstwo krzewów, drzew ozdobnych oraz donic i skrzynek z kwiatami.

Stella pilnie czuwała nad zaopatrzeniem i uzupełniała puste miejsca na stołach zapasami ze szklarń, a także obsadzała wielkie donice i skrzynki nowymi kompozycjami. Nieustannie wydzwaniała do dostawców nawozów, nasion traw, pożywek, ściółek i tym podobnych. Zaczęła też nękać Roz, by wystawić na sprzedaż trochę młodszych roślin.

– W żadnym razie – usłyszała w odpowiedzi. – Dopiero w przyszłym roku.

– Ale jak tak dalej pójdzie, zaraz zabraknie nam orlików, skalnicy, lilii azjatyckich... – Machnęła swoim notesem. – Roz, wyprzedaliśmy już ponad trzydzieści procent roślin wieloletnich. Jeżeli z obecnymi zapasami uda się nam dotrwać do końca maja, będziemy mogli się uznać za szczęściarzy.

– Za moment sprzedaż znacznie spadnie – oznajmiła Roz, wsadzając do płaskich skrzynek flance goździków skalnych. – Jeżeli zacznę wystawiać zbyt młode rośliny, klienci nie będą zadowoleni.

– Ale...

– Posłuchaj. Na przykład te goździki zaczną kwitnąć dopiero w przyszłym roku. A klienci lubią kwiaty, Stello. Chcą natychmiast upiększyć swoje ogrody i tarasy, przecież dobrze o tym wiesz. Nie mają ochoty czekać miesiącami na efekty.

– Wiem, oczywiście, jednak...

– Sukces cię oszołomił. – Nie zdejmując roboczych rękawic, Roz potarła nos palcem. – Podobnie jak wszystkich innych pracowników. Na Boga, Ruby promienieje, jakby znowu została babcią, Steve natomiast – ilekroć mnie spotyka – ma ochotę przybić piątkę.

– Kochają to miejsce.

– Ja również. I nie ukrywam, że jeszcze nigdy nie mieliśmy tak dobrego roku. Częściowo zawdzięczamy to pogodzie – wiosna była piękna. Ale przede wszystkim nasz sukces jest wynikiem ciężkiej pracy wyjątkowo kompetentnej i entuzjastycznej pani menedżer. Nie zapominaj jednak, Stello, że w tym fachu najważniejsza jest jakość. Ilość ma znaczenie drugorzędne.

– Jasne. Masz rację. Ale robi mi się zimno na myśl, że czegoś nam zabraknie i będziemy zmuszeni odsyłać klientów do konkurencji.

– Nie będzie to konieczne, jeśli obsługa zachowa dość przytomności umysłu, by zaproponować w zamian coś równie atrakcyjnego.

– Jasne – odparła Stella z westchnieniem.

– A jeżeli rzeczywiście będziemy musieli zarekomendować inne centrum...

– Zachwycimy klienta naszym dążeniem do zapewnienia mu pełnej satysfakcji. To tłumaczy, czemu ty jesteś właścicielką tego interesu, a ja jedynie menedżerem.

– To, Stello, wiąże się przede wszystkim z faktem, że się tu urodziłam i wychowałam. Za parę tygodni sezon wiosenny dobiegnie końca. Klienci zjawiający się w drugiej dekadzie maja szukają głównie kompozycji w donicach i skrzynkach, lub ewentualnie chcą zastąpić nowymi flancami rośliny, które im z jakichś powodów zwiędły. Gdy zaś nadejdą czerwcowe upały, będziesz się modlić, żeby po obniżonych cenach upchnąć wiosenno-letnie zapasy i zrobić miejsce na rośliny jesienne.

– W Michigan właściwie nie należy wsadzać niczego do ziemi przed drugą dekadą maja.

Roz zaczęła obsadzać kolejną skrzynkę.

– Tęsknisz za Północą?

– Ze względu na lojalność wobec Kevina chciałabym odpowiedzieć, że tak. Tylko że to nieprawda. Wcale nie miałabym ochoty tam wrócić. Z Michigan nie wiąże mnie nic oprócz wspomnień.

Wspomnienia były jednak bardzo ważne. Przecież nie tylko ona straciła męża – człowieka, którego kochała – ale przede wszystkim jej synowie stracili ojca. Gavin wciąż go pamiętał, lecz dla Luke'a Kevin był już tylko jakąś mityczną postacią. Jakie to niesprawiedliwe! Jeżeli Stella zdecyduje się na bliższy związek z Loganem, póki chłopcy są jeszcze tacy mali, wówczas...

Będzie nielojalna wobec zmarłego męża.

Przechodząc przez centrum pełne klientów przebierających w roślinach ustawionych na stołach, zauważyła, że Hayley usiłuje podnieść wielką czerwoną donicę z białymi niecierpkami.

– Ani mi się waż! – wykrzyknęła.

Na jej podniesiony głos wiele głów uniosło się ze zdziwieniem, Stella nie zwróciła jednak na to uwagi i przemaszerowała szybko przez salę. Podparła się pod boki i ze złością spojrzała na dziewczynę.

– Co ty wyprawiasz?!

– Pomyślałam, że ta donica będzie ładnie wyglądać na ladzie, przy kasie.

– Zapewne będzie. Ale czy pomyślałaś, w którym jesteś miesiącu?

Hayley spojrzała na swój przypominający dużą piłkę brzuch.

– Raczej trudno o tym zapomnieć.

– Jeżeli chcesz przenosić donice z kwiatami, masz poprosić kogoś o pomoc.

– Przecież jestem silna jak wół.

– I za miesiąc rodzisz.

– Usłuchaj jej, skarbie. – Jedna z klientek poklepała Hayley po ramieniu. – Zawsze lepiej dmuchać na zimne. A poza tym, gdy już dziecko znajdzie się na tym świecie, będziesz cały czas zabiegana. Skorzystaj więc z okazji i pozwól, żeby inni cię teraz rozpieszczali.

– Muszę nieustannie mieć na nią oko – powiedziała Stella. – Wyjątkowo piękna ta lobelia, prawda?

Kobieta spojrzała na swój wózek.

– Rzeczywiście. Zachwycił mnie jej głęboki błękit. Pomyślałam, że obok posadzę czerwono kwitnącą szałwię, a z tyłu może orliki?

– Świetny wybór.

– Na końcu rabaty mam jeszcze trochę miejsca i nie bardzo wiem, co będzie tam dobrze wyglądać. – Przygryzła wargę, przebiegając wzrokiem po wielu kwitnących roślinach ustawionych na stołach. – Jeżeli macie trochę czasu, chętnie skorzystałabym z waszej pomocy.

– Od tego właśnie tu jesteśmy – odparła Stella. – Mamy wspaniałe wielobarwne malwy, dość wysokie, by umieścić je za orlikami. Natomiast gdyby chciała pani stworzyć kontrastujące tło dla szałwii, proponuję te margerytki.

Stella poleciła Hayley wybrać kilka margerytek, sama zaś pokazała klientce jeszcze inne kwiaty. W końcu wspólnymi siłami zaczęły zapełniać wózek.

– Już nie mogę się doczekać, kiedy zasadzę te wszystkie kwiaty w ogrodzie. Moi sąsiedzi zzielenieją z zazdrości.

– Proszę ich wówczas przysłać do nas.

– Już nieraz tak robiłam. Zaopatruję się w tej firmie od dnia, gdy powstała. Kiedyś mieszkałam zaledwie półtora kilometra stąd, ale dwa lata temu przeniosłam się do Memphis. Mimo że teraz muszę przejechać ponad dwadzieścia kilometrów, i tak korzystam z waszych usług, bo wiem, że tu zawsze znajdę coś niezwykłego.

– Bardzo miło nam to słyszeć. Czym jeszcze moglibyśmy pani służyć? Potrzebuje może pani nawozu lub świeżej ściółki?

– Nie, ale... ponieważ wózek jest już całkiem pełny, czy któryś z tych silnych młodzieńców mógłby mi dopchać go do kasy, a potem pomóc załadować rośliny do bagażnika?

– Oczywiście, natychmiast się tym zajmę – powiedziała Stella, po czym posłała Hayley znaczące spojrzenie. – A ty się zachowuj!

– Jesteście siostrami? – spytała klientka, gdy Stella ruszyła przed siebie.

– Nie. To moja szefowa. A dlaczego pani pyta?

– Pewnie dlatego, że patrząc na was, przypomniałam sobie, jak często zdarza mi się strofować moją młodszą siostrę, szczególnie gdy się o nią niepokoję.

– Naprawdę? – Hayley zerknęła w stronę oddalających się pleców Stelli. – W takim razie pewnie łączy nas coś w rodzaju siostrzanych uczuć.

Stella wiedziała, że niewielki wysiłek fizyczny jest korzystny dla ciężarnych kobiet, w żadnym razie jednak nie chciała się zgodzić, by po całym dniu pracy Hayley maszerowała do domu na piechotę. Dlatego co wieczór pakowała ją do samochodu i odwoziła na miejsce.

– Kiedy ja lubię spacerować.

– Po kolacji będziesz sobie mogła pospacerować po ogrodzie. Nie ma jednak mowy, żebyś chodziła taki szmat drogi i to jeszcze przez las, dziecino. Nie w twoim obecnym stanie.

– Czy zamierzasz mnie tak prześladować przez następne cztery tygodnie?

– Jak najbardziej.

– Wiesz, co powiedziała pani Tyler, ta kobieta, której pomagałyśmy wybierać rośliny?

– Nie.

– Że pewnie jesteśmy siostrami, bo tak mnie męczysz, jak ona swoją młodszą siostrę. Kiedyś mi się to podobało – teraz mnie irytuje.

– Trudno.

– Umiem o siebie zadbać.

– Wiem. Zamierzam jednak ci w tym pomagać.

– Jeżeli ty mnie nie strofujesz, robi to Roz. Niedługo ludzie zaczną ją brać za moją matkę – westchnęła Hayley, po czym zrzuciła buty z nóg.

– Bolą cię stopy?

– Nie, wszystko w porządku.

– Mam fantastyczny żel do stóp. Jak tylko przyjedziemy, zrobimy z niego użytek, a potem poleżysz chwilę z nogami do góry.

– Teraz już prawie nie mogę sięgnąć do własnych stóp. Czuję się...

– Gruba, niezdarna i powolna – skończyła za nią Stella.

– Oraz niemiła i zrzędząca. – Dziewczyna odgarnęła z twarzy wilgotne od potu pasma włosów. Najchętniej ogoliłaby się teraz na łyso. – A do tego wiecznie zgrzana.

Stella natychmiast podkręciła klimatyzację, a Hayley ogarnęły wyrzuty sumienia i ledwo zdołała powstrzymać łzy.

– Jesteś dla mnie taka miła – wszyscy są dla mnie wyjątkowo mili – a ja odpłacam wam niewdzięcznością. Ale wciąż czuję się taka zmęczona i na dodatek mam wrażenie, że już do końca życia będę chodzić w ciąży.

– Obiecuję ci, że nie będziesz.

– I poza tym... Stello, pamiętasz, jak ostatnio w szkole pokazywali nam poród na wideo? Ja po prostu nie dam rady przez to przejść. Nie dam rady.

– Będę przy tobie, Hayley. Wszystko pójdzie dobrze. Nie powiem ci, że będzie lekko, bo nie będzie. Ale to wyjątkowo ekscytujące przeżycie. Zachwycające.

Wjechały na podjazd i zobaczyły chłopców grających w baseball z Harperem.

– I warte tego wysiłku – dodała Stella, wskazując głową na synów. – Gdy tylko weźmiesz dziecko w ramiona, zrozumiesz, co mam na myśli.

– Nie umiem sobie wyobrazić, że będę mamą. Kiedyś mogłam. Ale im bliżej porodu, tym trudniej mi to pojąć.

– To naturalne. Nikt nie może wyobrazić sobie cudu. I to normalne, że się denerwujesz. Dziwiłabym się, gdyby było inaczej.

– Denerwowanie się wychodzi mi doskonale.

Kiedy tylko Stella zaparkowała przed domem, do samochodu podbiegli chłopcy.

– Mamo! Mamo! Gramy w baseball i odbiłem piłkę już cały milion razy.

– Cały milion? – Stella spojrzała na Luke'a szeroko otwartymi oczami. – To musiałeś chyba pobić jakiś rekord.

– Chodź pograć z nami, mamusiu! – Gavin zaczął ciągnąć ją za rękę, podczas gdy Parker obskakiwał jej nogi. – Proszę!

– Dobrze, choć obawiam się, że o milionie odbić nawet nie mam co marzyć.

Harper podskoczył do samochodu od strony Hayley.

– Pomóc ci?

Dziewczyna nie mogła wsunąć nabrzmiałych stóp w buty i łzy wściekłości napłynęły jej do oczu.

– Jestem ciężarna, a nie sparaliżowana – odparowała.

Przestała zawracać sobie głowę butami i zaczęła niezdarnie wysiadać z samochodu. Zanim zorientowała się, co robi, odtrąciła wyciągniętą dłoń Harpera.

– Po prostu zostaw mnie w spokoju, dobrze?

– Przepraszam. – Natychmiast wsunął ręce do kieszeni.

– Duszę się, gdy wszyscy wiszą mi nad głową przez cały boży dzień – oznajmiła i energicznie ruszyła w stronę domu, starając się nie kołysać przy tym na boki.

– Ona jest zmęczona, Harper – wtrąciła miękko Stella. – Zmęczona i rozdrażniona. To normalne na tym etapie ciąży.

– Może powinna przestać pracować.

– Gdybym jej to zaproponowała, wpadłaby w szał. Praca pozwala jej zapomnieć o tym, co ją czeka. A wszyscy pilnujemy, żeby się nie forsowała – co też dodatkowo ją irytuje. Podejrzewam, że czuje się osaczona.

– Mamo!

Uniosła dłoń, by powstrzymać niecierpliwość chłopców.

– Ofuknęłaby każdego, kto w takiej sytuacji chciałby jej podać rękę. To nie było nic osobistego.

– Jasne. No, dobrze. Pójdę doprowadzić się do porządku. – Odwrócił się w stronę chłopców, wyrywających sobie nawzajem plastikowy kij. – Pogramy później – obiecał. – I czeka was sromotna porażka.

Duszne i gorące popołudnie stanowiło pierwszą zapowiedź nadchodzącego lata. Mimo działającej klimatyzacji, lekkiego stroju i wysoko upiętych włosów, Stella pociła się w swoim małym biurze.

Właśnie skończyła opracowywać harmonogram prac na nadchodzący tydzień, gdy ktoś zapukał do drzwi.

– Proszę! – powiedziała i sięgnęła po termos z mrożoną kawą, którą teraz przygotowywała każdego ranka. W drzwiach stanął Logan i Stella poczuła miły dreszcz. – Cześć. Myślałam, że pracujesz dziś u pani Fields.

– Wygoniła mnie ulewa.

– Naprawdę? – Odwróciła się w stronę maleńkich okien i ujrzała ścianę deszczu. – Nie zauważyłam.

– Te liczby i tabele muszą być bardzo absorbujące.

– Tylko dla wybranych.

– Słuchaj, to idealny dzień na wagary. Może wyjdziemy pobiegać w deszczu, Rudzielcu?

– Nie mogę. – Szerokim gestem wskazała na biurko. – Mam mnóstwo pracy.

– Uwijałaś się jak w ukropie przez całą wiosnę. Jestem pewien, że Roz nie będzie miała nic przeciwko temu, jeśli weźmiesz sobie parę godzin wolnego w to deszczowe popołudnie.

– Roz nie. Ale ja tak.

– Coś podobnego przemknęło mi przez głowę. – Uniósł nieforemny pojemnik na ołówki, niewątpliwie wykonany przez dziecko. – Gavin czy Luke?

– Gavin, w wieku siedmiu lat.

– Unikasz mnie, Stello?

– Nie. No może trochę – przyznała. – Ale naprawdę ostatnio jestem bardzo zajęta. I tu, i w domu. Hayley pozostały tylko trzy tygodnie do porodu i staram się mieć ją cały czas na oku.

– Myślisz, że mogłabyś sobie wygospodarować kilka wolnych godzin, powiedzmy w piątek wieczór? Poszlibyśmy do kina.

– W piątki zazwyczaj zabieram gdzieś dzieci.

– Doskonale. Właśnie wyświetlają nowy film Disneya. Przyjadę po was o szóstej. Przed kinem pójdziemy na pizzę.

– Och, ja... To było podstępne z twojej strony.

– Cel uświęca środki.

– Loganie, czy kiedykolwiek byłeś w kinie z dwójką dzieci?

– Nie. To będzie dla mnie całkiem nowe, interesujące doświadczenie. – Podszedł do niej, chwycił ją pod łokcie i uniósł w górę bez większego wysiłku. – Zacząłem za tobą tęsknić.

Pochylił się i zaczął ją całować, jednocześnie gładząc dłonią po plecach. Stella zarzuciła mu ręce na szyję i ochoczo oddała pocałunek. Po jakimś czasie jednak wróciła jej przytomność umysłu i oderwała się od Logana.

– Wygląda na to, że ja też się za tobą stęskniłam. Wiesz, dużo ostatnio rozmyślałam.

– W to nie wątpię. – Pociągnął ją za kosmyk włosów, który wymknął się z węzła. – Do zobaczenia w piątek.

Kiedy wyszedł, Stella z powrotem usiadła za biurkiem.

– Tylko jakoś nie mogę sobie przypomnieć, co było tematem tych rozmyślań – mruknęła.

To rzeczywiście było interesujące doświadczenie. Głównie dlatego, że Logan nadspodziewanie dobrze poradził sobie w nowej sytuacji. Od razu nawiązał z chłopcami dobry kontakt i szybko się okazało, że mają wiele wspólnych tematów do omówienia. Stella zazwyczaj swobodnie włączała się do dyskusji synów na temat komiksów i baseballu, ale w rozmowie z Loganem chłopcy zaczęli poruszać tak skomplikowane kwestie, że szybko przestała się orientować, o czym właściwie mówią.

W pewnej chwili odniosła nawet wrażenie, że Spiderman będzie grał na trzeciej bazie w drużynie Atlanta Braves.

– Mogę sam zjeść pięćdziesiąt kawałków – oznajmił Luke, gdy na stole pojawiła się duża pizza. – A zaraz potem wsunąć pięć dużych kubełków popcornu.

– Wtedy na pewno byś się porzygał!

Stella uznała za stosowne poinformować Gavina, że przy jedzeniu nie należy rozmawiać o takich rzeczach, ale Logan popsuł jej szyki.

– Lepiej się wyrzygać tuż po zjedzeniu pizzy, bo wtedy ma się w brzuchu więcej miejsca na kukurydzę.

Mądrość tego stwierdzenia wprawiła chłopców w szczery zachwyt.

– Ej! – Luke przybrał nagle wojowniczą minę. – Gavin ma na swoim kawałku więcej pepperoni. Ja mam tylko dwa plasterki, a on aż trzy.

Gavin już zaczął pogardliwie wykrzywiać usta i mrużyć oczy, gdy Logan włączył się do akcji.

– Rzeczywiście. To niesprawiedliwe. Ale zaraz temu zaradzimy. – Pochwycił plasterek kiełbasy z kawałka Gavina i wrzucił sobie do ust. – Teraz macie po równo.

To wywołało ogólną wesołość. Chłopcy łakomie pochłonęli pizzę, narobili dookoła mnóstwo bałaganu i zanim w końcu dotarli do kina, byli już tak rozbrykani, że Stella zaczęła się niepokoić.

– Pamiętajcie, że macie być cicho w czasie filmu – upomniała całą trójkę ostrym głosem.

– Postaram się – odparł Logan poważnym głosem. – Ale czasami po prostu nie mogę się powstrzymać od gadania.

Chłopcy znowu zaczęli chichotać i uspokoili się dopiero wtedy, gdy dostali po dużym kubełku popcornu.

Stella wiedziała, że niektórzy mężczyźni starają się na siłę przypodobać dzieciom, żeby w ten sposób zdobyć serce ich matki. Ale wiedziała, że są i tacy, którzy z radością bawią się z dziećmi, bo są one dla nich interesującą nowością.

Logan był bardzo swobodny w kontakcie z chłopcami i wyraźnie nie przeszkadzało mu, że musi oglądać film w towarzystwie dwóch gadających małpek.

W połowie filmu, zgodnie z przewidywaniami, Luke zaczął się niespokojnie kręcić. Dwie szklanki coli i jeden mały pęcherz – trzeba było temu jak najszybciej zaradzić. Ale Luke nigdy nie chciał wyjść w czasie filmu, by nie ominęła go żadna ważna scena, Stellę czekała więc dłuższa przeprawa.

Już się nachylała, by rozpocząć dyskusję, gdy niespodziewanie uprzedził ją Logan. Nie usłyszała, co szepnął Luke'owi do ucha, ale chłopiec zachichotał i podniósł się bez najmniejszego sprzeciwu.

– Zaraz wracamy – oznajmił Logan cicho i wyprowadził Luke'a za rękę z sali.

O, rany. Ten mężczyzna z własnej, nieprzymuszonej woli zabrał jej synka do toalety! Poczuła, jak napływają jej do oczu łzy.

Nie mogła go za to nie pokochać.

Dwóch bardzo szczęśliwych chłopców wdrapało się na tylne siedzenie samochodu Logana. Gdy tylko Stella zapięła im pasy, zaczęli podskakiwać i żywo rozprawiać o co ciekawszych fragmentach filmu.

– Chłopaki... – Logan oparł się ramieniem o kierownicę i odwrócił w ich stronę – ...przygotujcie się na to, że za chwilę pocałuję waszą mamę.

– A dlaczego chcesz ją pocałować? – zainteresował się Luke.

– Bo, jak zapewne sami zauważyliście, jest ładna i miła.

Pochylił się w jej stronę z rozbawieniem w oczach, a gdy podstawiła mu policzek, delikatnie obrócił jej głowę i miękko pocałował w usta.

– Ty nie jesteś ładny – zauważył Luke. – Dlaczego więc ona ciebie pocałowała?

– Dlatego, synu, że ze mnie niezły kawał faceta.

Mrugnął łobuzersko we wsteczne lusterko i wówczas spostrzegł, że Gavin przygląda mu się w pełnym powagi zamyśleniu.

Kiedy dojechali do domu, Luke był już bardzo śpiący.

– Zaniosę go na górę – zaproponował Logan.

– Nie, ja to zrobię. – Stella pochyliła się, by odpiąć pas synka. – Nie jestem pewna, czy powinieneś znowu pokazywać się na górze.

– Ona musi się do tego przyzwyczaić. – Odsunął Stellę i wziął Luke'a w ramiona. – Chodź, królu pizzy, zabieram cię do łóżka.

– Nie jestem wcale zmęczony.

– Jasne.

Rozespany chłopiec położył głowę na ramieniu Logana.

– Pachniesz inaczej niż mama. I masz twardszą skórę.

– Co ty powiesz?

Roz usłyszała ich kroki i wyszła do holu.

– Widzę, że wszyscy świetnie się bawili. Loganie, Stello, jak już położycie chłopców, przyjdźcie do biblioteki na drinka. Chciałabym z wami porozmawiać.

– Oczywiście.

– Wezmę go od ciebie. – Stella wyciągnęła ręce, ale Logan już zaczął wchodzić po schodach.

– Otworzę tymczasem butelkę wina – powiedziała Roz. – Dobranoc, skarbie – rzuciła do Gavina.

Kiedy Stella dogoniła Logana, zdejmował właśnie Luke'owi trampki z nóg.

– Ja to zrobię – powiedziała szybko. – A ty idź i dotrzymaj towarzystwa Roz.

Logan dalej zajmował się chłopcem, zastanawiając się przy tym, czy nerwowy ton Stelli wynika ze strachu przed duchem, czy też ma coś wspólnego z jego zachowaniem. Zerknął w jej stronę, ale w tym momencie jego uwagę przyciągnął stojący obok matki Gavin, nienaturalnie spokojny i milczący.

– Dobrze, zapakuj do łóżka Luke'a. Bo zdaje się, że ja i Gavin mamy ze sobą do pogadania, prawda?

Chłopiec wzruszył ramionami.

– Może.

– On też już musi iść spać.

– To nie potrwa długo. Zapraszam do mojego biura – zwrócił się do Gavina, wskazując na łazienkę.

– Loganie... – zaczęła Stella ostrzegawczym tonem.

– Wybacz. To męska rozmowa – oznajmił, zamykając jej drzwi przed nosem.

Przysiadł na brzegu wanny i uważnie spojrzał na chłopca. Uznał, że i dla niego, i dla Gavina będzie lepiej, jeżeli rozmówią się w cztery oczy.

– Czy nie podobało ci się, że pocałowałem twoją mamę?

– Nie wiem. Może. Kiedyś, jak byłem młodszy, widziałem, jak całowała jednego pana. Poszła z nim na kolację czy coś takiego, a my zostaliśmy z opiekunką. Kiedy się obudziłem, zobaczyłem, że on ją całuje. Ja go nie lubiłem, bo bez przerwy się do nas uśmiechał. – Gavin groteskowo rozciągnął usta, by to zademonstrować.

– W takim razie ja też go nie lubię.

– Czy całujesz wszystkie dziewczyny, które są ładne?

– No, cóż... w swoim życiu nacałowałem się trochę dziewczyn. Ale twoja mama jest wyjątkowa.

– Dlaczego?

Ten chłopiec wymagał jasnych, szczerych odpowiedzi, zdecydował Logan. A więc postara się ich udzielić.

– Bo na jej widok coś szczególnego dzieje się z moim sercem. Dziewczyny wywołują w nas różne dziwne reakcje, ale gdy chwytają cię za serce, to znaczy, że są wyjątkowe.

Gavin zerknął w stronę drzwi, a potem znowu spojrzał na Logana.

– Mój tata często ją całował. Dobrze to pamiętam.

– I powinieneś pamiętać.

Ku własnemu zdumieniu poczuł, że ma ochotę pogłaskać chłopca po głowie. Uznał jednak, że nie byłby to najlepszy moment.

W tym domu mieszkał niejeden duch i Logan miał tego pełną świadomość.

– Twój tata na pewno bardzo ją kochał. Ona też go gorąco kochała. Wiem, bo mi o tym sama powiedziała.

– Tatuś nie może do nas wrócić. Myślałem, że może to zrobi, choć mama upierała się, że nie. A gdy zaczęła przychodzić do nas ta pani, co śpiewa, myślałem, że i tata kiedyś przyjdzie. Jednak się nie pokazał.

Zapewne nie ma dla dziecka większej tragedii niż utrata któregoś z rodziców. On przecież był już starym koniem, a nie mógł sobie wyobrazić śmierci mamy lub ojca.

– Nie pokazał się, ale na pewno nad wami czuwa. Wierzę, że gdy odchodzą od nas ludzie, którzy nas kochali, to nadal się nami opiekują. Wasz tata zawsze będzie się wami opiekował.

– W takim razie musiał widzieć, że całujesz mamę, bo nią też się opiekuje.

– Myślę, że widział – zgodził się Logan. – Sądzę jednak, że nie jest z tego powodu zagniewany czy zasmucony, bo wie, że bardzo chcę, aby była szczęśliwa. Może jak się lepiej poznamy, tobie też nie będzie przeszkadzać, że całuję twoją mamę.

– Czy z sercem mamy też dzieje się coś dziwnego, kiedy na ciebie patrzy?

– Mam taką głęboką nadzieję, bo byłoby mi ciężko, gdyby się okazało, że to uczucie jest jednostronne. Słuchaj, Gavinie, nie wiem, czy umiem ci to dobrze wytłumaczyć. Jeszcze nigdy tego nie robiłem ani nawet się nad tym nie zastanawiałem. Chcę jednak, żebyś coś wiedział. Jeśli wszyscy zdecydujemy, że razem, we czwórkę, bylibyśmy szczęśliwi, twój tata będzie nadal twoim tatą. Zawsze. Ja to rozumiem i szanuję.

– Okay. – Chłopiec uśmiechnął się i uścisnął wyciągniętą dłoń Logana. – W każdym razie lubię cię o wiele bardziej niż tamtego pana.

– Dobrze wiedzieć.

Kiedy wyszli z łazienki, Luke już spał otulony prześcieradłem. Stella posłała Loganowi pytające spojrzenie, on jednak tylko uniósł brwi, a potem odsunął się na bok, żeby mogła położyć Gavina do łóżka.

Chwilę później wyszli do holu i Logan z rozmysłem chwycił ją za rękę.

– Jeżeli chcesz wiedzieć, to go zapytaj – uprzedził jej wszelkie pytania. – To jego sprawa.

– Nie chcę tylko, żeby był nieszczęśliwy.

– Czy gdy go kładłaś, wyglądał na nieszczęśliwego?

– Nie... raczej nie.

Ledwo stanęli u szczytu schodów, owiał ich lodowaty podmuch. Logan odruchowo otoczył Stellę ramieniem i przycisnął mocno do siebie. Fala chłodu przemknęła gwałtownie obok nich i nie minęło kilka sekund, a usłyszeli cichy śpiew.

– Złości się tylko na nas – szepnęła Stella, gdy Logan wykonał taki ruch, jakby miał zamiar wrócić do pokoju chłopców. – Dzieciom nigdy nie zrobiłaby krzywdy. Zostawmy ją w spokoju. Mam na dole monitor głosu, usłyszę, gdyby mnie potrzebowali.

– Jak ty tu możesz spać?

– O, dziwo, nie mam z tym żadnych problemów. Z początku, oczywiście, nie wierzyłam w jej istnienie, więc nie mogła spędzać mi snu z powiek.

Teraz natomiast wiem, że kocha chłopców i nad nimi czuwa. Tej nocy, kiedy nocowali u dziadków, przyszła do mojej sypialni i płakała. Bardzo było mi jej żal.

– Rozmawiacie o naszej zjawie? – spytała Roz, gdy weszli do biblioteki. – To dobrze, bo i ja chcę o niej pogadać. – Podała im kieliszki napełnione winem. Gdy Stella włączyła głośnik aparatu ustawionego w pokoju chłopców, Roz zamyśliła się na chwilę. – Dziwnie się czuję, słysząc znów ten śpiew po tak wielu latach.

– Mnie natomiast przyprawia on o dreszcze – przyznał Logan, wpatrując się w urządzenie.

– Przywykniesz do tego – zapewniła Stella. – A gdzie Hayley?

– Była zmęczona... trochę rozklejona i rozdrażniona – odrzekła Roz. – Poszła na górę z wielką szklanką bezkofeinowej coli i zapowiedziała, że poczyta przed snem. Już z nią przedyskutowałam, co trzeba, więc możesz spokojnie usiąść.

Wskazała Stelli jeden z foteli stojących przy niskim stoliku, na którym znajdował się duży talerz z winogronami, i drugi z cienkimi krakersami i serem brie.

Sama też rozsiadła się wygodnie, po czym skubnęła zielone grono.

– Postanowiłam zadziałać nieco energiczniej w sprawie naszej tajemniczej rezydentki.

– Chcesz odprawić egzorcyzmy? – spytał Logan, zerkając w stronę głośnika, z którego płynął cichy śpiew.

– Nie aż tak energicznie. Chcemy poznać jej historię i dowiedzieć się, co łączy ją z tym domem. Ale nie posuwamy się zbyt szybko do przodu, głównie dlatego, że nie umiemy właściwie się do tego zabrać.

– Nie możemy poświęcić tej sprawie zbyt wiele czasu – zauważyła Stella.

– Co dodatkowo przemawia za zaangażowaniem kogoś do pomocy. Pochłania nas praca, a do tego jesteśmy amatorami. Powinniśmy więc zwrócić się do osoby, która zna się na rzeczy i ma czas na odpowiednie poszukiwania.

– Koniec koncertu na dziś – oznajmił Logan, gdy cichy śpiew umilkł.

– Niekiedy Oblubienica przychodzi do chłopców kilka razy w ciągu nocy. – Stella podsunęła mu talerzyk z krakersami. – Czy znasz kogoś, kto podjąłby się tego zadania, Roz?

– Jeszcze nie wiem, czy by się podjął. Na razie popytałam tu i ówdzie o fachowca zajmującego się odtwarzaniem rodzinnych dziejów. Polecono mi pewnego naukowca z Memphis, doktora Mitchella Carnegie. Swego czasu był wykładowcą na uniwersytecie w Charlotte, przeniósł się tu parę lat temu. Od czasu do czasu wygłasza gościnnie jakiś wykład na uniwersytecie w Memphis, ale głównie poświęcił się pisaniu książek. Przede wszystkim biografii.

– To rzeczywiście może być odpowiedni człowiek – stwierdziła Stella, rozsmarowując odrobinę brie na krakersie. – Profesjonalista na pewno osiągnie lepsze rezultaty od nas.

– Nie wiadomo – wtrącił Logan. – To zależy od tego, jaki ma stosunek do duchów.

– Zamierzam umówić się z nim w najbliższym czasie – oznajmiła Roz, unosząc kieliszek do ust. – Wkrótce więc się dowiemy, co sądzi o tej sprawie.

# 18

Chociaż Harper miał wrażenie, że ryzykuje życie, postanowił pilnie wypełnić instrukcje. Odszukał więc Hayley w centrum. Siedziała za ladą, na wysokim stołku, otoczona doniczkami z barwnymi kwiatami. Miała na sobie... koszulę? tunikę?... jakkolwiek się to nazywało, w kolorze ostrej czerwieni, a w uszach duże, srebrne koła, które wynurzały się spod włosów, ilekroć poruszyła głową.

Wysoki kontuar zasłaniał jej brzuch, tak więc wcale nie wyglądała na kobietę w ciąży. Jedynie w jej oczach widać było lekkie zmęczenie. No i jej twarz wydawała się lekko obrzmiała – może z braku snu, a może dlatego, że Hayley przybrała na wadze. Tak czy owak, Harper uznał, że nie jest to odpowiedni temat do rozmowy. Prawdę mówiąc, od jakiegoś czasu Hayley reagowała złością na każde wypowiadane przez niego słowo.

Nie spodziewał się więc, że tym razem będzie inaczej. Obiecał jednak, że dla sprawy da się nawet ukrzyżować.

Poczekał, aż dziewczyna załatwi klientów, zebrał się na odwagę i podszedł do lady.

– Cześć.

Spojrzenie, jakim go obrzuciła, nie zachęcało specjalnie do dalszej rozmowy.

– Cześć. Co cię wyciągnęło z twojej jaskini?

– Skończyłem na dzisiaj. A przed chwilą zadzwoniła do mnie mama i poprosiła, żebym cię po pracy przywiózł do domu.

– Cóż, ja jeszcze nie skończyłam – rzuciła wojowniczo. – Po centrum wciąż kręci się parę osób, poza tym do moich sobotnich obowiązków należy zamknięcie sklepu.

Harper zauważył w duchu, że nie takiego tonu używała, gdy zwracała się do klientów. Zaczynał powoli podejrzewać, że ten jest zarezerwowany tylko dla niego.

– Tak, ale Roz powiedziała, że pilnie potrzebuje cię w domu. Larry i Bill mają obsłużyć maruderów i wszystko pozamykać.

– O co jej może chodzić? I właściwie dlaczego nie zadzwoniła bezpośrednio do mnie?

– Nie mam pojęcia. Jestem tylko posłańcem. – Wolał się nie zastanawiać, jak niekiedy kończą posłańcy. – Uprzedziłem już o wszystkim Larry'ego. Możemy więc jechać.

Hayley powoli zaczęła się zsuwać ze stołka. Harpera aż świerzbiły ręce, żeby jej pomóc, ale doszedł do wniosku, że gdyby spróbował, natychmiast odrąbałaby mu dłonie.

– Mogę iść do domu na piechotę – oświadczyła.

– Jezu, daj spokój. – Wcisnął ręce do kieszeni i posłał jej gniewne spojrzenie. – Czemu stawiasz mnie w trudnej sytuacji? Jeżeli pozwoliłbym ci wrócić pieszo, mama urwałaby mi głowę. A jak już skończyłaby ze mną, ty też dostałabyś za swoje. Więc po prostu się zbierajmy.

– Och, niech ci będzie.

Nie miała pojęcia, czemu jest tak zbuntowana i zła. Czemu czuje się tak strasznie zmęczona i obolała. Pomimo zapewnień lekarza, że wszystko przebiega jak najbardziej prawidłowo, bała się, że coś będzie nie tak – z nią albo z maleństwem.

Dziecko urodzi się chore lub zdeformowane, tylko dlatego że ona...

Właściwie nie wiedziała dlaczego. Cokolwiek jednak się wydarzy złego, będzie to jej wina.

Chwyciła torebkę i wypadła na zewnątrz.

– Do końca mojej pracy zostało zaledwie pół godziny – rzuciła gderliwie, walcząc z drzwiami niskiego, sportowego samochodu. – Jaka sprawa może być tak pilna, że nie można poczekać trochę ponad trzydzieści minut?

– Nie wiem.

– Chyba nie skontaktowała się jeszcze z tym facetem od badania dziejów rodziny?

Harper usiadł za kierownicą i ruszył z miejsca.

– Nie.

– Ty jakoś nie wydajesz się zainteresowany tą sprawą. Dlaczego nie przychodzisz na nasze spotkania w sprawie Oblubienicy?

– Na pewno przyjdę, jeśli tylko będę miał coś ciekawego do powiedzenia.

Od Hayley dolatywał bardzo seksowny zapach, co wprawiło go w rozdrażnienie. Na szczęście przejażdżka była krótka.

Wjechał szybko na podjazd i ostro zakręcił przed domem.

– Jeżdżąc równie szybko taką szpanerską zabawką, wprost prosisz się o mandat.

– To nie jest żadna szpanerska zabawka, tylko doskonale skonstruowany, bezpieczny samochód sportowy. I wcale nie jechałem bardzo szybko. Co, do cholery, jest we mnie takiego, że nieustannie się mnie czepiasz?

– Wcale się ciebie nie czepiam, zrobiłam jedynie drobną uwagę. Dobrze chociaż, że nie zdecydowałeś się na czerwony kolor. – Otworzyła drzwi i zdołała wystawić nogi na zewnątrz. – Większość facetów chce, żeby takie auto rzucało się w oczy również ostrą barwą. Podejrzewam, że mandaty nie wysypują się jeszcze z tego schowka tylko dlatego, że twój samochód jest czarny.

– Od dwóch lat nie dostałem żadnego mandatu za przekroczenie prędkości.

Hayley tylko prychnęła kpiąco.

– No, dobrze. Od osiemnastu miesięcy, ale...

– Czy możesz na pięć sekund zaprzestać tej sprzeczki i pomóc mi wydostać się z twojego cholernego auta? Nie mogę się podnieść.

Niczym sprinter ruszył w stronę jej drzwi. Nie bardzo wiedział, jak ma sobie poradzić z tym zadaniem. Z początku chwycił ją za ręce i próbował wyciągnąć na zewnątrz, szybko jednak się przestraszył, że w ten sposób może... coś uszkodzić.

Pochylił się więc, chwycił ją pod pachy i uniósł ostrożnie.

W tym momencie poczuł ruchy tego czegoś, co znajdowało się w jej brzuchu.

To było... fantastyczne.

Hayley szybko od niego odskoczyła.

– Dzięki – rzuciła.

Czuła się strasznie upokorzona, że nie mogła już zapanować nad swoim ciałem na tyle, by samodzielnie wydostać się z tego głupiego auta. Choć, oczywiście, gdyby Harper nie wcisnął jej do swojej idiotycznej zabawki, nigdy nie musiałaby przeżywać takiego wstydu. To wszystko jego wina.

Teraz marzyła jedynie o zjedzeniu półkilogramowego opakowania lodów waniliowych i posiedzeniu w chłodnej kąpieli. Najchętniej już do końca życia.

Gwałtownie otworzyła drzwi wejściowe i energicznie wkroczyła do środka.

– Niespodzianka!

Ten okrzyk sprawił, że serce podjechało jej do gardła, a płatający ostatnio figle pęcherz o mało nie zawiódł.

W salonie z sufitu zwieszały się girlandy z różowej i niebieskiej bibułki, a w kątach tańczyły pękate białe balony. Na wysokim stole piętrzyły się pięknie opakowane pudełka z artystycznie zawiązanymi kokardami na wierzchu. W pokoju roiło się od kobiet. Była Stella, Roz, wszystkie dziewczyny pracujące w centrum, a nawet kilka stałych klientek.

– Czemu masz taką przerażoną minę, skarbie? – Roz podeszła do Hayley i objęła ją ramieniem. – Chyba nie sądziłaś, że pozwolimy ci urodzić dziecko, nie obdarowawszy cię wcześniej wyprawką.

– Wyprawka... – Dziewczyna uśmiechnęła się promiennie, a jednocześnie po jej policzkach zaczęły płynąć łzy.

– Chodź i siadaj na reprezentacyjnym miejscu. Zanim przejdziemy do konkretów, możesz wypić kieliszek magicznego szampańskiego ponczu zrobionego przez Davida.

– To jest... – Podeszła do ustawionego na środku fotela, przystrojonego tiulem i balonami. – Nie mam pojęcia, co powiedzieć.

– W takim razie usiądę obok ciebie, by dodać ci otuchy, kochanie. Mam na imię Jolene, jestem macochą Stelli. – Nieznajoma starsza kobieta poklepała Hayley po dłoni, a potem pogłaskała po brzuchu. – I straszną gadułą.

– Proszę bardzo. – Stella podała przyjaciółce kieliszek ponczu.

– Dziękuję. Bardzo wam dziękuję. To najmilsza rzecz, jaką ktokolwiek, kiedykolwiek dla mnie zrobił.

– Wypłacz się spokojnie, skarbie. – Jolene podała dziewczynie obszytą koronką chusteczkę. – A potem zaczniemy się pysznie bawić.

I rzeczywiście, zabawa była doskonała. W pokoju bez przerwy rozlegały się głośne ochy i achy, gdy Hayley wyciągała z pudełek maleńkie, cudne ubranka, mięciutkie jak puch kołderki, ręcznie dziergane buciki i całe stada pluszowych zwierzątek. Potem wszyscy zajadali się tortem, a na koniec odbyły się różne śmieszne gry i zabawy.

Po raz pierwszy od wielu dni Hayley wreszcie się odprężyła.

– Jeszcze nigdy tak dobrze się nie bawiłam. – Rozentuzjazmowana, wpatrywała się w górę prezentów, które Stella ponownie poukładała na stole. – Wiem, że to było przyjęcie przede wszystkim dla mnie, ale inne panie chyba też nie uznają tego czasu za stracony, jak sądzicie?

– Żartujesz? – Stella siedziała na podłodze i starannie składała ozdobny papier, w który były pozawijane pudełka. – To świetne przyjęcie!

– Czy zamierzasz poskładać te wszystkie papiery? – spytała Roz.

– Pewnego dnia Hayley będzie się cieszyć, że je zachowała. A składam jedynie te, których nie podarła na strzępy.

– Przykro mi, ale nie mogłam się powstrzymać. Byłam taka podniecona. Muszę zapamiętać, co od kogo dostałam, żeby powysyłać kartki z podziękowaniami.

– Podczas gdy ty dobierałaś się do prezentów, zrobiłam odpowiednią listę.

– To oczywiste, że zrobiłaś listę, skarbie. – Roz nalała sobie kolejny kieliszek ponczu, rozsiadła się w fotelu i wyciągnęła przed siebie nogi. – Boże, jestem skonana.

– Musiałyście się bardzo napracować, żeby przygotować tę wspaniałą niespodziankę. – Hayley poczuła ogromne wzruszenie. – Wszyscy są tacy... O, rany, już zapomniałam, że ludzie potrafią być równie dobrzy. Tylko popatrzcie na te wszystkie cuda. Na przykład na tę żółtą sukieneczkę w misie! I na huśtawkę dla maleństwa! Stello, nie wiem, jak ci za nią dziękować.

– Ja swego czasu zginęłabym marnie bez huśtawki.

– Jak to uroczo z waszej strony, że zorganizowałyście dla mnie to przyjęcie. Nawet sobie nie wyobrażacie, jaka wam jestem wdzięczna.

– Zapewne nie masz wątpliwości, kto to wszystko zorganizował. – Roz kiwnęła głową w stronę Stelli. – Tak nami wszystkimi dyrygowała, że David zaczął ją nazywać generałem Rothchildem.

– Muszę podziękować Davidowi za przepyszne desery. Wprost nie mogę uwierzyć, że zjadłam aż dwa kawałki tortu. Mam wrażenie, że zaraz pęknę.

– Jeszcze przez chwilę nie pękaj, bo to nie koniec imprezy. Żebym ja mogła ci dać prezent, musimy iść na górę.

– Ale przecież już samo przyjęcie...

– To był wysiłek zbiorowy – odparła Roz. – Mam nadzieję, że spodoba ci się niespodzianka czekająca na ciebie na piętrze.

– Nakrzyczałam na Harpera – wyznała Hayley, gdy wszystkie trzy ruszyły na górę po schodach.

– Nie ty pierwsza i nie ostatnia.

– Ale teraz bardzo tego żałuję. On wam pomagał, a ja urządziłam mu istne piekło. Powiedział, że bez przerwy się go czepiam, i miał świętą rację.

– Przy najbliższej okazji go za to przeprosisz. – Roz skierowała się w stronę zachodniego skrzydła, minęła pokój Stelli, a potem sypialnię Hayley. – Proszę, skarbie, to dla ciebie – powiedziała, otwierając następne drzwi.

– O Boże! O mój Boże! – Dziewczyna przycisnęła dłonie do ust i z niedowierzaniem zaczęła rozglądać się wokół.

Ściany pokoju pomalowano na jasnożółty, ciepły kolor, a w oknach zawieszono koronkowe firanki.

Piękna kołyska z ciemnego drewna o czerwonawym połysku bez wątpienia była antykiem. Obok stał leżaczek, o którym Hayley marzyła od dłuższego czasu, a na który sama nigdy nie mogłaby sobie pozwolić.

– Kołyskę, komodę i fotel bujany jedynie ci wypożyczam, bo są w naszej rodzinie od prawie dziewięćdziesięciu lat. Ale cała reszta należy do ciebie. Ten stolik do przewijania, pościel i ręczniki. Stella wybrała dla ciebie dywanik i lampę. Natomiast Harper z Davidem odmalowali pokój i znieśli meble ze strychu.

Hayley nie wiedziała, co powiedzieć, więc tylko potrząsała z niedowierzaniem głową.

– Kiedy przyniesiemy tu wszystkie dzisiejsze prezenty, będziesz miała piękny pokój dziecinny – odezwała się Stella, delikatnie głaszcząc ją po plecach.

– Jestem zachwycona. Nigdy nawet nie śmiałam marzyć, że spotka mnie tyle dobroci. Tak bardzo... tak bardzo brakuje mi taty. Im bliżej do porodu, tym bardziej tęsknię za ojcem. Od dawna jestem smutna i przerażona, i niemiłosiernie się nad sobą rozczulam. A dzisiaj nagle taka niespodzianka. I nie chodzi mi wcale o prezenty, choć wszystko jest śliczne i bardzo mi się podoba, tylko o to, jak wiele serca okazałyście i mnie, i mojemu dziecku.

– Nie jesteś sama na świecie, Hayley. – Roz położyła dłoń na brzuchu dziewczyny. – Ani ty, ani twoje maleństwo.

– Wiem. Teraz już wiem. Zapewne poradzilibyśmy sobie tylko we dwoje. Ciężko pracowałam, by zapewnić sobie i dziecku pewne bezpieczeństwo. Nigdy jednak nie przypuszczałam, że ktoś tak się o nas zatroszczy. Jestem głupia.

– Nie. Po prostu jesteś w ciąży – odrzekła Stella.

– To zapewne wiele wyjaśnia. – Hayley zaśmiała się poprzez łzy. – Ale już niedługo będę mogła korzystać z tej wymówki. I nigdy, przenigdy nie zdołam wam się odwdzięczyć za to, co zrobiłyście. Nigdy.

– Myślę, że jeśli twoje dziecko będzie nosić po nas imiona, uznamy rachunki za wyrównane – rzuciła Roz nonszalanckim tonem. – Szczególnie jeśli urodzisz chłopca. Rosalind Stella... trochę mu będzie ciężko na początku w szkole, ale nie widzę innego wyjścia.

– Ejże, a czemu nie Stella Rosalind?

Roz spojrzała znacząco na Stellę.

– To jeden z tych nielicznych wypadków, kiedy starszeństwo popłaca.

W nocy Hayley na palcach przeszła do pokoju dziecinnego. Tylko po to, żeby podotykać wszystkich pięknych rzeczy i z rękami splecionymi na brzuchu usiąść na fotelu.

– Przepraszam, kochanie, że byłam ostatnio taka nieznośna – zaczęła szeptać. – Już czuję się dużo lepiej, bo wiem, że nie zginiemy. Czuwają nad tobą dwie dobre wróżki. Najwspanialsze kobiety, jakie spotkałam w życiu. Może nie zdołam im się odwdzięczyć za to wszystko, co dla nas zrobiły, ale przysięgam, że nie ma rzeczy, której bym nie zrobiła na prośbę jednej lub drugiej. Czuję się taka bezpieczna w tym domu. Przykro mi, że się ciebie bałam, moje maleństwo. Że tak bardzo się zamartwiałam.

Zamknęła oczy i zaczęła się lekko bujać.

– Tak chciałabym już trzymać cię w ramionach. Ubierać w te wszystkie prześliczne ciuszki, wdychać twój zapach i kołysać się z tobą na tym fotelu.

W pokoju nagle zapanował chłód i Hayley poczuła gęsią skórkę na ramionach. Nie ogarnął jej jednak strach, ale wielkie współczucie. Otworzyła oczy i spojrzała na kobietę stojącą przy kołysce.

Tego wieczoru miała na sobie, długą białą koszulę nocną, ubłoconą na dole. Rozpuszczone włosy spływały jej na plecy złocistymi splątanymi pasmami. Patrzyła też jakoś inaczej niż zwykle – w tym spojrzeniu był cień obłędu.

– Ty nie miałaś nikogo, prawda?

Ręce Hayley lekko drżały, cały czas jednak gładziła się po brzuchu, patrzyła na zjawę i nie przestawała mówić.

– Nikt ci nie pomógł, kiedy ogarnął cię strach. Gdybym była pozostawiona sama sobie, pewnie też postradałabym zmysły. I aż się boję myśleć, co wówczas stałoby się z moim dzieckiem. Na pewno bym nie przeżyła, gdyby ktoś mi je zabrał. Dlatego myślę, że trochę cię rozumiem.

W tym momencie Hayley usłyszała cichy jęk.

Chwilę później została sama w pokoju.

W poniedziałek Hayley znów siedziała na swoim stołku za ladą. Kiedy poczuła łupanie w krzyżu, zupełnie je zlekceważyła. Dopiero gdy musiała poczłapać do łazienki, poprosiła jedną z dziewczyn o zastępstwo.

Od samego rana miała wrażenie, że jej pęcherz skurczył się do rozmiarów ziarnka grochu.

Po wyjściu z toalety nie skierowała się w stronę lady, tylko ruszyła do biura Stelli. Chciała nie tylko rozprostować nogi, ale i załatwić pewną sprawę.

– Czy mogę już teraz zrobić sobie przerwę na lunch? – spytała. – Chciałabym znaleźć Harpera i przeprosić go za swoje humory. – Bała się tej rozmowy, jednak nie mogła jej już dłużej odwlekać. – W niedzielę nigdzie nie udało mi się go znaleźć, ale dziś zapewne siedzi w swojej jaskini.

– Jasne. Nie ma problemu. Ach, posłuchaj. Wpadłam przed chwilą na Roz i dowiedziałam się, że dzwoniła już do tego historyka, doktora Carnegie. Umówiła się z nim na koniec tygodnia, więc może sprawa posunie się naprzód... – Stella urwała i spojrzała na Hayley zmrużonymi oczami. – Jutro któraś z nas zawiezie cię na wizytę u lekarza. Teraz już nie powinnaś sama prowadzić.

– Jeszcze się mieszczę za kierownicą.

Chociaż z trudem, dodała w duchu.

– Tak czy owak, pojedziesz ze mną albo z Roz. Myślę też, że nie powinnaś już spędzać tak dużo czasu w sklepie.

– Jeżeli masz zamiar pozbawić mnie pracy, to najlepiej od razu zamknij mnie u czubków. Daj spokój, Stello. Wiele kobiet pracuje aż do ostatniej chwili. Poza tym, niemal przez cały dzień siedzę na tyłku. Cieszę się więc, że aby znaleźć Harpera, będę musiała trochę się przespacerować.

– A więc się przespaceruj – zgodziła się łaskawie Stella. – Tylko niczego nie dźwigaj. Absolutnie niczego.

– Zrzęda, okropna, męcząca zrzęda! – powiedziała Hayley ze śmiechem i ruszyła w stronę cieplarni.

Zatrzymała się przed wejściem. Wcześniej dokładnie sobie obmyśliła, co powie. Wiedziała, że Harper przyjmie jej przeprosiny – ostatecznie otrzymał bardzo staranne wychowanie, a do tego miał dobre serce. Ale Hayley bardzo zależało, by zrozumiał, że traktowała go tak niemiło, bo nie panowała nad swoimi emocjami.

Wzięła głęboki oddech i weszła do środka. Uwielbiała panujący tu zapach. Miała nadzieję, że pewnego dnia Harper lub Roz nauczą ją, jak hodować rośliny.

Harper siedział przy swoim stole, jak zwykle pochylony nad pracą. Miał na głowie słuchawki i wybijał stopą jakiś szybki rytm.

Boże, ależ to przystojny facet, jęknęła Hayley w duchu. Gdyby poznała go w księgarni, zanim jeszcze wszystko w jej życiu uległo zmianie, już by się postarała, żeby go usidlić. Te czarne, gęste włosy, mocno zarysowana szczęka i duże, marzycielskie oczy. No i ręce – ręce artysty o długich, wysmukłych palcach.

Gotowa była się założyć o duże pieniądze, że Harper wodzi za nos z tuzin kobiet, a następny ich tuzin tylko czeka na podobną szansę.

Ruszyła przed siebie, a on niemal w tym samym momencie odwrócił się w jej stronę.

– Chryste, Harper! Byłam pewna, że uda mi się ciebie zaskoczyć.

– Co takiego? Co mówisz? – Zerwał gwałtownie słuchawki z uszu. – Co powiedziałaś?

– Byłam pewna, że nie usłyszysz moich kroków.

– Ja... – Wcale jej nie usłyszał. Poczuł jej zapach. – Czy jestem ci do czegoś potrzebny?

– Owszem. Chciałam cię bardzo przeprosić, że w ciągu ostatnich kilku tygodni rzucałam ci się do gardła, gdy tylko otworzyłeś usta. Zachowywałam się jak najwredniejsza jędza.

– Nie. No, może tak. Ale nie ma o czym mówić.

Podeszła bliżej, żeby zobaczyć, czym się zajmuje. Dla niej był to jedynie pęk związanych razem łodyg.

– Byłam nieustannie rozdrażniona. Bałam się, jak sobie poradzę, jak się wszystko potoczy. Nie mogłam pojąć, czemu jestem taka gruba i brzydka.

– Nie jesteś gruba. I w żadnym razie nie jesteś brzydka.

– To bardzo miło z twojej strony, ale ciąża nie przytępiła mojego wzroku. Dobrze wiem, na co patrzę w lustrze każdego ranka.

– W takim razie na pewno wiesz, jaka jesteś piękna.

Spojrzała na niego rozbawiona.

– Muszę przedstawiać sobą obraz nędzy i rozpaczy, jeśli czujesz się w obowiązku flirtować z ciężarną kobietą cierpiącą na napady złego humoru.

– Ja wcale nie... ależ skąd... W każdym razie najważniejsze, że już się czujesz lepiej.

– Dużo lepiej. W końcu zrozumiałam, że za bardzo się nad sobą użalam. Kiedy twoja mama i Stella zorganizowały dla mnie to wyprawkowe przyjęcie, w pierwszym odruchu się poryczałam. Ale potem doskonale się wszystkie bawiłyśmy. Czy kiedykolwiek poznałeś macochę Stelli?

– Nie.

– To niesamowita kobieta. Umiałaby rozbawić najgorszego ponuraka. Tak pękałam ze śmiechu, że o mało nie wypchnęłam z siebie dziecka. Natomiast pani Haggerty...

– Pani Haggerty? Nasza pani Haggerty była na tym przyjęciu?

– Nie jedyna spośród klientek. No więc ona wygrała taki śmieszny konkurs, który polegał na tym, by wypisać jak najwięcej tytułów piosenek zawierających słowo „baby". Nigdy nie zgadniesz, co się znalazło na jej liście.

– W porządku. Poddaję się z góry.

– „Baby Got Back".

– Nie żartuj! Pani Haggerty znała tytuł rapowej piosenki?

– Owszem. A potem osobiście ją wykonała.

– Teraz już zmyślasz.

– Słowo honoru. Niemal posiusiałam się ze śmiechu. Ale z tego wszystkiego zaczynam zapominać, po co tutaj przyszłam. Ty zrobiłeś wszystko, żeby pomóc w przygotowaniu dla mnie tej wspaniałej niespodzianki, a ja warczałam i zrzędziłam. Jak słusznie zauważyłeś, czepiałam się ciebie na każdym kroku. I za to bardzo cię przepraszam.

– Naprawdę nie ma sprawy. Żona jednego z moich przyjaciół parę miesięcy temu urodziła dziecko. Przysięgam, że pod koniec ciąży miała długie kły, a nawet kilka razy jej oczy zaświeciły się na czerwono.

Hayley wybuchnęła śmiechem i przycisnęła dłoń do brzucha.

– Mam nadzieję, że nie dojdę do takiego stadium przed...

Urwała gwałtownie, bo poczuła dziwny skurcz. Nawet go usłyszała – usłyszała ciche „pyk".

A chwilę później poczuła, że coś cieknie jej po nogach.

Harper wydał z siebie jakiś dziwny, gardłowy dźwięk, po czym zerwał się ze stołka i zaczął coś opowiadać bez ładu i składu, podczas gdy Hayley ze zdumieniem wpatrywała się w kałużę na podłodze.

– O-o – powiedziała.

– Hm... nic się nie stało... wszystko w porządku... Może powinienem... może powinnaś...

– Och, na Boga jedynego, Harper! Ja się nie posiusiałam. Po prostu odeszły mi wody.

– Wody? Jakie wody? – zamrugał gwałtownie oczami, po czym zbladł jak płótno. – Ach, te wody. O, Jezu. O, Boże. Jasna cholera! Usiądź. Usiądź natychmiast... a ja tymczasem sprowadzę...

Karetkę pogotowia. Albo lepiej cały oddział piechoty morskiej.

– ...moją matkę.

– Myślę, że powinnam pójść z tobą. To stało się odrobinę za wcześnie. – Zmusiła się do uśmiechu, żeby nie zacząć wrzeszczeć. – Kilka tygodni. Pewnie dziecku już się znudziło w brzuchu i chce wreszcie obejrzeć świat. Podaj mi rękę, dobrze? O, rany, Harper, umieram ze strachu.

– Wszystko będzie dobrze. – Objął ją mocno ramieniem. – Oprzyj się na mnie. Czy coś cię boli?

– Nie. Jeszcze nie.

Harper był przerażony i robiło mu się niedobrze. Dzielnie jednak podtrzymywał Hayley, a nawet odwrócił się do niej z radosnym uśmiechem i delikatnie dotknął jej brzucha.

– Wszystkiego najlepszego z okazji urodzin, maleństwo.

– O, Boże. – Gdy weszli do centrum, twarz Hayley promieniała. – To jest po prostu wspaniałe.

Stella nie mogła jedynie urodzić dziecka za Hayley. Wszystko inne zdołałaby zrobić. Dziewczyna nie zdążyła spakować szpitalnej torby, ale Stella miała przygotowaną listę potrzebnych rzeczy, więc wioząc Hayley do szpitala, zadzwoniła do Davida i wydała odpowiednie polecenia. Następnie zatelefonowała do lekarza i powiadomiła o fazie porodu, a potem zostawiła wiadomość w poczcie głosowej komórki ojca i na sekretarce jego telefonu domowego z prośbą, by wraz z Jolene zaopiekowali się chłopcami. A jednocześnie przez ten cały czas pomagała Hayley w ćwiczeniach oddechowych, bo zaczęły się już pierwsze skurcze.

– Jeżeli kiedykolwiek będę wychodzić za mąż, kupować dom czy wybierać się na wojnę, mam nadzieję, że zajmiesz się opracowaniem szczegółów.

Stella zerknęła na Hayley, która delikatnie masowała sobie brzuch.

– Możesz na mnie liczyć. Wszystko w porządku?

– Aha. Jestem tylko przerażona i podniecona, i... O, rany, ja rodzę dziecko!

– Na pewno będzie wspaniałe.

– Wyczytałam w książkach, że w czasie porodu kobiety wyprawiają różne rzeczy, więc gdybym zaczęła na ciebie wrzeszczeć lub ci wymyślać...

– Nie przejmuj się. Nie wezmę tego do siebie.

Kiedy Roz dotarła do szpitala, Hayley już leżała w salce porodowej. Wiszący naprzeciw łóżka telewizor był włączony i właśnie leciał jakiś stary odcinek „Przyjaciół". Poniżej, na stoliku, stała urocza kompozycja z białych róż. Niewątpliwie dzieło Stelli.

– Jak tam radzi sobie nasza przyszła mama?

– Podobno wszystko przebiega dość szybko. – Zarumieniona Hayley wyciągnęła rękę w stronę Roz. – I wszystko jest w porządku. Skurcze są coraz częstsze, ale nie bardzo bolesne.

– Nie chciała znieczulenia – poinformowała Stella.

– Ach, tak. – Roz poklepała dziewczynę po dłoni. – Zawsze jeszcze, kochana, będziesz mogła zmienić zdanie, jeśli dojdziesz do wniosku, że to dla ciebie za wiele.

– Może to głupie i będę gorzko żałować, ale chciałabym czuć narodziny mojego dziecka. Au! To akurat poczułam.

Stella złapała ją za rękę i poinstruowała, jak oddychać. Gdy skurcze minęły, Hayley zamknęła oczy i właśnie w tym momencie do pokoju wkroczył David.

– Czy to tu odbywa się przyjęcie? – Postawił neseser, torbę i wazonik pełen żółtych stokrotek, a potem pochylił się nad Hayley i ucałował ją w policzek. – Chyba nie wykopiesz mnie stąd tylko dlatego, że jestem facetem?

– Chcesz zostać? – spytała z zachwytem w głosie Hayley. – Naprawdę?

– A jak myślałaś? – Z kieszeni marynarki wyciągnął niewielki aparat cyfrowy. – Niniejszym ogłaszam się nadwornym fotografem.

– Hm... – Hayley przygryzła lekko wargę. – Nie jestem pewna, czy to najlepszy pomysł.

– Nie martw się, złotko. Nie sfotografuję niczego, co trzeba by cenzurować ze względu na dzieci. A teraz proszę o szeroki uśmiech.

Zarejestrował kilka ujęć, a potem ustawił Stellę i Roz przy łóżku i fotografował dalej.

– Ach, Stello, niemal zapomniałem. Logan odbierze dziś chłopców ze szkoły i weźmie do siebie.

– Co takiego?!

– Twoi rodzice są na jakimś turnieju golfowym. Oczywiście chcieli natychmiast wracać do domu, ale powiedziałem, żeby sobie nie zawracali głowy, bo sam zajmę się chłopcami. Ale potem przyjechał Logan, wpadł na Harpera... on zresztą też zaraz się tu zjawi.

– Logan? – zdumiała się Hayley. – Logan tu będzie?

– Nie, Harper. Logan ma dyżur przy chłopcach. Powiedział, że zabierze ich ze sobą i zagoni do pracy. Mamy się nie przejmować. Prosił też, żeby go informować o przebiegu wydarzeń.

– Nie wiem, czy... – zaczęła Stella, ale urwała, bo zaczęły się kolejne skurcze.

Pilnie pomagała Hayley w oddychaniu, a jednocześnie niepokoiła się o dzieci. Co Logan miał na myśli, mówiąc, że zagoni chłopców do roboty? I jak sobie poradzi, gdy zaczną się kłócić – co, oczywiście, musi wcześniej czy później nastąpić? Jak zdoła ich przypilnować, jeśli weźmie ich ze sobą do pracy? Mogą utopić się w oczku wodnym, spaść z drzewa lub – na Boga – obciąć sobie nogę lub rękę jakimś ostrym narzędziem!

Kiedy więc przyszedł lekarz, aby sprawdzić stan Hayley, wybiegła z pokoju i zadzwoniła do Logana.

– Kitridge.

– Tu Stella. Moi chłopcy...

– Uhm. Mają się dobrze, są pod moją opieką. Ejże! Gavin, przestań biegać za bratem z tą piłą! – Stella krzyknęła nerwowo, a wówczas w słuchawce rozległ się głośny śmiech Logana. – Przecież żartuję. Kazałem im kopać dół. Są szczęśliwi jak świnki taplające się w błocie i co najmniej tak samo brudni. Czy mamy już kolejne dziecko?

– Nie. W tej chwili przyszedł lekarz. Ale przy poprzednim badaniu stwierdził rozwarcie na osiem centymetrów.

– Rozumiem, że to dobra wiadomość.

– Bardzo dobra. Hayley radzi sobie doskonale – jakby rodziła co najmniej raz na tydzień. Jesteś pewien, że z chłopcami wszystko w porządku?

– Sama posłuchaj.

Z oddali dobiegły Stellę radosne chichoty i podniesione głosy chłopców wyliczających, co mogliby zakopać w dole. Słonia. Brontozaura. Grubego pana Kelso ze sklepu spożywczego.

– Nie powinni nazywać pana Kelso „grubym".

– Nie mamy teraz czasu dla kobiet. Zadzwoń, gdy już się urodzi dziecko.

Rozłączył się i Stella mogła jedynie wpatrywać się gniewnie w głuchy telefon. Odwróciła się gwałtownie i niemal zderzyła z Harperem. A raczej ze snopem czerwonych lilii, które trzymał w obu dłoniach.

– Harper? Jesteś gdzieś tam?

– Tak. Czy wszystko w porządku? Co się dzieje? Może się spóźniłem?

– Hayley ma się świetnie, właśnie jest u niej lekarz. I mamy jeszcze mnóstwo czasu.

– No to dobrze. Przyniosłem lilie, bo to egzotyczne kwiaty, a poza tym ona lubi czerwony kolor. A przynajmniej tak mi się wydaje.

– Są przepiękne. Chodź, zaprowadzę cię.

– Może nie powinienem do niej wchodzić? Może lepiej ty je zanieś.

– Nie wygłupiaj się. Urządziliśmy tam sobie prawdziwe przyjęcie. Hayley to towarzyska dziewczyna, a im więcej wokół ludzi, tym mniej będzie myślała o bólu. Kiedy wychodziłam, David właśnie wrzucił do odtwarzacza płytę Red Hot Chili Peppers i włożył do umywalki pełnej lodu butelkę szampana, żeby się dobrze schłodził.

Stella wepchnęła go do środka. W pokoju nadal rozbrzmiewała muzyka Red Hot Chili Peppers, David natomiast od razu skierował aparat w stronę drzwi, by uwiecznić Harpera spoglądającego nerwowo zza wielkiego naręcza czerwonych lilii.

– Och, to najpiękniejsze kwiaty, jakie widziałam w życiu. – Nieco blada, ale rozpromieniona Hayley spróbowała usiąść na łóżku.

Stella pomogła Harperowi ustawić lilie na stole.

– Będziesz miała na czym się koncentrować w czasie skurczów.

– Doktor powiedział, że zbliżam się do ostatniej fazy. Już wkrótce będę mogła przeć.

Harper podszedł do łóżka.

– Dobrze się czujesz? – spytał.

– Trochę zmęczona. To dość ciężka praca, ale nie taka straszna, jak sądziłam. O, rany! Stello! – jęknęła i gwałtownie zacisnęła palce na ręce Harpera.

Roz stała w nogach łóżka. Spojrzała na swojego syna, trzymającego dłoń Hayley, zerknęła na jego twarz. Coś gwałtownie zacisnęło się w jej wnętrzu, po czym boleśnie rozkurczyło. Westchnęła głęboko i zaczęła masować stopy dziewczyny.

Ból się wzmagał. Stella obserwowała skurcze na monitorze i ogarniało ją współczucie. Mimowolnie mięśnie jej brzucha zaczęły się zaciskać. Ta dziewczyna jest jak z żelaza, pomyślała. Hayley była już bardzo blada, a jej twarz pokrywała cienka warstwa potu. Chwilami tak mocno ściskała nadgarstek Stelli, że ta aż zagryzała wargi.

Minęła godzina, potem druga. Skurcze stały się już bardzo częste, a oddechy Hayley przypominały sapanie lokomotywy. Stella ocierała twarz dziewczyny kostkami lodu, Roz natomiast masowała jej ramiona.

– Harper! Pomasuj Hayley brzuch! – rozkazała pani generał Rothchild.

Spojrzał na nią tak, jakby mu poleciła osobiście odebrać poród.

– Co takiego?!

– Delikatnie, okrężnymi ruchami. To jej pomoże. David, ta muzyka...

– Nie, muzyka niech zostanie – poprosiła Hayley, po czym z całej siły ścisnęła dłoń Stelli. – Zrób głośniej, Davidzie, na wypadek gdybym zaczęła wrzeszczeć. Och, szlag by to trafił! Chcę już przeć. Chcę wydusić z siebie to dziecko, i to natychmiast!

– Jeszcze za wcześnie. Skoncentruj się na oddychaniu, Hayley. Jak dotąd idzie ci doskonale. Roz, chyba potrzebujemy lekarza.

– Też tak pomyślałam – odparła Roz już z korytarza.

Kiedy nadszedł czas, by przeć, i lekarz usiadł pomiędzy nogami Hayley, Stella zauważyła, że obaj mężczyźni lekko pozielenieli.

– Harper! Stań za nią i podeprzyj jej plecy!

– Ja... ale ja... – Harper już wycofywał się w stronę drzwi, matka jednak zastąpiła mu drogę.

– Musisz zobaczyć cud narodzin – oznajmiła i pchnęła go w stronę łóżka.

– Idzie ci świetnie. Jesteś niesamowita – zapewniała tymczasem Stella dziewczynę. – A teraz weź głęboki oddech. Policz do dziesięciu i przyj!

– Wielki Boże! – David tak głośno przełknął ślinę, że usłyszeli to wszyscy obecni w pokoju. – Nigdy nie widziałem czegoś podobnego. Muszę jak najszybciej zadzwonić do mojej mamy. Do diabła, muszę jej wysłać ciężarówkę pełną kwiatów!

– Jezu! – Harper jęknął w tym samym momencie co Hayley. – Widać główkę.

Dziewczyna zaczęła śmiać się przez łzy.

– Spójrzcie na te włoski! O, Boże. O, Jezu. Czy nie możemy już teraz wyciągnąć całego dziecka?

– Jeszcze tylko ramionka, skarbie, i będzie po wszystkim. Jedno dodatkowe mocne parcie, dobrze? Posłuchaj, to płacz twojego maleństwa!

Hayley po raz ostatni wytężyła siły i na świat przyszła nowa istota.

– To dziewczynka – powiedziała cicho Roz, ocierając wilgotne policzki. – Masz prześliczną córeczkę, Hayley.

– Dziewczynka. Córeczka! – Hayley wyciągnęła ramiona. Kiedy lekarz położył jej dziecko na brzuchu, by Roz mogła przeciąć pępowinę, świeżo upieczona matka głaskała maleństwo po całym ciałku. – Ależ jesteś piękna. Prześliczna. Nie, nie zabierajcie jej!

– Położna musi ją umyć. To potrwa tylko chwilę – uspokoiła ją Stella, po czym pochyliła się i pocałowała Hayley w czubek głowy. – Gratuluję, mamusiu.

– Tylko jej posłuchajcie! – Hayley jedną ręką chwyciła dłoń Harpera, a drugą dłoń Stelli. – Nawet jej płacz jest piękny.

– Dwa tysiące dziewięćset dwadzieścia cztery gramy – oznajmiła położna, niosąc tłumoczek w stronę łóżka. – Czterdzieści pięć centymetrów i pełne dziesięć punktów w skali Apgar.

– Słyszałaś, kochanie? – Hayley przytuliła córeczkę i zaczęła całować ją po buzi. – Swój pierwszy w życiu test zdałaś śpiewająco. O, rany! Słuchajcie, ona na mnie patrzy. Witaj! Witaj, skarbie. Jestem twoją mamą. Tak się cieszę, że wreszcie cię widzę!

– Proszę wszystkich o szeroki uśmiech! – David przypomniał sobie o swojej roli. – Czy już zdecydowałaś, jak jej dasz na imię?

– Będzie miała na pierwsze Lily, bo urodziła się, gdy patrzyłam na lilie i wdychałam ich zapach. Na drugie Rose – na cześć Rosalind, a na trzecie Star – na cześć Stelli. A więc panie i panowie, oto Lily Rose Star.

# 19

Stella weszła do domu wyczerpana, ale uszczęśliwiona. Chociaż teoretycznie chłopcy powinni już leżeć w łóżkach, spodziewała się, że wybiegną na jej powitanie, a tymczasem musiała się zadowolić towarzystwem Parkera. Podniosła psa za łapy i ucałowała w mokry nos.

– Nigdy nie zgadniesz, co się dziś stało, mój kochany futrzaku! Urodziło nam się kolejne dziecko! Nasza pierwsza dziewczynka!

Odgarnęła włosy z twarzy i nagle poczuła wyrzuty sumienia. Roz wyszła ze szpitala jakiś czas przed nią i pewnie teraz użerała się na górze z chłopcami.

Ruszyła energicznie w stronę schodów, gdy w holu niespodziewanie pojawił się Logan.

– Wielki dzień.

– Rzeczywiście – przyznała.

Nie spodziewała się, że go tutaj spotka, i dopiero w tym momencie zdała sobie sprawę, że po kilku godzinach asystowania przy porodzie jej makijaż spłynął wraz z potem. No i nie czuła się zbyt świeżo.

– Nie wiem, jak ci dziękować, że zająłeś się chłopcami.

– Nie ma sprawy. Wykopali kilka bardzo przyzwoitych dołków. Obawiam się jednak, że będziesz musiała spalić ich ubrania.

– Nie szkodzi. Mają jeszcze kilka w zapasie. Czy teraz siedzi przy nich Roz?

– Nie. Roz urzęduje w kuchni z Davidem, który zabrał się do pichcenia. Oboje wspominali coś o kolacji z szampanem.

– Znowu szampan? W szpitalu niemal mogliśmy się w nim kąpać. W takim razie lecę na górę skoszarować oddziały.

– Chłopcy śpią jak zabici. Zasnęli jeszcze przed dziewiątą. Kopanie dołów może wykończyć każdego faceta.

– Powiedziałeś, że ich odwieziesz, ale nie przypuszczałam, że również ułożysz do snu.

– Byli skonani. Wzięliśmy szybki prysznic, a potem wczołgali się do łóżek i odpłynęli w ciągu pięciu sekund.

– O, rany. Masz u mnie dług wdzięczności.

– Płać od razu.

Chwycił ją w ramiona i zaczął namiętnie całować.

Oderwał się od jej ust dopiero po dłuższej chwili.

– Zmęczona? – zapytał.

– Tak. Ale było warto.

Pogładził Stellę po włosach, drugą ręką cały czas przyciskając ją do siebie.

– A jak nowo narodzona panna i jej mama?

– Obie mają się świetnie. Hayley jest niesamowita. Trzymała się dzielnie przez całe siedem godzin porodu. Dziecko co prawda urodziło się parę tygodni wcześniej, ale jest w idealnej formie. Gavin, przecież chłopak, był zaledwie kilkadziesiąt gramów cięższy – choć potrzebowałam dwa razy tyle czasu co Hayley, by nakłonić go do przyjścia na świat.

– Patrząc na Hayley i jej maleństwo, nabrałaś ochoty na następne dziecko?

Stella gwałtownie zbladła.

– Hm... Cóż...

– Widzę, że cię przeraziłem – rzucił rozbawionym tonem i ponownie otoczył ją ramieniem. – A teraz chodźmy zobaczyć, co dziś mamy w menu oprócz szampana.

Nie przeraził jej. Ale faktem jest, że poczuła się nieswojo. Ostatecznie dopiero co zaangażowała się w nowy związek, a ten mężczyzna już wspominał o dzieciach.

Co prawda mogła to być jedynie niewinna uwaga, całkiem naturalna w zaistniałych okolicznościach. Lub po prostu żart.

Niemniej, bez względu na prawdziwe intencje, słowa Logana zmusiły ją do myślenia. Czy rzeczywiście chciałaby mieć więcej dzieci? Po śmierci Kevina odrzuciła taką możliwość. Niewątpliwie fizjologicznie była zdolna do urodzenia kolejnego dziecka. Ale przecież sama fizjologia to nie wszystko.

Miała już dwóch bardzo żywych synów. I wyłącznie na nią spadała odpowiedzialność za ich emocjonalne i materialne bezpieczeństwo. Kolejne dziecko musiałoby oznaczać poważny związek z mężczyzną niespokrewnionym z chłopcami, a także tworzenie nowych relacji z tym mężczyzną, takich jak małżeństwo, wspólna przyszłość, dzielenie ze sobą nie tylko tego, co by chciała, ale również budowanie nowych wartości – i podążanie w nowym kierunku.

A przecież przyjechała do Tennessee, bo tu tkwiły jej korzenie – bo szukała oparcia w tradycji. Poza tym chciała być w pobliżu ojca, a przede wszystkim pozwolić chłopcom cieszyć się miłością dziadków.

Jej matka nigdy nie interesowała się Lukiem i Gavinem – prawdopodobnie dlatego, że przerażała ją myśl o byciu babcią. Stella sądziła, że posiadanie wnuków burzyło jej wizerunek kobiety wiecznie młodej i ponętnej.

Jak natomiast zareagowałaby jej matka, gdyby w zasięgu jej wyczulonego radaru pojawił się taki mężczyzna jak Logan? Bez wątpienia zrobiłaby wszystko, żeby go zdobyć.

Ale jeżeli właśnie z tego powodu Stella przeżywała rozterki, to znaczy, że sprawy miały się gorzej, niż przypuszczała. Może to nie był główny powód, ale odgrywał dość istotną rolę. W innym wypadku w ogóle by się nad tym nie zastanawiała.

Prawdę powiedziawszy, nie czuła animozji do żadnego ze swoich ojczymów, chociaż z żadnym nie była związana emocjonalnie. Ile miała lat, gdy matka wyszła drugi raz za mąż? Mniej więcej tyle, co teraz Gavin.

Nowy związek matki oznaczał dla Stelli przede wszystkim zmianę szkoły i przyjaciół. Wyprowadzili się do innego domu w innej dzielnicy. No i przez czas jakiś Carla przeżywała euforię, że wreszcie zdobyła upragniony status mężatki.

A jak długo trwało to małżeństwo? Trzy lata? Cztery? Do tego należało jeszcze dołożyć kolejny rok tumultu emocjonalnego – batalii rozwodowej, ratowania szczątków miłości własnej, następnej zmiany szkoły i środowiska.

Potem matka zatrzymała się na etapie „chłopaków". To jednak również spowodowało komplikacje – rzucanie się na ślepo w wir uczuć i gorzkie rozstania.

Na szczęście, gdy Carla trzeci raz zdecydowała się wyjść za mąż, Stella była już w college'u. Może właśnie dlatego ten związek przetrwał niemal dziesięć lat. Nie było już dziecka, siłą rzeczy zmieniającego dynamikę układu. Niemniej w końcu i tak doszło do rozwodu, w którym strony nie oszczędzały się nawzajem – i to niemal w tym samym czasie, kiedy Stella została wdową.

To był okropny rok pod każdym względem – a dla Carli zakończył się kolejnym krótkotrwałym, burzliwym małżeństwem.

Dziwne, ale nawet teraz, będąc dorosłą kobietą, Stella nie mogła wybaczyć matce, że przedkładała swoje własne potrzeby nad dobro dziecka.

Na szczęście ona nie postępuje tak w stosunku do własnych synów, zapewniała się w duchu. Nie jest egoistyczna ani bezmyślna. Nie zapomina o dzieciach tylko dlatego, że rodzi się w niej silne uczucie do Logana.

Niemniej wszystko to następowało zbyt szybko. Powinna zwolnić tempo, by lepiej rozeznać się we własnych pragnieniach.

Poza tym nie powinna zapominać, że Logan wcale nie poprosił jej o rękę ani, na Boga, nie twierdził, że chciałby mieć z nią dzieci. To ona sama rozdmuchała do groteskowych rozmiarów jakąś całkiem niewinną uwagę.

Czas wreszcie wziąć się w garść. Stella poderwała się od biurka, zanim jednak zdążyła sięgnąć do klamki, drzwi otworzyły się na całą szerokość i stanęła w nich Roz.

– Właśnie miałam zamiar cię poszukać – powiedziała Stella. – Za chwilę muszę się zbierać, żeby przywieźć do domu nasze dziewczyny.

– Bardzo chciałabym pojechać z tobą. Nawet zamierzałam przełożyć dzisiejsze spotkanie... – Roz zerknęła szybko na zegarek, jakby ponownie rozważała tę możliwość.

– To byłoby bez sensu. Jak wrócisz od doktora Carnegie, wszystko w domu uspokoi się na tyle, że będziesz mogła bez stresu spędzić więcej czasu z córeczką Hayley.

– Przyznaję, że już nie mogę się doczekać, kiedy wezmę nasze maleństwo na ręce. No dobrze, a teraz, gdy już omówiłyśmy sprawy organizacyjne, powiedz mi, czym się tak gryziesz.

– Słucham? – Stella otworzyła szufladę i wyciągnęła torebkę. – Skąd ci w ogóle przyszło do głowy, że się czymś gryzę?

– Twój zegarek jest wywrócony na drugą stronę, a więc kręciłaś paskiem. A to oznacza, że jesteś przygnębiona. Czy w firmie dzieje się coś, o czym nie wiem?

– Nie. – Zła na siebie, Stella odwróciła zegarek. – Nie. To nie ma nic wspólnego z pracą. Po prostu myślałam o Loganie i o mojej matce.

– A co on ma wspólnego z twoją matką?

Roz podniosła termos Stelli, otworzyła go, powąchała zawartość i wlała odrobinę mrożonej kawy do zakrętki.

– Nic. A właściwie nie wiem. Podać ci kubek?

– Nie, dziękuję. Chcę tylko troszeczkę.

– Sądzę... wydaje mi się... zastanawiam się... do diabła, plączę się jak ostatnia idiotka. – Stella wyjęła szminkę z kosmetyczki, podeszła do zawieszonego na ścianie lustra i zaczęła poprawiać kontur ust. – Roz, pomiędzy mną i Loganem rodzi się coś poważnego.

– Musiałabym być ślepa, żeby tego nie widzieć. Czy chcesz, żebym powiedziała teraz „No i?", czy wolałabyś, żebym się nie wtrącała do cudzych spraw?

– No i... nie wiem, czy jestem już gotowa na poważny związek. I czy Logan tak naprawdę jest na to gotowy. Zdumiewa mnie, że w ogóle się polubiliśmy, a co dopiero... – Odwróciła się do przyjaciółki. – Nikt nigdy nie wzbudzał we mnie takich uczuć jak Logan. Podnieca mnie, denerwuje i... masz rację, wywołuje przygnębiające myśli.

Wrzuciła szminkę do torebki i energicznie zaciągnęła zamek.

– Z Kevinem wszystko wydawało się proste i oczywiste. Byliśmy młodzi, zakochani i nie istniały między nami żadne bariery. Nie znaczy to, że się nie kłóciliśmy czy nie musieliśmy rozwiązywać różnych problemów, ale nasze wspólne życie przebiegało bez komplikacji.

– Cóż, im dłużej żyjesz, tym więcej złożonych sytuacji napotykasz na drodze.

– Tak, wiem. Problem w tym, że boję się miłości – obawiam się przekroczenia granicy od „to jest moje" do „to jest nasze". I mam pełną świadomość, że brzmi to przeraźliwie egoistycznie.

– Może. Ja jednak uważam taki stan za całkiem naturalny.

– Sama już nie wiem. Roz, moja matka była zawsze bardzo poplątana emocjonalnie. A ja gdzieś w racjonalnej warstwie zdaję sobie sprawę, że często postępuję w życiu tak, a nie inaczej, żeby odciąć się od matki. To żałosne.

– Jeżeli takie postępowanie jest dla ciebie korzystne, to nie widzę żadnego problemu.

– Zazwyczaj jest. Nie chcę jednak uciekać od czegoś, co mogłoby się okazać wspaniałe, tylko dlatego, że moja matka rzuciłaby się w to bez zastanowienia.

– Skarbie, każda z nas na określonym etapie życia przeżywa różne rozterki. Spójrz na mnie czy na Hayley.

– Jasne. Masz świętą rację – odparła Stella ze śmiechem.

– A skoro już się zaprzyjaźniłyśmy, możemy oczywiście wspierać się nawzajem w rozmaitych sytuacjach. Nie zmienia to jednak faktu, że każda z nas ma własne życie. – Roz odłożyła zakrętkę termosu na biurko i pieszczotliwie poklepała Stellę po policzku.

– No, dobra. Jadę do domu, żeby się doprowadzić do porządku.

– Dziękuję, Roz. Przywiozę Hayley z dzieckiem, a potem zostawię obie w rękach Davida i wrócę do firmy. Wiem, że brakuje nam obsługi.

– W żadnym razie. Zostań w domu z Hayley i Lily. Harper poradzi sobie z klientami. Ostatecznie niecodziennie do domu wprowadza się noworodek.

I właśnie o nowo narodzonym dziecku rozmyślała intensywnie Roz, usiłując znaleźć miejsce parkingowe w pobliżu mieszkania Mitchella Carnegie. Od czasu gdy w Harper House pojawiło się ostatnie niemowlę, minęło już wiele lat. Ciekawe, jak na tę nową sytuację zareaguje Oblubienica?

A jak ona sama zdoła się pogodzić z sytuacją, że jej pierworodny syn zakochał się w samotnej kuzynce i jej maleńkiej córeczce? Harper prawdopodobnie nie zdawał sobie sprawy z własnych uczuć, a Hayley z pewnością nie miała o nich pojęcia. Ale matka natychmiast wychwyci takie rzeczy; matka bez trudu widzi wszystko w twarzy własnego syna.

Roz postanowiła, że zastanowi się nad tą sprawą innym razem, i zaczęła kląć siarczyście, bo mimo szczerych wysiłków nie mogła znaleźć ani skrawka wolnego miejsca przy chodniku.

Udało jej się zatrzymać dopiero trzy przecznice dalej. Szlag by to trafił! Ponieważ uznała, że powinna włożyć buty na wysokim obcasie, zanim dojdzie na miejsce, już nie będzie czuła nóg i na dodatek się spóźni – a nienawidziła niepunktualności.

Najchętniej scedowałaby to spotkanie na Stellę. Ostatecznie doszła jednak do wniosku, że jest to sprawa zbyt osobistej natury, by powierzać ją komuś innemu, nawet bardzo zaufanemu menedżerowi. Chodziło przecież o jej własny dom i rodzinę Harperów.

Zatrzymała się na rogu, czekając na zmianę świateł.

– Roz!

Na dźwięk tego głosu wszystkie włosy zjeżyły się jej na głowie. Z twarzą zastygłą w lodowatą maskę odwróciła się i przesunęła wzrokiem po szczupłym, przystojnym mężczyźnie, szybko zmierzającym w jej stronę.

– Tak mi się wydawało, że to ty! Bo przecież nikt inny nie mógłby wyglądać równie świeżo i pięknie w tak gorące popołudnie.

Człowiek, którego kiedyś nieopatrznie poślubiła, chwycił jej rękę w obie dłonie.

– Twój widok doprawdy zapiera dech w piersi!

– Natychmiast puść mnie, Bryce, albo wylądujesz głową na chodniku i przy okazji najesz się sporo wstydu.

Jego twarz o regularnych rysach natychmiast stężała.

– Miałem nadzieję, że po tylu latach będziemy mogli znów się zaprzyjaźnić.

– Nigdy nie byliśmy i nigdy nie będziemy przyjaciółmi. – Wyjęła z torebki chusteczkę i ostentacyjnie wytarła rękę, której dotykał. – Nie mam ochoty zadawać się z kłamliwymi sukinsynami.

– Każdy może popełnić błąd. Ale zdaje się, że ty należysz do kobiet, które nie wiedzą, co to przebaczenie.

– Masz rację. Zapewne po raz pierwszy w całym twoim żałosnym życiu.

Ruszyła energicznie przed siebie, on jednak nie dawał za wygraną. Miał na sobie buty od Ferragamo i garnitur włoskiego kroju – najprawdopodobniej od Canalego. W każdym razie Canali był jego ulubionym projektantem strojów w czasach, gdy to ona pokrywała wszystkie wydatki.

– Nie rozumiem, czemu jesteś taka zdenerwowana, Roz, skarbie. Mogę to tłumaczyć jedynie tym, że wciąż jeszcze żywisz do mnie jakieś uczucia.

– Owszem, Bryce. A najsilniejszym z nich jest obrzydzenie. Zostaw mnie więc w spokoju, bo zawołam policjanta i każę cię aresztować za nagabywanie.

– Chciałbym tylko dostać jeszcze jedną szansę...

W tym momencie Roz stanęła jak wryta.

– Niedoczekanie twoje. Ciesz się, że zamiast gnić za kratkami, możesz chodzić swobodnie po ulicach, a zamiast więziennego kombinezonu nosisz ten kosztowny garnitur.

– Nie rozumiem, czemu traktujesz mnie w taki sposób. Ostatecznie wszystko potoczyło się według twojego scenariusza – wyrzuciłaś mnie na bruk bez grosza przy duszy.

– Czy mówiąc „bez grosza przy duszy", masz również na myśli owe sześć tysięcy pięćdziesiąt osiem dolarów i dwadzieścia dwa centy, które zabrałeś z mojego konta na tydzień przedtem, zanim wykopałam cię ze swojego domu? Och, przecież doskonale wiem o tych pieniądzach – dodała, gdy spojrzał na nią zdumiony. – Pozwoliłam, żeby uszło ci to na sucho, bo uznałam, że powinnam zapłacić za własną głupotę. Teraz jednak znikaj natychmiast z moich oczu, bo jeśli nie, przysięgam, że gorzko tego pożałujesz.

Energicznie ruszyła przed siebie i nawet słowa „zimna suka" nie zdołały zachwiać jej determinacją.

Co nie zmieniało faktu, że to spotkanie wyprowadziło Roz z równowagi. Trzęsły jej się dłonie i kolana. Dlaczego Bryce samym swoim widokiem mógł ją sprowokować do tak emocjonalnej reakcji – nawet jeśli tą reakcją była wściekłość?

Ano dlatego, że wciąż odczuwała głęboki wstyd.

Wstyd, że dała się zwieść takiemu mężczyźnie. Że wpuściła go do swojego domu i serca. Pozwoliła się oczarować – a potem oszukać. Roz dobrze zdawała sobie sprawę, że Bryce ukradł jej coś więcej niż pieniądze. Zabrał jej poczucie własnej godności. A spotkanie z nim przykro jej uświadomiło, że wciąż jeszcze tej godności w pełni nie odzyskała.

Kiedy weszła do budynku, w którym mieścił się apartament historyka, dziękowała Bogu, że hol jest klimatyzowany. Szybko wsiadła do windy i nacisnęła guzik trzeciego piętra.

Była zbyt wzburzona, by zastanawiać się nad swoim wyglądem. Od razu więc zapukała do drzwi, po czym zaczęła wystukiwać stopą nerwowy rytm.

Mężczyzna, który stanął w progu, był w rzeczywistości jeszcze atrakcyjniejszy niż na zdjęciach zamieszczanych na skrzydełkach jego książek, z których kilka Roz pobieżnie przerzuciła, zanim umówiła się na spotkanie. Tego dnia był ubrany w dżinsy i koszulę z podwiniętymi rękawami. Bardzo wysoki i szczupły, miał ciemnozielone oczy przysłonięte okularami w rogowej oprawie. Jego niezwykle gęste, brunatne włosy okalały podłużną twarz o ostrych, męskich rysach i silnie zarysowanej szczęce, lekko zapuchniętej i zasinionej z jednej strony.

Kiedy otworzył drzwi, był boso i ten drobny fakt sprawił, że Roz nagle poczuła się strasznie zgrzana i przesadnie wystrojona.

– Doktor Carnegie?

– Tak jest, pani... hm... Harper. Bardzo przepraszam, ale straciłem rachubę czasu. Proszę wejść i nie rozglądać się wokół – poprosił z rozbrajającym uśmiechem. – Mówiąc, że straciłem rachubę czasu, mam na myśli i to, że zapomniałem posprzątać. Może więc przejdziemy od razu do mojego gabinetu. Jego wygląd będę mógł zrzucić na karb artystycznego nieładu. Czy podać pani coś do picia?

– Chętnie napiję się czegoś zimnego. Wszystko jedno czego.

Oczywiście, gdy szybko prowadził ją przez salon, uważnie wszystko obejrzała. Wielka, brązowa sofa była zawalona książkami i gazetami, podobnie jak niski stolik, prawdopodobnie pochodzący z epoki georgiańskiej. Na pięknym tureckim dywanie obok piłki do koszykówki walało się kilka koszulek, tak znoszonych, że nawet żaden z jej synów by się do nich nie przyznał. Jedną ścianę zajmował największy ekran telewizyjny, jaki widziała w życiu.

Chociaż Carnegie starał się jak najspieszniej przeprowadzić ją przez mieszkanie, Roz udało się również zerknąć na kuchnię. Sterta brudnych talerzy piętrzących się na jednym z blatów jednoznacznie sugerowała, że niedawno odbyła się tu impreza dla wielu osób.

– Jestem właśnie w połowie książki – tłumaczył gospodarz. – A wówczas sprawy domowe stają się dla mnie zupełnie nieważne. Niestety, moja ostatnia ekipa sprzątająca zrezygnowała z pracy. Podobnie zresztą, jak i parę innych przed nimi.

– Zupełnie nie pojmuję dlaczego – rzuciła Roz, rozglądając się po gabinecie.

W zasięgu wzroku nie dało się dostrzec ani skrawka wolnego miejsca, a powietrze przesiąknięte było zapachem tytoniu. Na parapecie okiennym w wyszczerbionej doniczce dogorywała diffenbachia. Z totalnego chaosu papierów zalegających biurko wyłaniały się płaski monitor komputera i ergonomiczna klawiatura.

Doktor Carnegie opróżnił jedno z krzeseł, bezceremonialnie zrzucając na podłogę wszystko, co się na nim znajdowało.

– Zaraz wracam – rzucił i wypadł z pokoju.

Roz tymczasem mimowolnie uniosła brwi na widok na wpół zjedzonego sandwicza i szklanki jakiegoś płynu – być może herbaty – stojącej wśród śmieci zalegających biurko. Zerknęła na monitor komputera, ale przeżyła drobne rozczarowanie, bo ujrzała jedynie wygaszacz ekranu. Dość jednak interesujący – przeróżne postaci z kreskówek grały w koszykówkę.

– Mam nadzieję, że odpowiada pani mrożona herbata – powiedział gospodarz, wchodząc z powrotem do gabinetu.

– Tak, dziękuję bardzo. – Wzięła z jego rąk szklankę, żywiąc przy tym nadzieję, że w przeciągu ostatniej dekady ktoś choć raz ją umył. – Doktorze Carnegie, pan morduje tę roślinę.

– Jaką roślinę?

– Diffenbachię na parapecie.

– Słucham? Ach, tak. Zupełnie nie zdawałem sobie sprawy, że w ogóle mam jakąś roślinę. – Spojrzał zdumionym wzrokiem na opadające liście. – Ciekawe, skąd się tu wzięła. No tak, zdaje się, że nie wygląda zbyt dobrze.

Chwycił doniczkę i, ku przerażeniu Roz, zamierzał wrzucić ją do przepełnionego kosza na papiery.

– Na Boga jedynego, co pan wyprawia?! Czy pogrzebałby pan żywcem własnego kota?

– Ja nie mam kota.

– Proszę mi ją dać. – Podniosła się z miejsca i wyrwała mu z dłoni doniczkę. – Ta nieszczęsna roślina umiera z pragnienia i gorąca. Ma kompletnie przesuszoną bryłę korzeniową.

Postawiła doniczkę obok krzesła, na którym ponownie usiadła.

– Zajmę się nią – oznajmiła, energicznie zakładając nogę na nogę. – A teraz, doktorze Carnegie...

– Mitch. Jeżeli zamierza pani zabrać moją roślinę, musi pani zwracać się do mnie per „Mitch".

– Gdy się z panem skontaktowałam, wyjaśniłam, że chciałabym zlecić panu zbadanie historii mojej rodziny, ze szczególnym uwzględnieniem pewnej osoby.

– Tak. – Wyjątkowo zasadnicza kobieta, zdecydował w duchu. – A ja powiedziałem pani, że zajmuję się genealogiami osób prywatnych tylko wtedy, gdy coś mnie zafrapuje w dziejach rodziny. Jak już wcześniej wspominałem, jestem teraz bardzo zajęty swoją nową książką, nie mogę więc poświecić wiele czasu na poboczne badania.

– Jak do tej pory nie podał mi pan swojej stawki.

– Pięćdziesiąt dolarów za godzinę plus wydatki.

Stella poczuła niemiły skurcz brzucha.

– To adwokackie honorarium.

– Na ogół opracowanie historii rodziny nie trwa zbyt długo, szczególnie jeśli się wie, do jakich źródeł należy sięgnąć. W większości wypadków wystarczy na to czterdzieści godzin – choć, oczywiście, wszystko zależy od tego, jak daleko trzeba się cofnąć w czasie. Jeżeli sprawa jest wyjątkowo skomplikowana, można umówić się o dzieło. Ale, jak już wspomniałem...

– W tym wypadku chodzi o sprawę sprzed mniej więcej wieku.

– A więc mówimy o groszach. I jeśli chodzi o tak krótki okres, zapewne pani sama poradziłaby sobie bez trudu. Mogę wskazać pani odpowiednie źródła. Zupełnie za darmo.

– Nie. Już wiem, że potrzebuję profesjonalisty, chętnie więc podyskutuję o warunkach. Skoro pomimo braku czasu zdecydował się pan ze mną spotkać, myślę, że dobrze byłoby, gdyby wysłuchał pan, co mam do powiedzenia, a dopiero potem wyrzucił mnie za drzwi.

Tak jest, zasadnicza do bólu, pomyślał.

– W żadnym razie nie przyszłoby mi do głowy, żeby panią wypraszać. Wysłucham wszystkiego z największą uwagą. Jeżeli nie jest to wyjątkowo pilna sprawa, za kilka tygodni zapewne będę już dysponował większą ilością czasu.

Zaczął grzebać pod biurkiem i w końcu wyciągnął duży notes i długopis.

– A więc... Rosalind? Jak bohaterka „Wieczoru Trzech Króli"?

– Nie. Jak aktorka Rosalind Russel – odparła ze śmiechem Roz. – Mój tata był jej fanem.

Zapisał jej imię i nazwisko na górze kartki.

– Mówi pani, że chodzi o sprawę mniej więcej sprzed stu lat. Jestem przekonany, że pani należy do rodziny, która przechowuje wiele dokumentów, zapisków, rachunków, nie mówiąc już o przekazach ustnych.

– Owszem. Nawet sporo. Niestety, mam powody sądzić, że niektóre opowieści są niepełne lub uległy przekłamaniu. Oczywiście, oczekuję, że zerknie pan na dokumenty, które są w moim posiadaniu, choć sami już dość starannie je przeczesaliśmy.

– Sami?

– Ja i pozostali domownicy.

– A więc chce pani zdobyć informacje o pewnym określonym przodku.

– Nie jestem pewna, czy ta kobieta należała do naszej rodziny, ale najprawdopodobniej mieszkała w moim domu. I jestem w zasadzie pewna, że w nim umarła.

– Ma pani akt jej zgonu?

– Nie.

Wsunął okulary głębiej na nos i zaczął coś notować.

– Widziała pani jej grób?

– Nie. Jej ducha. – Uśmiechnęła się słodko. – Czyżby człowiek, który zajmuje się historiami rozmaitych rodów, nie wierzył w duchy?

– Jeszcze nigdy na żadnego się nie natknąłem.

– Jeżeli podejmie się pan tego zadania, będzie ku temu okazja. Ile zażyczyłby pan sobie, doktorze Carnegie, za zidentyfikowanie i odtworzenie historii zjawy?

Odchylił się na krześle i zaczął stukać ołówkiem w pierś.

– Czy pani sobie ze mnie kpi?

– Za pięćdziesiąt dolarów za godzinę plus wydatki? W żadnym razie. Jestem pewna, że mógłby pan napisać bardzo ciekawą książkę o duchu nawiedzającym dom rodziny Harperów, oczywiście gdybym wyraziła zgodę na taką publikację.

– Zapewne.

– I, jak przypuszczam, byłby to dla pana ciekawy materiał badawczy. Może więc to ja powinnam zażądać od pana honorarium. – Znowu obdarzyła go tym samym zniewalającym uśmiechem.

– Najpierw muszę skończyć rzecz, nad którą obecnie pracuję, dopiero wtedy będę mógł się zaangażować w następną książkę. Wbrew temu, co można pomyśleć na podstawie wyglądu mojego mieszkania, zawsze doprowadzam do końca to, co zaczynam.

– W takim razie powinien pan zacząć zmywać naczynia.

– Prosiłem, żeby się pani nie rozglądała. Po pierwsze, chciałbym powiedzieć, że prawdopodobieństwo, iż pani dom nawiedza duch, wynosi mniej więcej jeden do dwudziestu milionów.

– Chętnie postawię jednego dolara, o ile jest pan gotów zaryzykować te miliony.

– Po drugie, jeżeli podejmę się tej sprawy, będę wymagał dostępu do wszystkich dokumentów rodzinnych oraz pani pisemnej zgody na sprawdzenie wszelkich danych znajdujących się w archiwach stanowych lub federalnych.

– Oczywiście.

– Chętnie zrzeknę się honorarium za... powiedzmy... pierwsze dwadzieścia godzin badań. Póki się nie przekonamy, z czym naprawdę mamy do czynienia.

– Za czterdzieści.

– Trzydzieści.

– Zgoda.

– Chciałbym też obejrzeć pani dom.

– Może w takim razie przyjechałby pan do nas na kolację w przyszłym tygodniu? Jaki dzień odpowiadałby panu najbardziej?

– Zaraz... Niech sprawdzę. – Odwrócił się w stronę komputera i sprawnie przebiegł palcami po klawiszach. – Wtorek?

– W takim razie zapraszam na siódmą. Nie siadamy do stołu w strojach wieczorowych, przydałyby się jednak panu buty. – Roz wzięła w rękę doniczkę z więdnącą diffenbachią, po czym podniosła się z krzesła. – Dziękuję, że zechciał pan poświęcić mi swój cenny czas – powiedziała, wyciągając rękę.

– Naprawdę ma pani zamiar zabrać tę roślinę?

– Oczywiście. I w żadnym razie nie zamierzam jej panu oddawać, bo znowu skazałby ją pan na powolną śmierć. Czy mam panu powiedzieć, jak dojechać do Harper House?

– Jakoś trafię. Mam nawet wrażenie, że kiedyś już tamtędy przejeżdżałem. – Odprowadził Roz do drzwi. – Rozsądne kobiety zazwyczaj nie wierzą w duchy. Praktyczne nie płaciłyby za prześledzenie historii życia rzeczonego ducha. A pani robi na mnie wrażenie wyjątkowo rozsądnej i praktycznej kobiety.

– Natomiast rozsądni mężczyźni zazwyczaj nie mieszkają w chlewie i nie przyjmują boso potencjalnych klientów. Tak więc oboje musimy podjąć pewne ryzyko. Na pana miejscu przyłożyłabym lód na to zasinienie na szczęce. Podejrzewam, że jest bolesne.

– Rzeczywiście. Mściwe małe... – urwał gwałtownie. – Zostałem sfaulowany przy próbie rzutu. Grałem w kosza.

– Rozumiem. A więc do zobaczenia we wtorek, o siódmej.

– Na pewno się stawię. Do widzenia, pani Harper.

# 20

Logan wpatrywał się w maleńką istotę mrużącą oczy w słońcu. Widział już w swoim życiu niemowlęta, nawet parę razy miał z nimi bliższy kontakt. Takie nowo narodzone stworzenia przypominały mu swoim wyglądem ryby. Dziecko Hayley miało na szczęście dużo czarnych włosków, było więc podobne do ludzkiej istoty – chociaż trochę nie z tego świata.

Gdyby obok stał Gavin, a nie dumna matka, powiedziałby, że to maleństwo wygląda na owoc związku Aquamana z Wonder Woman.

Syn Stelli natychmiast by pojął, co Logan ma na myśli.

Niemowlęta zawsze go onieśmielały. Patrzyły w taki sposób na człowieka, jakby poznały wszystkie tajemnice świata i zamierzały cię tolerować tylko dopóty, dopóki nie staną się dość niezależne, by żyć własnym życiem.

Hayley spoglądała na niego wyczekująco. Oczywiście, nie mógł jej przedstawić swojej teorii o bliskim związku dwójki komiksowych bohaterów. Musiał koniecznie wymyślić coś innego.

– Wygląda, jakby przybyła z Wenus, gdzie trawa jest błękitna, a niebo utkane ze złotego pyłu – oznajmił. Miał nadzieję, że wyraził się dość poetycznie.

– Ach, jakie to piękne – rozpromieniła się Hayley. – W nagrodę możesz wziąć ją na ręce.

– Może wstrzymam się do czasu, aż trochę urośnie.

Hayley zaśmiała się i wyjęła Lily z nosidełka.

– Taki wielki facet jak ty nie powinien się bać jednej maleńkiej kobiety. Proszę. Pamiętaj tylko, żeby podtrzymywać jej główkę.

– Ma bardzo długie nogi jak na swoje rozmiary. – Dziecko jak na zamówienie machnęło nóżkami. – Jest śliczna. Bardzo podobna do ciebie.

– Wciąż nie mogę uwierzyć, że to ja ją urodziłam. – Hayley troskliwie poprawiła córeczce czapeczkę. – Czy teraz mogę już obejrzeć prezent?

– Jasne. Jesteś pewna, że nie zaszkodzi jej to mocne słońce?

– Celowo przypiekamy maleństwo.

– Co robicie?

– Lily urodziła się z żółtaczką fizjologiczną i kąpiele słoneczne są dla niej zbawienne. Stella mówiła, że tak samo było z Lukiem. – Hayley wzięła upominek i zaczęła odwijać ozdobny papier. – Ona i Roz wiedzą absolutnie wszystko na temat dzieci. Mogę zadać najgłupsze pytanie, a na pewno jedna z nich będzie znała odpowiedź. Lily i ja mamy wielkie szczęście.

Trzy kobiety, jedno niemowlę. Ledwo dziecku się odbije, a któraś już leci, żeby wziąć je na ręce.

– Logan... – Hayley spojrzała na niego z wahaniem. – Myślisz, że nasze życie toczy się w określony sposób, bo tak jest nam pisane, czy dlatego, że świadomie dokonujemy pewnych wyborów?

– Sądzę, że dokonujemy pewnych wyborów, bo tak jest nam pisane.

– Ostatnio sporo się nad tym zastanawiałam. Kiedy trzeba wstawać kilka razy w ciągu nocy, ma się wiele czasu na rozmyślania. Zdecydowałam się opuścić Little Rock i przyjechać tutaj w nadziei, że Rosalind da mi pracę. Ale równie dobrze mogłam wylądować w Alabamie – mam tam bliższą krewną niż Roz. A jednak znalazłam się właśnie tutaj i teraz sądzę, że kierowało mną przeznaczenie. Że Lily miała się urodzić w tym domu i znaleźć się pod opieką Stelli i Roz.

– Wszyscy byśmy wiele stracili, gdybyś pojechała w inną stronę.

– Czuję się tutaj jak w rodzinie. Bardzo mi tego brakowało po śmierci taty. Sądzę – jestem pewna – że we dwie też byśmy sobie poradziły. Ale cieszę się, że nie musimy. Że Lily ma szansę na lepsze życie.

– Jak ma się dzieci, człowiekowi zmienia się perspektywa.

Hayley uśmiechnęła się promiennie.

– To prawda. Jestem zupełnie inną osobą, niż byłam rok wcześniej – ba, nawet tydzień temu.

Otworzyła pudełko i wydała z siebie dźwięk, który Loganowi wydał się typowo kobiecy.

– Ależ śliczna lalka-dzidziuś! I jaka mięciutka!

Położyła sobie lalkę na ręku, w taki sam sposób, w jaki Logan trzymał Lily.

– Jest większa od twojej córeczki.

– Ale już niedługo to się zmieni. Prześliczna zabawka! I jaką ma uroczą czapeczkę!

– Jeśli za nią pociągniesz, włączy się pozytywka.

– Naprawdę? – Zachwycona Hayley pociągnęła za czubek różowej czapeczki i rozległy się delikatne dźwięki kołysanki. – Fantastyczna. – Wspięła się na palce i pocałowała Logana w policzek. – Lily będzie zachwycona. Bardzo ci dziękuję.

– Doszedłem do wniosku, że dziewczynka nie może mieć za dużo lalek.

Odwrócił się, bo usłyszał trzask drzwi wychodzących na patio. Z domu wypadł Parker, a za nim wybiegło dwóch rozkrzyczanych chłopców. Oni kiedyś też byli tacy maleńcy, pomyślał ze zdziwieniem Logan. I równie bezbronni jak... ryba wyjęta z wody. Chłopcy natychmiast podbiegli do niego.

– Zobaczyliśmy twoją ciężarówkę – wyjaśnił Gavin. – Czy przyjechałeś zabrać nas ze sobą do pracy?

– Już skończyłem na dziś.

Na twarzach obu ukazał się przekomiczny wyraz głębokiego rozczarowania. Patrząc na te nieszczęśliwe miny, Logan natychmiast zmienił swoje weekendowe plany.

– Ale w sobotę zamierzam się zabrać do budowy altany w ogrodzie i przydałoby mi się dwóch niewolników do pomocy.

– My możemy być twoimi niewolnikami – zaproponował Luke, ciągnąc Logana za nogawkę. – A ja nawet wiem, co to altana. Taki domek, który obsadza się kwiatami.

– No, proszę. A więc mam szansę na pomoc niewolników-ekspertów. Zobaczymy, co na to wasza mama.

– Na pewno się zgodzi. W sobotę musi iść do pracy, bo Hayley jest na maciorze.

– Na urlopie macierzyńskim – wyjaśniła Hayley.

– Pojąłem – mruknął Logan.

– Czy mogę na nią popatrzeć? – Luke znowu pociągnął go za nogawkę.

– Jasne. – Logan przykucnął z dzieckiem w ramionach. – Jest bardzo maleńka, prawda?

– I jeszcze nic nie umie robić. – Gavin w zamyśleniu postukał lekko palcem Lily w policzek. – Tylko płacze i śpi.

Luke tymczasem nachylił się do ucha Logana.

– Hayley ją karmi mlekiem z własnego cycka – oznajmił konspiracyjnym szeptem.

Logan z miną pełną powagi skinął powoli głową.

– Mam wrażenie, że już słyszałem o podobnym wypadku. Choć trudno mi w to uwierzyć.

– Ale to najprawdziwsza prawda. Dlatego dziewczyny je mają. Znaczy się, cycki. A chłopaki nie, bo nie mogą robić mleka, nawet jeśli bardzo dużo go piją.

– Ach, tak. To wszystko wyjaśnia.

– Gruby pan Kelso też ma cycki – wtrącił Gavin, wprawiając tym brata w niezwykłą wesołość.

Stella podeszła do drzwi i ujrzała Logana z niemowlęciem w ramionach, otoczonego przez jej synów. Wszyscy trzej uśmiechali się od ucha do ucha. Padało na nich słońce przeświecające przez szkarłatne liście czerwonego klonu, a nieopodal lilie cieszyły oczy niezwykłymi barwami i egzotycznymi kształtami. W powietrzu unosił się ich zapach, zmieszany z aromatem wczesnych róż, werbeny i świeżo ściętej trawy.

Patrząc na tę uroczą scenkę, pomyślała: rety!

I może nawet bezwiednie powiedziała to głośno, bo w tym samym momencie Logan spojrzał w jej stronę. Kiedy ich oczy się spotkały, posłał jej ciepły uśmiech.

Chwilę później podniósł się i podszedł do Stelli.

– Twoja kolej – powiedział, oddając jej dziecko.

– Ojoj! – Wyciągnęła ręce po Lily. – Chodź do mnie, moja śliczna. – Cmoknęła dziecko w czoło. – Jak się dzisiaj sprawuje nasz skarb? – zwróciła się do Hayley.

– Jest grzeczna jak aniołek. I tylko popatrz, Stello, co dostała od Logana.

Tak jest, to typowo kobieca sprawa, pomyślał Logan, gdy Stella wydała z siebie niemal taki sam okrzyk, jak wcześniej Hayley.

– Wspaniała!

– A popatrz na to! – Hayley pociągnęła za czapeczkę i rozległa się delikatna melodyjka.

– Mamo! Mamo! – Luke puścił nogawkę Logana i zaczął tarmosić matkę.

– Jedną chwilę, kochanie.

Kobiety jeszcze przez chwilę zachwycały się Lily i jej lalką, Luke zaś niecierpliwie przewracał oczami i nerwowo przebierał nogami.

– Myślę, że czas, abyśmy razem z Lily ucięły sobie krótką drzemkę – powiedziała w końcu Hayley i włożyła córeczkę do nosidełka. – Dziękuję raz jeszcze za uroczy prezent, Loganie.

– Cieszę się, że ci się podobał. Trzymaj się.

– Lalki są głupie – stwierdził autorytatywnie Gavin. Był jednak na tyle uprzejmy, że poczekał, aż Hayley się oddali.

– Doprawdy? – Stella naciągnęła mu daszek baseballówki na oczy. – A czym są w takim razie te wszystkie ludziki walające się po twoich półkach i biurku?

– No, co ty, mamo! To nie żadne lalki, tylko figurki superbohaterów!

– Coś mi się widać pomyliło.

– Chcemy zostać niewolnikami i budować altanę – oznajmił Luke, łapiąc Stellę za łokieć, by zwrócić na siebie jej uwagę. – Możemy?

– Niewolnikami?

– Jutro zabieram się do budowy altany – wyjaśnił Logan. – Przydałaby mi się pomoc, a chłopcy zgłosili się na ochotnika. Podobno ciężko pracują w zamian za kanapki z serem i lody.

– Prawdę mówiąc, zamierzałam zabrać ich ze sobą do pracy.

– Altana, mamusiu. Proszę, proszę! – Luke wpatrywał się w nią tak błagalnie, jakby chodziło o skonstruowanie promu kosmicznego, którym potem polecą na Plutona. – Ja jeszcze nigdy, przenigdy nie budowałem altany.

– No nie wiem...

– Może więc przyjmiemy salomonowe rozwiązanie – zaproponował Logan. – Ty zabierzesz chłopców ze sobą rano, a ja wpadnę po nich w okolicach południa.

Stella poczuła ostre ściskanie w dołku. To zabrzmiało wyjątkowo naturalnie, jakby byli prawdziwą rodziną. Tak ją oszołomiła ta świadomość, że ledwo docierały do niej prośby i błagania synów.

– No, dobrze – wykrztusiła w końcu. – Jeżeli jesteś pewien, że nie będą ci przeszkadzać.

Uśmiechnął się lekko, słysząc jej oficjalny ton.

– Jeżeli tylko spróbują, natychmiast ich wykopię. Tak jak teraz. Chłopcy – spojrzał na Luke'a i Gavina – może pójdziecie sprawdzić, co robi Parker, bo chciałbym zamienić z waszą mamą kilka słów na osobności?

Gavin zrobił zdegustowaną minę.

– Chodźmy, Luke. On na pewno znowu chce ją pocałować.

– Rety, nie zdawałem sobie sprawy, że moje zamiary są aż tak przejrzyste – jęknął teatralnie Logan, po czym uniósł palcem podbródek Stelli i przycisnął usta do jej warg.

– Witaj, Stello.
– Cześć, Loganie.
– Czy powiesz mi, co się w tej chwili kłębi w twojej głowie, czy mam zgadywać?
– Bardzo wiele. I zarazem nic w szczególności.
– Gdy stanęłaś w drzwiach, robiłaś wrażenie ogłuszonej.
– Ogłuszonej? Niezbyt często można usłyszeć to słowo w dzisiejszych czasach.
– Może przejdziemy się kawałek?
– W porządku.
– Nie chcesz wiedzieć, czemu przyszedłem tu dzisiejszego popołudnia?
– Żeby przynieść Lily lalkę.

Ruszyli przed siebie żwirową ścieżką. Dolatywały do nich głosy chłopców i szczekanie psa oraz świst plastikowego kija baseballowego Luke'a.

– Owszem. I żeby wprosić się do was na kolację, bo zdaję sobie sprawę, że teraz tylko w ten sposób mogę zjeść posiłek w twoim towarzystwie. Zapewne jeszcze przez jakiś czas nie zdołam cię odciągnąć od tego maleństwa.

Musiała się uśmiechnąć.

– Najwyraźniej moje intencje są również przejrzyste. Ale maleńkie dziecko w domu to taka radość! Jeżeli uda mi się wykraść ją Hayley i porwać sprzed nosa Roz, mogę się nią bawić jak... jak lalką. Rany, te wszystkie słodkie ciuszki! Ponieważ nie mam dziewczynki, nie zdawałam sobie sprawy, jaka wciągająca może być zabawa w przebieranki.

– Kiedy zapytałem, czy na widok Lily nabrałaś ochoty na kolejne dziecko, spanikowałaś.
– Wcale nie.
– No dobrze, ale byłaś spięta. Dlaczego?
– To chyba normalne, jeśli się jest kobietą w średnim wieku i matką dwóch dorastających chłopców.
– Uhm. I kolejny raz się najeżyłaś, kiedy usłyszałaś, że chcę jutro zabrać dzieci do siebie.
– Nieprawda. Po prostu już zaplanowałam...
– Nie wciskaj mi kitu, Rudzielcu.
– Sprawy rozwijają się zbyt szybko i to w kierunku, w którym nie planowałam iść.
– Jeżeli zamierzasz planować każde posunięcie, to może powinienem ci wyrysować jakąś pieprzoną mapę życia.
– Dziękuję bardzo. Sama mogę ją sobie wyrysować. I nie rozumiem, czemu się irytujesz. Zapytałeś, to ci szczerze odpowiedziałam. – Przystanęła przy bujnie pnącej się do góry passiflorze. – Tym bardziej że słyszałam, iż na Południu obowiązuje powolne tempo.
– Irytujesz mnie od chwili, gdy pierwszy raz cię ujrzałem.
– Wielkie dzięki za niezwykły komplement.
– To powinno dać mi do myślenia – ciągnął Logan. – Od początku byłaś niczym drażniące swędzenie między łopatkami – dokładnie w tym miejscu, gdzie samemu nie można się podrapać, bez względu na to jak bardzo czło-

wiek by się wyginał. Prawdę mówiąc, mnie również odpowiadałoby wolniejsze tempo. Zazwyczaj nie widzę sensu w poganianiu życia. Ale widzisz, Stello, człowiek nie może sobie zaplanować, jak, kiedy i w kim się zakocha. A ja akurat zakochałem się w tobie.

– Loganie...

– Widzę, że to cię śmiertelnie przeraża. Mogą istnieć ku temu dwa główne powody. Albo nie odwzajemniasz moich uczuć i boisz się mnie zranić, albo ty też jesteś we mnie zakochana i czujesz lęk. – Zerwał dorodny kwiat passiflory i wetknął Stelli we włosy. Był to niezwykle romantyczny gest, ostro kontrastujący z napięciem w jego głosie. – Osobiście przychylam się do tego drugiego. Nie tylko dlatego, że mi tak wygodniej, ale ponieważ dobrze wiem, co się dzieje i z tobą, i ze mną, kiedy się całujemy.

– To jedynie pożądanie. Najzwyklejsza chemia.

– Doskonale znam różnicę pomiędzy pożądaniem a miłością. – Chwycił ją gwałtownie za ramiona. – I ty także. Oboje już kiedyś byliśmy zakochani, więc dobrze znamy to uczucie.

– Może masz rację. Tym bardziej więc nie powinniśmy się spieszyć. Znałam Kevina cały rok, zanim pomyśleliśmy o poważnym związku, a musiał minąć następny, żebyśmy zaczęli planować wspólną przyszłość.

– Mnie i Rae zabrało to tyle samo czasu. I co, Stello? Oboje jesteśmy sami. Z różnych powodów, ale to niewiele zmienia. Oboje wiemy, że w takich sprawach nikt nie może liczyć na żadne gwarancje, bez względu na to, jak wiele czasu i wysiłku poświęci na opracowanie planów.

– Masz rację. Ale to niezgodne z moją naturą. Poza tym nie chodzi jedynie o mnie.

– Nie jestem idiotą, Stello – powiedział, przesuwając dłońmi po jej ramionach. – Co więcej, zdołałbym na siłę zaprzyjaźnić się z twoimi dziećmi, jeśli dzięki temu mógłbym cię zdobyć. Rzecz w tym, że szczerze ich polubiłem. Miło mi, jak się kręcą w pobliżu.

– Wiem. – Tym razem to Stella ścisnęła go za ramiona. – Wiem – powtórzyła. – Bez trudu rozpoznaję, czy ktoś tylko udaje sympatię do moich dzieci, czy rzeczywiście ma dla nich cieplejsze uczucia. Tu nie chodzi o ciebie, tylko o mnie.

– Nie podoba mi się to, co mówisz.

– Rozumiem. Ale jestem szczera. Doskonale zdaję sobie sprawę, co czuje dziecko, którego matka rzuca się w ramiona pierwszego lepszego mężczyzny. Oczywiście, w żadnym razie nie uważam ciebie za pierwszego lepszego – dodała spiesznie, widząc wściekłość w oczach Logana. – Rzecz w tym, że teraz chłopcy są dla mnie najważniejsi.

– A dlaczego uważasz, że i dla mnie nie mogliby się stać ważni? Jeżeli uważasz, że nie umiałbym być dla nich dobrym ojcem, wówczas rzeczywiście to ty masz poważny problem.

– Potrzeba czasu, żeby...

– Wiesz, co trzeba zrobić, by taka roślina stała się równie silna? – Wskazał palcem na passiflorę. – Krzyżować ją z innymi.

– Tak. Ale to wymaga czasu.

– Od czegoś trzeba zacząć. Nie kocham twoich synów tak mocno jak ty. Ale mógłbym ich pokochać, gdybyś mi dała szansę. Dlatego proszę cię, żebyś za mnie wyszła.

– O, Boże. Nie mogę... my nie... – Zaczęła nerwowo łapać ustami powietrze. – Małżeństwo! Nie mogę złapać tchu.

– To dobrze. Dzięki temu może przez najbliższe pięć minut uda ci się zachować milczenie. Kocham cię i bardzo lubię twoich chłopców. Gdyby jeszcze parę miesięcy temu ktoś mi powiedział, że będę chciał wziąć sobie na głowę upierdliwego rudzielca i dwójkę rozwrzeszczanych dzieciaków – umarłbym ze śmiechu. A tymczasem popatrz, co się stało. Mógłbym zaproponować, żebyśmy zamieszkali razem na jakiś czas i zobaczyli, czy wszystko się ułoży, ale wiem, że na to byś się nie zgodziła. Więc po prostu zróbmy, co mamy zrobić, a potem spokojnie zajmijmy się życiem.

– Tak po prostu to zróbmy? Jakbyśmy mieli się wybrać po nową ciężarówkę?

– Nowe ciężarówki, w odróżnieniu od małżeństwa, mają z reguły doskonały pakiet gwarancyjny.

– Twoje romantyczne podejście przyprawia mnie o zawrót głowy.

– Mógłbym przyjść tu z pierścionkiem i paść przed tobą na kolana. I prawdopodobnie bym tak zrobił, gdyby nie doszło do tej rozmowy. Stello, przecież wiem, że mnie kochasz.

– Coraz poważniej się zastanawiam, dlaczego.

– Mnie to nie przeszkadza. Wiem natomiast, że moglibyśmy stworzyć sobie wspaniałe wspólne życie. – Skinął głową w stronę, z której dochodził świst plastikowego kija. – Nie jestem ich ojcem, ale mógłbym stać się dla nich dobrym ojczymem. I nigdy bym żadnego z was nie skrzywdził, ani chłopców, ani ciebie.

– Wiem. Nie mogłabym cię pokochać, gdybyś nie był dobrym człowiekiem. Nie jestem jednak przekonana, czy małżeństwo to dobre wyjście dla ciebie i dla mnie.

– Wcześniej czy później cię namówię – rzucił pogodniejszym tonem. Odsunął się na krok i zaczął kręcić na palcu pasmo jej rudych włosów. – Ale jeżeli zdecydujesz się dostatecznie szybko, wówczas będziesz mogła zdecydować, jak zaplanować pokoje w moim domu. Bo w najbliższy deszczowy dzień mam zamiar się do nich zabrać.

Spojrzała na niego zmrużonymi oczami.

– To chwyt poniżej pasa.

– Już kiedyś powiedziałem, że cel uświęca środki. Bądź moja, Stello. – Musnął wargami jej usta. – Bądźmy rodziną.

– Loganie... – Bardzo chciała się do niego przytulić, ale rozsądek zwyciężył. – Zastanówmy się nad tym przez chwilę. Wspomniałeś o rodzinie. I słusznie. Dzisiaj widziałam, jak trzymałeś w ramionach Lily.

– No i?

– Ja już jestem po trzydziestce i wychowuję ośmio- oraz sześciolatka. Do tego mam absorbującą pracę, z której nie zamierzam rezygnować. Wcale nie jestem pewna, czy chciałabym urodzić jeszcze jedno dziecko. Ty tymczasem nie masz własnych dzieci, a powinieneś je mieć.

– Zastanawiałem się nad tym. Fajnie byłoby mieć z tobą dziecko, gdybyśmy oboje doszli do wniosku, że tego właśnie pragniemy. Ale już od samego początku mógłbym uważać się za szczęściarza – na dzień dobry dostałbym ciebie i dwóch w miarę odchowanych chłopców. Ja nie muszę z góry wszystkiego planować. Nie chcę wiedzieć, jak ma wyglądać każdy szczegół mojego życia w przyszłości. Na razie wiem, że cię kocham. I to mi wystarcza.

– Loganie. – Czas na odrobinę logiki, zdecydowała w duchu. – Musimy usiąść i spokojnie omówić tę sprawę. Przecież, na Boga, ty nawet nie znasz moich rodziców, a ja nie znam twoich.

– Możemy temu bardzo szybko zaradzić. Przynajmniej w przypadku twojego taty i jego żony. Zaprośmy ich na kolację. Wybierz tylko dzień.

– Przecież ty w ogóle nie masz mebli w domu! – Złapała się na tym, że zaczyna mówić podniesionym tonem, spróbowała więc się opanować. – Ale to nieważne.

– Dla mnie nieważne.

– Rzecz w tym, że przeskakujemy wiele podstawowych etapów normalnego związku.

Choć gdyby ją ktoś w tej chwili zapytał, co to są za etapy, nie miałaby zielonego pojęcia.

Małżeństwo, kolejne wielkie zmiany w życiu chłopców, perspektywa następnego dziecka... Jak miała za tym wszystkim nadążyć?

– Tak lekko opowiadasz o wzięciu sobie na głowę dwójki dzieci. Przecież ty nie masz pojęcia, co to znaczy mieszkać pod jednym dachem z dwoma małymi chłopcami!

– Sam byłem kiedyś małym chłopcem, Rudzielcu. I wiesz co – zrób tę listę podstawowych etapów, żebyśmy mogli je odbębnić jeden po drugim, jeżeli odczuwasz taką potrzebę. Chcę tylko, żebyś tu i teraz odpowiedziała na jedno pytanie: czy ty mnie kochasz?

– Przecież już zdecydowałeś, że tak.

– Ale chcę to usłyszeć z twoich ust.

Boże, on nawet nie wyobrażał sobie, jak trudno jej wypowiedzieć tak ważne słowa!

– Kocham cię. Kocham, ale...

– To mi na razie wystarczy. – Pochylił i mocno ją pocałował. – No, dobrze. Pamiętaj o tej liście, Rudzielcu. I zacznij się zastanawiać, w jakim kolorze chciałabyś mieć ściany w salonie. Powiedz chłopcom, że jutro po nich przyjadę.

– Ale... przecież zamierzałeś zostać na kolacji...

– Mam coś ważnego do załatwienia. – Odwrócił się na pięcie i ruszył przed siebie.

Przede wszystkim musiał jakoś wyładować irytację. To potężny cios dla męskiego ego, gdy kobieta, którą się kocha i z którą chce się spędzić resztę życia, kontestuje propozycję małżeństwa za pomocą mnóstwa zdroworozsądkowych argumentów.

Przez najbliższą godzinę ćwiczył w domowej siłowni, wyciskając z siebie siódme poty, wypijając hektolitry wody i przeklinając dzień, w którym zakochał się w upartym, krnąbrnym rudzielcu.

Oczywiście, gdyby nie była uparta, krnąbrna i tak do bólu rozsądna, prawdopodobnie wcale by się w niej nie zakochał. Co oznaczało, że jakkolwiek patrzeć, to ona ponosi całą winę za zamieszanie w jego życiu.

A taki był szczęśliwy, zanim ją poznał. Nawet ten dom wcale nie wydawał mu się pusty, póki Stella go nie odwiedziła. Ona i te jej dzieciaki! Jakim cudem przyszło mu do głowy, żeby z własnej, nieprzymuszonej woli zapraszać na sobotę dwóch hałaśliwych chłopaków, którzy zapewne co chwila będą się pakować w kłopoty?!

Szlag by to trafił! Musi jeszcze pojechać po lody.

Jestem człowiekiem straconym, pomyślał, wchodząc pod prysznic. Czyż już nie zdecydował, w którym miejscu ogrodu ustawić podwójną huśtawkę? Czyż nie zabrał się do projektowania domku na drzewie?

Zaczynał rozumować jak ojciec dzieciom.

Miło było trzymać to niemowlę w ramionach, ale posiadanie własnego dziecka nie wydawało mu się najistotniejsze. Zresztą, skąd wiadomo, co on czy Stella będą myśleli na ten temat za rok o tej samej porze.

Logan przypomniał sobie wcześniejszą rozmowę z Hayley. Dokonujemy pewnych wyborów, bo tak nam jest pisane. Albo dlatego, że tego właśnie, do cholery, chcemy! – poprawił się w duchu, wciągając czyste dżinsy.

Szybko sprawdził coś w książce telefonicznej, a piętnaście minut później był już w Memphis. Nawet nie zadał sobie trudu, żeby wysuszyć włosy.

Will wypił łyk poobiedniej, bezkofeinowej kawy i ledwo spróbował cytrynowego tortu bezowego (który ze względów zdrowotnych Jolene wydzielała mu po maleńkim kawałku), gdy rozległo się głośne pukanie do drzwi.

– A któż to może być, u diabła?

– Nie mam pojęcia, skarbie. Może poszedłbyś sprawdzić?

– Jeżeli ktoś chce się wprosić na tort, pamiętaj, że mam dostać większy kawałek.

– Jeśli to chłopak Bowersów do koszenia trawnika, powiedz, że ma w lodówce parę puszek zimnej coli.

Will bez zastanowienia otworzył drzwi, nie ujrzał jednak wyrośniętego nastolatka, tylko barczystego mężczyznę, którego twarz wyrażała głęboką irytację. Instynktownie Will zastawił sobą wejście.

– Czym mogę panu służyć? – zapytał nieufnie.

– Nazywam się Logan Kitridge i właśnie poprosiłem pana córkę o rękę.

– Kto przyszedł, kochanie? – Poprawiając ręką włosy, Jolene podeszła do drzwi. – Ach, to pan Logan Kitridge, nieprawdaż? Spotkaliśmy się parę razy u Roz. Ale to było dawno temu. Znam trochę pańską mamę. Prosimy do środka.

– On twierdzi, że właśnie poprosił Stellę o rękę.

– Doprawdy?! – Jolene się rozpromieniła, a jej oczy zabłysły z ciekawości. – Cóż za cudowna nowina. Zapraszamy na kawę i tort.

– Nie wiemy jeszcze, czy powiedziała „tak" – zauważył Will.

– A od kiedy to Stella odpowiada na pytania najzwyklejszym „tak" albo „nie"? – rzucił Logan.

Will parsknął śmiechem.

– Święta prawda. To cała moja córka.

Usiedli w salonie, jedli tort, pili kawę i krążyli wokół najważniejszego tematu, rozmawiając o matce Logana, Roz i nowo narodzonym dziecku Hayley.

W końcu Will rozparł się wygodniej w fotelu.

– Powinienem więc zapytać, jak zamierza pan utrzymać moją córkę i wnuki.

– Ostatnim razem, gdy odpowiedziałem na podobne pytanie, ojciec dziewczyny maglował mnie na ten temat przez dwa lata bez przerwy. Nie sądziłem, że w moim wieku będę musiał znowu przez to przechodzić.

– Oczywiście, że nie będziesz musiał – roześmiała się Jolene i uderzyła męża lekko po ramieniu. – On tylko żartuje. Stella bez najmniejszego problemu może samodzielnie utrzymać siebie i chłopców. A ty z kolei nie zjawiłbyś się tu taki zirytowany, gdybyś jej nie kochał. Chciałabym jednak zadać ci pewne istotne pytanie, o ile nie masz nic przeciwko temu. Jak będziesz się czuł w roli „przyszywanego" ojca tych chłopców?

– Przypuszczam, że tak samo, jak pani w roli ich „przyszywanej" babci. A jeśli będę miał dużo szczęścia, zaczną mnie darzyć takim samym uczuciem, jakim darzą panią. Wiem, że uwielbiają spędzać czas z dziadkami, i słyszałem nawet, że ciasteczka babci Jo są równie pyszne jak ciasteczka Davida. A to już nie lada komplement.

– Bardzo kochamy dzieci Stelli – wtrącił Will. – Są oczywiście oczkiem w głowie naszej córki. Kevin też uwielbiał synów. To był dobry człowiek.

– Może wszystko byłoby prostsze, gdyby należał do wrednych, kłamliwych sukinsynów. Gdyby Stella go zostawiła, a nie straciła na skutek tragicznego wypadku. Nie wiem. Ale to i tak nie ma w tej chwili znaczenia, bo prawdę mówiąc, cieszę się, że Kevin był dobrym mężem i kochającym ojcem. Mogę żyć z duchem mojego przedwcześnie zmarłego poprzednika, jeśli to pan ma na myśli.

– Uważam, że to bardzo rozsądne podejście. – Jolene z aprobatą poklepała Logana po dłoni. – Świadczy o twoim dobrym charakterze. Prawda, Will?

Will mruknął coś niezrozumiale, po czym zamyślił się na kilka chwil.

– Czy jeżeli ożeni się pan z moją córką, udzieli nam pan rabatu rodzinnego na prace w ogrodzie?

Logan uśmiechnął się szeroko.

– Możemy uznać to za integralną część kontraktu małżeńskiego.

– To się świetnie składa, bo od pewnego czasu myślę o przebudowie naszego patio.

– Pierwsze słyszę – mruknęła Jolene.

– Kiedyś, na jakiejś wystawie ogrodniczej, widziałem taki wzór w jodełkę, ułożony z klinkieru. Bardzo mi się spodobał. Czy umiałby pan coś podobnego zrobić?

– Kilka takich już ułożyłem w życiu. Od razu mogę zerknąć na ogród, jeśli pan chce.

– Doskonały pomysł – uznał Will, podnosząc się od stołu.

# 21

Stella gryzła się, trapiła i denerwowała. Spodziewała się, że gdy Logan przyjedzie po chłopców, znowu będą dyskutować o zaletach i wadach małżeństwa.

Wiedziała, że jest na nią zły. I najprawdopodobniej urażony. Ale jednocześnie była pewna, że się zjawi koło południa, żeby zabrać chłopców do siebie. Obiecał to Luke'owi i Gavinowi, więc z pewnością dotrzyma słowa.

Można mu było ufać i dlatego Stella bez najmniejszych oporów powierzała dzieci jego opiece – wiedziała, że odpowiednio zadba o chłopców.

Choć zapewne dziś nie obejdzie się bez kolejnej sprzeczki. Oboje byli zbyt nakręceni, by przeprowadzić spokojną, rozsądną rozmowę na tak osobisty temat. Ale Stella nie miała nic przeciwko sprzeczkom. Dzięki nim zazwyczaj ujawniały się w pełni wszystkie uczucia, krystalizowały poglądy. A i jedno, i drugie było jej potrzebne, by zdecydować, jakie rozwiązanie jest najlepsze dla wszystkich stron.

Tymczasem Logan zjawił się w pogodnym, niemal radosnym nastroju. Przyszedł do nich na parking, skąd Luke i Gavin zabierali pozostawione przez klientów wózki – za każdy odprowadzony na miejsce dostawali po ćwierć dolara.

– Gotowi do ciężkiej pracy godnej prawdziwych mężczyzn? – spytał na dzień dobry.

Potakując jeden przez drugiego, chłopcy natychmiast porzucili wózki na rzecz o wiele bardziej interesującego zajęcia. Luke z dumą pokazał Loganowi plastikowy młotek, który przytroczył sobie do szlufki szortów.

– Z pewnością się przyda. Dobry pracownik zawsze zjawia się z własnymi narzędziami. Podrzucę ci ich po południu do domu.

– A jak sądzisz, o której...

– To zależy, jak długo zdołają pracować. – Pomacał biceps Gavina. – Widzę, że ten wytrzyma cały dzień ciężkiej harówki.

– A sprawdź moje! Sprawdź moje! – Luke napiął ramię.

Logan posłuchał prośby i gwizdnął z aprobatą.

– A więc na razie – rzucił w stronę Stelli.

I to wszystko.

Stella gryzła się, trapiła i denerwowała przez całą resztę dnia. Nie była głupia – doskonale wiedziała, że na to właśnie liczył Logan.

Kiedy wróciła do domu po pracy, wokoło panowała niezwykła cisza, co wcale jej się nie spodobało. Poszła do łazienki i pod prysznicem spłukała z siebie trudy dnia, potem pobawiła się z Lily i wypiła kieliszek wina. Zaczęła wędrować bez celu po pokojach i wówczas właśnie zadzwonił telefon.

– Halo?

– Dzień dobry. Czy rozmawiam ze Stellą?

– Tak. Kto...

– Mówi Trudy Kitridge. Mama Logana. Przykazał mi, żebym do ciebie zadzwoniła. Powiedział, że mniej więcej o tej porze wracasz z pracy.

– Ja... uch...

O, Boże! Dobry Boże! Matka Logana?!

– Logan zawiadomił nas, że poprosił cię o rękę. Wprost nie wierzyliśmy własnym uszom!

– Tak, ja również byłam zaskoczona, pani Kitridge, ale prawdę powiedziawszy, my jeszcze nie podjęliśmy... to znaczy ja jeszcze nie podjęłam... żadnej decyzji.

– Ostatecznie kobiecie należy się czas do namysłu. Muszę cię jednak ostrzec, skarbie, że jak ten chłopak coś sobie postanowi, to jest nieustępliwy jak buldog. Oznajmił, że chcesz poznać jego rodzinę, zanim powiesz „tak" lub „nie". Uważam, że to bardzo miło z twojej strony. Oczywiście, ponieważ teraz mieszkamy w Montanie, nie jest to takie proste. Ale przypuszczam, że zjawimy się u Logana na Święto Dziękczynienia, a potem na Boże Narodzenie pojedziemy do córki, do Charlotte. Mamy tam wnuki, dlatego chętnie odwiedzamy ją właśnie w tym czasie.

– Oczywiście.

Nie miała pojęcia, bladego pojęcia, co powinna powiedzieć. Przecież, na Boga, w ogóle nie była przygotowana na podobną rozmowę.

– Logan mówił mi, że masz dwóch synków. Podobno to świetne chłopaki. Więc jak dobrze pójdzie, będziemy mieli teraz wnuki również w Tennessee.

– Och. – Żadne inne słowa nie mogły bardziej trafić jej do serca. – Jakże miło to słyszeć. Jeszcze pani nie poznała ani ich, ani mnie, a...

– Logan was zna, a ja wychowałam swojego syna na mężczyznę, który wie, co dobre. Jeżeli pokochał ciebie i twoich chłopców, to my też was pokochamy. Słyszałam, że pracujesz u Rosalind Harper.

– Owszem. Pani Kitridge...

– Och, koniecznie mów mi „Trudy". No i jak ci się podoba w Tennessee?

Przez następne dwadzieścia minut Stella prowadziła towarzyską pogawędkę z mamą Logana. Gdy w końcu odłożyła słuchawkę, była oszołomiona, ubawiona, wzruszona i wyczerpana.

Opadła bezwładnie na kanapę, a chwilę później usłyszała warkot ciężarówki Logana.

Z trudem się powstrzymała, by nie ruszyć biegiem w stronę drzwi, po czym rozsiadła się w salonie z czasopismem ogrodniczym na kolanach, jakby nic się nie wydarzyło.

Może później napomknie, tak zupełnie mimochodem, o rozmowie z jego matką. A może tego nie zrobi, żeby jeszcze przez jakiś czas się pomęczył.

Owszem, to przemiłe z jego strony, że zaaranżował tę rozmowę, ale mógł, na Boga, ją uprzedzić! Wówczas przez pierwsze pięć minut nie bełkotałaby bez ładu i składu jak ostatnia idiotka.

Parę minut później chłopcy wbiegli do domu z wdziękiem batalionu rekrutów.

– Wybudowaliśmy calutką altanę! – Spocony i utytłany ziemią Gavin wpadł do salonu i chwycił Parkera w ramiona. – I do tego zasadziliśmy rośliny, które ją obrosną.

– Jamnik.

Znając sposób przekręcania wyrazów przez Luke'a, domyśliła się, że chodziło o jaśmin. Dobry wybór.

– I miałem jeszcze drzazgę – pochwalił się Luke, unosząc w górę wskazujący palec zaklejony plastrem. – Straaasznie wielką. Z początku myśleliśmy, że trzeba ją będzie wycinać nożem. Ale w końcu daliśmy sobie radę inaczej.

– Rany! Widzę, że twoje życie wisiało na włosku. Zaraz potraktujemy twoją ranę antybakteryjną zasypką.

– Logan już to zrobił. A ja wcale nie płakałem. A potem jedliśmy lody.

– I jeździliśmy w taczce – wtrącił Gavin. – A ja używałem najprawdziwszego młotka.

– Coś takiego. A więc mieliście bardzo pracowity dzień. Czy Logan nie zamierza do nas wpaść?

– Nie, powiedział, że ma inne zajęcia. I popatrz, mamo! – Gavin pogrzebał w kieszeni i wyciągnął wyjątkowo wymięty banknot pięciodolarowy. – Każdy z nas dostał po jednym. Logan powiedział, że skoro tak dobrze pracujemy, możemy przestać być niewolnikami i zostać tanią siłą roboczą.

W tym momencie Stella już nie wytrzymała i parsknęła śmiechem.

– To rzeczywiście poważny awans. Moje gratulacje. A teraz czas na kąpiel.

– Po kąpieli rzucimy się na jedzenie jak stado żarłocznych prosiaków. – Luke wsunął rękę w jej dłoń. – Tak powiedział Logan, kiedy przyszedł czas na lunch.

– Może takie rzucanie się na prowiant ograniczycie tylko do miejsca pracy.

Chłopcy rozprawiali o Loganie i swoich przygodach przez cały czas kąpieli i kolacji. A potem byli już tak skonani, że nawet nie chcieli dodatkowej godziny zabawy, na którą Stella zawsze im pozwalała w sobotę.

Zanim wybiła dziewiąta, spali już głębokim snem i pierwszy raz od niepamiętnych czasów nie miała nic do roboty.

Była więc zachwycona, gdy usłyszała płacz Lily.

Wyszła do holu i ujrzała Hayley, która zmierzała w stronę schodów, próbując uciszyć popiskującą córeczkę.

– Jest głodna. Pomyślałam, że posiedzę w salonie i pooglądam telewizję w czasie karmienia.

– Nie masz nic przeciwko temu, żebym dotrzymała ci towarzystwa?

– Będę zachwycona. Czułam się dziś strasznie samotna. Dom był taki opustoszały – David na cały weekend wyjechał nad jezioro, ty i Roz siedziałyście w pracy, a chłopcy szaleli u Logana. – Hayley usiadła na sofie, rozpięła koszulę i przystawiła dziecko do piersi. – Już lepiej, maleńka, prawda? W końcu włożyłam Lily w nosidełko i poszłyśmy na długi spacer.

– Zapewne obu wam dobrze zrobił. Co chciałaś pooglądać?

– Nic konkretnego. Doszłam do wniosku, że muszę posłuchać ludzkiego głosu.

– A czy ja też mogę się przyłączyć? – Roz wsunęła się do salonu i z szerokim uśmiechem na twarzy podeszła do Lily. – Chciałam na nią zerknąć. Popatrzcie tylko, jak dzielnie ssie!

– Rzeczywiście, apetyt jej dopisuje – przyznała Hayley. – A poza tym, dzisiaj się do mnie uśmiechnęła. Wiem, fachowcy twierdzą, że to jedynie sprawa gazów w brzuszku, ale...

– A co oni tam wiedzą! – Roz wyciągnęła się na fotelu. – Przecież nie można sprawdzić, co się dzieje w główce takiego maleństwa.

– Logan poprosił, żebym za niego wyszła.

Stella sama nie wiedziała, czemu to z siebie wykrztusiła.

– Jasna cholera! – wykrzyknęła Hayley. Zaraz jednak zniżyła głos i zaczęła uspokajać Lily. – Kiedy? Jak? Gdzie? Co za niesamowita, wspaniała nowina. Musisz nam wszystko opowiedzieć.

– Nie ma wiele do opowiadania. Poprosił mnie wczoraj.

– Wtedy, jak poszłam położyć dziecko? Czułam, że coś się szykuje.

– Sądzę, że nie zamierzał tego zrobić. To tak jakoś samo wyszło. A potem się na mnie wkurzył, bo próbowałam mu wykazać racjonalne powody, dla których nie powinniśmy podejmować żadnych pospiesznych decyzji.

– A co to za powody? – zainteresowała się Hayley.

– Znają się zaledwie od stycznia – wtrąciła Roz, patrząc Stelli prosto w oczy. – Oboje byli już z kimś związani, dźwigają więc bagaż niekoniecznie dobrych doświadczeń.

– Tak. – Stella odetchnęła z ulgą. – Właśnie to miałam na myśli.

– Kiedy kogoś kochasz, to kochasz. Nieważne, czy znasz go od pięciu lat czy od pięciu miesięcy – nie dawała za wygraną Hayley. – A na dodatek Logan fantastycznie dogaduje się z twoimi dziećmi. Chłopcy za nim przepadają. A skoro oboje macie już za sobą jedno małżeństwo, powinniście wiedzieć, jak unikać pewnych pułapek, na co zwracać uwagę, a czym się nie przejmować. Teraz już nic z tego nie rozumiem. Właściwie to ty go kochasz czy też nie?

– Tak. Kocham, ale... wszystko wygląda inaczej, kiedy człowiek jest młody i nie ma żadnych zobowiązań. Wówczas można podejmować każde ryzyko. A co zrobię, jeśli on będzie chciał mieć dzieci, a ja nie? Muszę się zastanowić nad takimi sprawami. Muszę wiedzieć, czy w ogóle byłabym skłonna rozważać możliwość urodzenia kolejnego dziecka, a przede wszystkim, czy dzieci, które już mam, czułyby się przy nim szczęśliwe i bezpieczne. Razem z Kevinem opracowaliśmy plan...

– I wasz plan diabli wzięli – zauważyła Roz. – Oczywiście, niełatwo się zdecydować na kolejne małżeństwo. Mnie to zajęło wiele lat, a na dodatek dokonałam fatalnego wyboru. Mimo to jestem przekonana, że gdybym w twoim wieku zakochała się w mężczyźnie, który by mnie bawił, z radością zajmował się moimi dziećmi w sobotę i jeszcze był dobry w łóżku, bez wahania bym się za niego wydała.

– Ale przecież przed chwilą podałaś powody, które przemawiają za tym, by nie spieszyć się z taką decyzją.

– Podałam powody, które zapewne ty bierzesz pod uwagę, Stello. Ale jest jeszcze coś, co obie rozumiemy, a przynajmniej powinnyśmy rozumieć. Miłość to niezwykle cenna rzecz, którą często zły los kradnie nam sprzed nosa. Ty dostałaś szansę, żeby ją przy sobie zatrzymać. Uważam, że masz wiele szczęścia.

Znowu śnił się jej ogród, a w nim błękitna dalia obsypana wielkimi, nabrzmiałymi pąkami. Na samej górze jeden duży kwiat kołysał się delikatnie, trącany lekkim wiatrem. Ogród, chociaż już nie taki uporządkowany, mienił się wieloma barwami i zachwycał rozmaitością kształtów.

Stała w tym ogrodzie z Loganem, który mocno przytulał ją do siebie. Z oddali słyszała śmiech dzieci i radosne ujadanie psa.

A zaraz potem leżeli na trawie i kochali się w ciepłych promieniach słońca. Palcami wyczuwała rysy jego twarzy. Nie był piękny jak królewicz z bajki, ale cudownie męski i taki kochany. Czuła przyjemne dreszcze, gdy ich ciała ocierały się o siebie nawzajem.

Jak mogli tworzyć tak idealną jedność, tak bardzo różniąc się od siebie?

Nagle pączki błękitnej dalii buchnęły kwiatami. Było ich tak dużo. Za dużo. Wszystkie inne rośliny pogrążyły się w cieniu. Dalia stawała się zbyt agresywna, zbyt rozrośnięta.

I wówczas Stella usłyszała głos Logana.

*Dobrze jej będzie w tym miejscu. Po prostu zmieńmy projekt.*

Zanim jednak zdążyła odpowiedzieć, odezwał się inny głos – zimny i ostry.

*To jego projekt, jego plan. Nie twój. To jego pragnienia. Nie twoje. Wykarczuj ten kwiat, zanim zniszczy cały ogród!*

Prawda, to nie był jej projekt, Stella widziała to gołym okiem. Według jej założeń ten ogród miał być spokojnym, pełnym uroku zakątkiem.

Chwyciła więc za szpadel i zaczęła kopać.

*Doskonale. Zniszcz ją. Usuń na zawsze!*

Słońce schowało się za ciemnymi chmurami i w powietrzu zapanował zimowy chłód, tak że Stella drżała z zimna, wbijając po raz kolejny szpadel w ziemię.

Logan zniknął. Na jego miejscu natomiast pojawiła się Oblubienica w białej szacie i z rozpuszczonymi włosami. Z zadowoleniem kiwała głową, w jej spojrzeniu czaił się obłęd.

– Nie chcę zostać sama! – wykrzyknęła Stella. – Nie chcę z tego rezygnować.

*Kop! Pospiesz się. Przecież chcesz uniknąć cierpienia. I uchronić dzieci od trujących wpływów. Pospiesz się. Ten kwiat wszystko zniszczy. Jeżeli go zostawisz, zabije inne rośliny.*

A więc Stella kopała. Pewnie rzeczywiście lepiej usunąć stąd tę dalię. Po prostu wyjmie ją z ziemi i posadzi w innym miejscu.

Kiedy jednak delikatnie wyciągnęła na wierzch korzenie, błękitne kwiaty natychmiast sczerniały, łodyga zwiędła, a w rękach Stelli pozostała tylko garstka prochu.

Najlepszym lekarstwem na troski jest praca, a tej nie brakowało. Rok szkolny zbliżał się do końca, sprzedawali już pełną parą wieloletnie rośliny, a na domiar wszystkiego szefowa działu sprzedaży była na urlopie macierzyńskim.

Stella nie miała więc czasu na analizę dziwnych, niepokojących snów ani na zastanawianie się, czemu mężczyzna, który jednego dnia jej się oświadczył, następnego przepadł jak kamień w wodę. Teraz przede wszystkim zajmowało ją sprawne prowadzenie firmy, dbanie o chłopców i odkrycie tożsamości ducha.

Sprzedała trzy ostatnie wawrzyny, a potem zabrała się do porządków w sektorze krzewów.

– Czy zamiast kamelii nie powinnaś przypadkiem przerzucać papierów?

Wyprostowała plecy, w pełni świadoma, że jest cała mokra od potu, ma uwalane ziemią spodnie, a jej włosy wymykają się niesfornie spod baseballówki, którą próbowała je przytrzymać.

– Jestem menedżerem, więc do moich obowiązków należy również dbanie o to, by nasz towar był jak najlepiej wyeksponowany. Czy chcesz czegoś ode mnie?

– Pracuję nad nowym zleceniem. – Logan pomachał papierami. – Przyjechałem po rośliny i materiały.

– Doskonale. Zostaw dokumenty na moim biurku.

– Ani mi się śni tam zapuszczać. – Wcisnął jej zamówienia w rękę. – Moi pracownicy już zajęli się ładowaniem. Zabieram ten japoński czerwony klon i pięć oleandrów.

Chwycił donicę z drzewkiem.

– Doskonale – powtórzyła Stella.

Zirytowana rzuciła okiem na formularze, potrząsnęła z niedowierzaniem głową, po czym raz jeszcze dokładnie przeczytała dane klienta.

– Bierzesz je dla mojego ojca.

– Uhm.

– Z jakiej racji sadzisz oleandry w ogrodzie taty?

– Na tym polega moja praca. Jolene zaczyna już coś przebąkiwać na temat nowych mebli ogrodowych i fontanny. Mam wrażenie, że gdy kobiety patrzą na pustą powierzchnię, natychmiast mają ochotę ją czymś zapełnić. Dyskusja na ten temat zaczęła się już dwa dni temu.

– Co ty tam robiłeś dwa dni temu?!

– Jadłem tort. Słuchaj, muszę już lecieć. Jeżeli nie zacznę natychmiast, nie zdążę wziąć prysznica przed spotkaniem z tym profesorem od duchów. Do zobaczenia, Rudzielcu.

– Stój. Poczekaj! Wczoraj, ni stąd, ni zowąd zadzwoniła do mnie twoja mama. Podobno ty kazałeś jej to zrobić.

– Jak to, ni stąd, ni zowąd? Przecież powiedziałaś, że powinniśmy poznać nawzajem swoje rodziny. Moi rodzice są kilka tysięcy kilometrów stąd, więc kontakt telefoniczny wydawał mi się najrozsądniejszym wyjściem.

– Chciałabym też, żebyś mi wyjaśnił... – teraz to ona pomachała papierami – ...i tę historię.

– Wiem. – Chwycił ją za włosy, przyciągnął do siebie jej twarz i mocno pocałował Stellę w usta. – Jeżeli to nie jest dla ciebie dostatecznym wyjaśnieniem, to znaczy, że popełniłem poważny błąd. Na razie.

– I potem zniknął, a ja sterczałam tam z rozdziawionymi ustami jak ostatnia idiotka – opowiadała Stella, zmieniając pieluszkę Lily, w czasie gdy Hayley przebierała się do kolacji.

– Przecież chciałaś, żebyście poznali nawzajem swoje rodziny – zauważyła dziewczyna. – No więc ty porozmawiałaś z jego mamą, a on z twoim tatą.

– Wiem, co chciałam, ale rzecz w tym, że on niczego ze mną nie skonsultował, o niczym mnie nie uprzedził. – Podniosła Lily i przytuliła do piersi. – To mnie wkurza.

– Bardzo bym chciała, żeby ktoś mnie zaczął wkurzać w taki sposób – odrzekła Hayley. Odwróciła się bokiem do lustra i westchnęła ciężko na widok wciąż sterczącego brzucha. – Chociaż w książkach piszą coś zupełnie innego, miałam nadzieję, że gdy już urodzę dziecko, wszystko natychmiast wróci na swoje miejsce.

– Nic całkowicie nie wraca na swoje miejsce po porodzie. Ale jesteś młoda i energiczna, więc odzyskasz dawną figurę.

– Mam nadzieję. – Włożyła w uszy swoje ulubione wielkie, srebrne koła. – Stello, ponieważ jesteś moją najlepszą przyjaciółką i bardzo cię kocham, to coś ci powiem.

– Och, skarbie...

– A więc w zeszłym tygodniu, gdy Logan przyniósł Lily lalkę, a ty z chłopcami wyszłaś do nas do ogrodu, wiesz, jak wyglądaliście we czwórkę?

– Nie.

– Jak prawdziwa rodzina. I myślę, że w głębi serca dobrze o tym wiesz. Wam po prostu pisane jest wspólne życie.

– Chyba jesteś zbyt młoda jak na Sybillę.

– To nie ma nic wspólnego z wiekiem. – Hayley zarzuciła sobie pieluszkę na ramię. – Chodź do mnie, maleńka. Zanim pójdziesz spać, mama pochwali się tobą przed wszystkimi. Gotowa? – zwróciła się do Stelli.

– Mam nadzieję.

Ruszyły korytarzem. Po drodze Stella zgarnęła chłopców, a u szczytu schodów spotkały Roz.

– Ależ wszyscy jesteśmy eleganccy.

– Musieliśmy włożyć nowe koszule – poskarżył się Luke.

– Bardzo wam w nich do twarzy. Czy mogę zaanektować na dzisiejszy wieczór tych dwóch przystojniaków? – Roz chwyciła każdego z chłopców za rękę. – Zaraz zacznie się burza – zauważyła, zerkając w okno. – Ach, spójrzcie, zdaje się, że przyjechał doktor Carnegie i to idealnie o czasie. Czym on, na Boga, jeździ? To wygląda jak przerdzewiałe czerwone pudło na kołach.

– Zdaje się, że to volvo – stwierdziła Hayley, spoglądając ponad ramieniem Roz. – Wyjątkowo stare. To ponoć najbezpieczniejsze auta na świecie. Są tak paskudne, że aż piękne. O, rany, tylko popatrzcie! – Hayley znacząco uniosła brwi. – Uwaga, nadciąga kawał seksownego faceta.

– Zlituj się, Hayley! On mógłby być twoim ojcem.

– Gorąca sztuka jest gorącą sztuką. – Dziewczyna szelmowsko uśmiechnęła się do Roz.

– Jak mu gorąco, to może powinien dostać szklankę zimnej wody – zasugerował Luke.

– A Hayley drugą.

Rozbawiona Roz podeszła do drzwi, by przywitać pierwszego gościa.

Mitch Carnegie przyniósł w prezencie butelkę białego wina z dobrego rocznika, sam jednak poprosił o wodę mineralną. Roz doszła do wniosku, że ktoś, kto jeździ samochodem wyprodukowanym mniej więcej w roku własnego urodzenia, musi zachować całkowitą trzeźwość umysłu. Gość kurtuazyjnie zachwycił się niemowlęciem, po czym z powagą uścisnął dłonie chłopców.

Taktownie nie przeszedł od razu do zasadniczego tematu, tylko wdał się w luźną, towarzyską pogawędkę.

Kiedy zjawił się Logan, wszyscy byli już zrelaksowani i swobodni.

– Myślę, że nie będziemy czekać na Harpera – zdecydowała Roz. – Mój syn chronicznie się spóźnia albo wręcz trzeba go wciągać na listę zaginionych w akcji.

– Też jestem ojcem – wtrącił Mitch. – Więc znam ten ból.

– Nie wiedziałam, że masz dzieci.

– Tylko syna. Josh ma dwadzieścia lat, studiuje w miejscowym college'u. Mieszka pani w pięknym domu, pani Harper.

– Dziękuję. I proszę mówić mi po imieniu. Mój dom jest jedną z moich największych miłości. A oto... – dorzuciła, gdy Harper wpadł od strony kuchni – ...następna.

– Spóźniłem się, przepraszam. Wypadło mi z głowy. Cześć, Loganie, Stello. Witajcie, chłopaki. A gdzie Lily?

– Śpi.

– Doktorze Carnegie, mój wiecznie spóźniony syn, Harper.

– Raz jeszcze przepraszam. Mam nadzieję, że nie czekaliście specjalnie na mnie.

– W żadnym razie. – Mitch wyciągnął dłoń. – Miło cię poznać.

– Może więc już teraz usiądziemy do kolacji. Zdaje się, że David przeszedł dziś samego siebie.

Na środku stołu, w podłużnej, niskiej misie stała kompozycja z letnich kwiatów. W wysokich srebrnych świecznikach, ustawionych na niewielkim kredensie, paliły się wysmukłe, białe świece. Na żółto-zielonych serwetkach stała elegancka zastawa z białej porcelany, a na każdym talerzu piętrzyła się już dobrze schłodzona sałatka z homara. Gdy wszyscy zajęli miejsca, pojawił się David z winem.

– Kto miałby ochotę na to wspaniałe pinot grigio?

Roz mimowolnie zauważyła, że Mitch pozostał przy wodzie mineralnej.

– Doktorze Carnegie, pańska twarz wydaje mi się zaskakująco znajoma – powiedział Harper, gdy od sałatki przeszli do faszerowanego schabu. Zmrużył oczy i przez chwilę przyglądał się Mitchowi. – Wciąż jednak nie wiem, skąd. Czy przypadkiem nie wykładał pan na uniwersytecie w Memphis, gdy jeszcze tam studiowałem?

– Niewykluczone. Ale prawdę mówiąc, nie przypominam sobie, żebyś uczęszczał na moje zajęcia.

– Nie. To chyba jednak zły trop. Choć może kiedyś zawędrowałem na któryś z pańskich wykładów... Ale zaraz. Chwileczkę. Już mam! Josh Carnegie. Napastnik Memphis Tigers.

– To mój syn.

– Uderzające podobieństwo. Rany, co z niego za rakieta. Byłem na meczu z Karoliną Południową, kiedy zdobył dla drużyny trzydzieści osiem punktów. Ależ ten facet ma szybkość!

Mitch uśmiechnął się i potarł siniaka na szczęce.

– Wiem coś o tym.

Rozmowa zeszła na koszykówkę i Logan wykorzystał ten moment, by nachylić się w stronę Stelli.

– Twój tata oczekuje ciebie i chłopców w sobotę. Przyjadę po was, bo też zostałem zaproszony na lunch.

– Doprawdy?

– Polubiliśmy się. – Chwycił jej dłoń i musnął ustami palce. – Nawet sobie nie wyobrażasz, jak łatwo można się zaprzyjaźnić, gdy razem sadzi się oleandry.

Stella nawet nie próbowała powstrzymać uśmiechu.

– Szybko wyczułeś jego słabości.

– Ty, dzieci, ogród. Tak, chyba rzeczywiście wiem, co w trawie piszczy. Czy przygotowałaś już dla mnie tę listę, Rudzielcu?

– Zdaje się, że i bez mojej pomocy skutecznie odbębniasz wszystkie punkty.

Uśmiechnął się łobuzersko.

– Jolene sądzi, że powinniśmy uczynić zadość tradycji i pobrać się w czerwcu.

Kiedy Stella zaniemówiła z wrażenia, odwrócił się w stronę chłopców i wdał w pasjonującą dyskusję na temat nowej serii Marvel Comics.

W czasie deseru z głośnika urządzenia monitorującego pokój Lily dobiegł głośny płacz. Hayley natychmiast zerwała się z krzesła.

– Obowiązki wzywają. Zejdę z powrotem, gdy ją już nakarmię i ułożę do snu.

– A gdy o obowiązkach mowa... – Stella także podniosła się z miejsca. – Chłopcy, czas spać. Jutro czeka was szkoła – dorzuciła, zanim którykolwiek z synów zdołał zaprotestować.

– To idiotyczne, żeby kłaść się do łóżka, jak jeszcze jest widno – oznajmił Gavin.

– Cóż, na tym właśnie polega ciężki los dzieci. A co powinniście zrobić, zanim pójdziemy na górę?

Gavin westchnął teatralnie.

– Dziękujemy za kolację. Wszystko było przepyszne. Teraz jednak musimy już iść z powodu jakiejś głupiej szkoły.

– Prawie dobrze – zawyrokowała Stella.

– Dobranoc. Bardzo mi smakowały paluszki ziemniaczane – powiedział Luke, zwracając się do Davida.

– Pomóc ci? – spytał Logan.

– Nie – rzuciła przez ramię, zatrzymała się jednak na moment i spojrzała mu prosto w oczy. – Ale dzięki, że o tym pomyślałeś.

Zabrała Luke'a i Gavina na górę. Kiedy tylko weszli do pokoju, rozległ się huk gromu. Parker natychmiast podkulił ogon pod siebie i czmychnął pod łóżko Luke'a. Stella zaczęła przykrywać chłopców cienkimi kocami i właśnie w tym momencie o szyby uderzyły pierwsze, wielkie krople deszczu.

– Parker jest strasznym tchórzem. – Luke ułożył się wygodniej na poduszce. – Czy może zostać dziś tutaj na noc?

– Dobrze, wyjątkowo się zgodzę, bo przy was nie będzie się tak bał. – Po dłuższych staraniach Stelli udało się wywabić psa spod łóżka. Przez chwilę głaskała uspokajająco trzęsącego się zwierzaka, a potem położyła Parkera na łóżku Luke'a. – Czy tak lepiej?

– Uhm. Mamo... – Luke urwał i wymienił znaczące spojrzenie z bratem.

– Słucham? Co tam kombinujecie?

– Ty zapytaj – szepnął Luke.

– Nie. Ty.

– Ty.

– O co chcecie mnie zapytać? Jeżeli wydaliście całe kieszonkowe na komiksy...

– Czy zostaniesz żoną Logana? – wyrzucił z siebie w końcu Gavin.

– Skąd w ogóle przyszedł wam podobny pomysł do głowy?

– Słyszeliśmy, jak Roz i Hayley mówiły, że cię o to poprosił – wyjaśnił Luke, po czym ziewnął szeroko. – No więc zostaniesz?

Stella przysiadła na łóżku Gavina.

– Zastanawiam się nad tym. Ale przecież nie podjęłabym takiej ważnej decyzji, nie zapytawszy was wcześniej o zdanie. Musimy przemyśleć wiele spraw, sporo przedyskutować.

– On jest w porządku i fajnie się z nami bawi, więc możesz zostać jego żoną – łaskawie zgodził się Luke.

Stella nie mogła powstrzymać śmiechu. Może więc wcale nie będzie trzeba prowadzić aż tak zasadniczych dyskusji, jak jej się zdawało.

– Małżeństwo to bardzo poważna sprawa. Obietnica, której należy dotrzymać do końca życia.

– Czy przeprowadzilibyśmy się do jego domu? – Nie dawał za wygraną Luke.

– Myślę, że tak, jeżeli...

– Nam się tam podoba. No i ja lubię, jak Logan trzyma mnie za nogi, głową w dół. A na dodatek on tak wyciągnął drzazgę z mojego palca, że prawie nie bolało. I potem pocałował ranę, jak trzeba.

– Naprawdę?

– Będzie naszym „przyszywanym" tatą – oznajmił Gavin, kreśląc palcem kółka na prześcieradle. – Babcia Jo jest naszą „przyszywaną" babcią, a bardzo nas kocha.

– Oczywiście, że was kocha.

– Zdecydowaliśmy więc, że jeżeli mamy mieć „przyszywanego" tatę, to chcemy, żeby to był Logan.

– Widzę, że sporo na ten temat dyskutowaliście – powiedziała Stella. – No, dobrze. Ja też poważnie się nad wszystkim zastanowię i jutro o tym porozmawiamy. – Pocałowała Gavina w policzek.

– Logan mówił, że nasz prawdziwy tata będzie się zawsze nami opiekował.

Stella z trudem opanowała łzy.

– Oczywiście. Oczywiście, że tak, kochanie. – Uściskała starszego synka, a potem przytuliła na chwilę Luke'a. – Dobranoc. Gdybyście mnie potrzebowali, będę ze wszystkimi na dole.

Najpierw jednak poszła do swojego pokoju, żeby ochłonąć, odzyskać równowagę. Dzieci były jej prawdziwym skarbem. Przycisnęła palce do oczu i pomyślała o Kevinie.

„Logan mówił, że nasz prawdziwy tata będzie się zawsze nami opiekował".

Mężczyzna, który to rozumiał, akceptował i umiał wyjaśnić małemu chłopcu, był wyjątkowo wartościowym człowiekiem.

Logan zmienił jej życie. Sprawił, że w jej zacisznym ogrodzie wyrosła porywająca błękitna dalia. Nie ma mowy, żeby ją wyrzuciła.

– Wyjdę za niego! – powiedziała w głos i roześmiała się radośnie.

Usłyszała kolejny huk gromu, a zaraz potem cichy śpiew. Instynktownie weszła do łazienki, by zajrzeć do pokoju chłopców. Oblubienica, w zwiewnej białej szacie i z rozpuszczonymi, potarganymi włosami, stała między ich łóżkami. Jej głos był kojący i pełen słodyczy, ale gdy w rozbłysku błyskawicy zwróciła wzrok na Stellę, w jej oczach błyszczało szaleństwo.

Stella wyraźnie czuła, jak strach chwyta ją w swoje macki. Ruszyła przed siebie, ale odepchnął ją gwałtowny, lodowaty podmuch powietrza.

– Nie! – Ponownie ruszyła przed siebie, lecz natknęła się na niewidzialny mur. – Nie! – Zaczęła walić na oślep pięściami. – Nie zdołasz odciąć mnie od dzieci. – Rzuciła się całym ciałem na lodowatą barierę, wołając po imieniu synów, którzy cały czas spali spokojnym, głębokim snem.

– Ty wiedźmo! Nie waż się ich tknąć!

Wypadła z pokoju, ignorując Hayley, która biegła w jej stronę, i zupełnie nie zwracając uwagi na tupot wielu stóp na schodach. Musi dotrzeć do dzieci, musi przebić się przez tę niewidoczną przeszkodę i być przy swoich chłopcach.

Gwałtownie otworzyła drzwi pokoju od strony korytarza i w tym samym momencie lodowata fala pchnęła ją na przeciwległą ścianę.

– Co tu się, do cholery, dzieje? – Logan odsunął Stellę i sam ruszył w stronę sypialni chłopców.

– Ona nie chce mnie wpuścić! – Zdesperowana Stella zaczęła bić pięściami w lodowatą przeszkodę, aż w końcu zdrętwiały jej dłonie. – Ma moje dzieci! Pomóżcie mi!

Logan uderzył ramieniem w niewidzialną barierę.

– To jest twarde jak stal!

Uderzył raz jeszcze, tym razem przy pomocy Davida i Harpera.

Mitch zerknął w głąb pokoju, ponad ich ramionami i ujrzał białą postać w poświacie niesamowitego światła.

– W imię Ojca i Syna... – wyszeptał.

– Trzeba się tam dostać w inny sposób. Biegnijmy do jeszcze jednych drzwi! – Roz chwyciła Mitcha za ramię i pociągnęła w głąb korytarza.

– Czy kiedykolwiek wydarzyło się coś podobnego?

– Nie. Na Boga, Hayley, trzymaj Lily z dala od tego miejsca!

Roztrzęsiona Stella pobiegła za Roz. Trzeba znaleźć jakiś inny sposób, myślała gorączkowo. Siłą nic nie uda się tu zdziałać. Mogłaby godzinami walić w lodową ścianę i miotać wszelkie możliwe groźby – zupełnie bezskutecznie.

O, Boże, błagam! Tam są moje dzieci!

Musi odwołać się do rozsądku. Spróbować z nią porozmawiać. Stella wybiegła w deszcz, otworzyła tarasowe drzwi i z całym impetem rzuciła się w stronę pokoju.

– Nie możesz ich zatrzymać przy sobie! – krzyknęła, żeby przebić się przez nawałnicę. – Należą do mnie! To moje dzieci! Są całym moim życiem!

Padła na kolana, obezwładniona strachem. Widziała ostre światło pulsujące pomiędzy łóżkami chłopców pogrążonych w głębokim śnie.

Przypomniała sobie błękitną dalię. Przypomniała sobie, co usłyszała od dzieci, tuż zanim usłyszała śpiew.

– Nie masz prawa wtrącać się w moje prywatne życie – starała się mówić stanowczym tonem. – To moi synowie i sama zdecyduję, co dla nich najlepsze. Nie ty jesteś ich matką.

Światło bijące od widmowej postaci zaczęło przygasać, a potem Stella ponownie zobaczyła oczy zjawy, tym razem znów przepełnione smutkiem.

– Oni mnie potrzebują. To krew z mojej krwi i kość z mojej kości.

Wyciągnęła przed siebie ręce – zasinione i podrapane.

– Chcesz, żebym dla nich utoczyła krwi? Proszę bardzo.

Przycisnęła dłonie do niewidzialnej zapory.

– To moje dzieci i nie cofnę się przed niczym, żeby zapewnić im szczęście i bezpieczeństwo. Przykro mi, że za życia spotkało cię jakieś straszne nieszczęście. Cokolwiek to było – bardzo ci współczuję. Ale nie możesz zabrać tego, co do ciebie nie należy – co jest moje. Nie masz prawa odbierać mi dzieci.

Wyciągnęła przed siebie rękę. Miała wrażenie, że jej dłoń przebija się przez miękką kurtynę zimnej wody, po czym wynurza z drugiej strony. Niewiele myśląc, rzuciła się raz jeszcze w stronę pokoju.

Kiedy znalazła się wewnątrz, zobaczyła, że Logan usiłuje dostać się do środka od strony korytarza. Nie docierał do niej żaden dźwięk, ale wyraźnie widziała jego zdenerwowanie i krew spływającą z dłoni.

– On ich kocha. Będzie dla nich dobrym ojcem, a moi chłopcy zasługują na dobrego ojca. Tak sami postanowili, a ja całym sercem zgadzam się z ich wyborem. I pamiętaj, już nigdy więcej nie próbuj mnie odsunąć od moich dzieci.

Zjawa popłynęła przez pokój w stronę tarasowych drzwi. Po policzkach płynęły jej łzy. Stella tymczasem podbiegła do chłopców. Położyła drżącą dłoń na głowie Gavina, a drugą dotknęła twarzy Luke'a. Są bezpieczni. Cali i zdrowi. Już im nic nie zagraża.

– Chcę ci pomóc – oznajmiła Stella, gdy znowu poczuła na sobie spojrzenie bezbrzeżnie smutnych oczu Oblubienicy. – Wspólnie zrobimy wszystko, żebyś odzyskała spokój. Ale jeśli tego chcesz, musisz nam pomóc. Podaj przynajmniej swoje imię.

Widmowa postać zaczęła blednąć, lecz zanim zniknęła na dobre, uniosła jeszcze dłoń do szyby. I po chwili wśród kropel deszczu ukazało się tylko jedno słowo:

AMELIA

Kiedy Logan wpadł do pokoju, Stella szybko położyła dłoń na jego ustach.

– Cii... Bo ich obudzisz.

A potem oparła twarz o jego pierś i zaczęła cicho szlochać.

# *Epilog*

Amelia – powtórzyła po raz kolejny Stella. Pomimo suchego ubrania i potężnego kieliszka brandy, który wmusiła w nią Roz, wciąż wstrząsały nią dreszcze. – Tak właśnie ma na imię. Napisała je na tarasowych drzwiach, tuż zanim zniknęła. W żadnym razie nie zamierzała skrzywdzić dzieci. Była wściekła na mnie i chciała ochronić chłopców. Myślę, że chyba jest obłąkana.

– Jesteś pewna, że nic ci nie jest? – dopytywał się Logan, klęczący obok krzesła Stelli.

Zdecydowanie skinęła głową.

– Potrzebuję trochę czasu, żeby dojść do siebie, ale nic mi nie jest.

– W życiu nie byłam tak przerażona. – Hayley zerknęła w stronę schodów. – Czy dzieci na pewno są bezpieczne?

– Nigdy nie zrobiłaby im nic złego. – Stella poklepała ją po ręku. – Ktoś kiedyś chyba złamał jej serce i doprowadził ją do obłędu. Natomiast dzieci są dla niej największą wartością.

– Wybaczcie moje słowa, ale to było najbardziej fascynujące, a jednocześnie najbardziej surrealistyczne doświadczenie w moim życiu. – Mitch nerwowo spacerował po salonie. – Gdybym nie ujrzał tego wszystkiego na własne oczy... – Potrząsnął z niedowierzaniem głową. – Jeżeli mam się zająć tą sprawą, muszę przejrzeć wszelkie dostępne dokumenty.

Zatrzymał się w miejscu i spojrzał na Roz.

– Nie potrafię tego zracjonalizować. Ów... hm... nazwę go bytem, z racji braku lepszego określenia... a więc ów byt znajdował się w pokoju dzieci i bronił nam dostępu do wewnątrz. – Odruchowo pomasował ramię, którym uderzył w niewidzialny lodowy mur.

– Cóż, prawdę mówiąc, nie przypuszczałam, że w czasie pierwszej wizyty zaoferujemy ci tak porywające widowisko – powiedziała Roz, nalewając mu kolejną filiżankę kawy.

– Podchodzisz do tego z wyjątkowym spokojem.

– Ostatecznie, ze wszystkich tu obecnych ja najdłużej mieszkam w tym domu.

– Jakim cudem?

– Ponieważ to mój rodzinny dom. – Rosalind była blada i sprawiała wrażenie zmęczonej, ale w jej oczach zapaliły się wojownicze błyski. – Jej obecność nie może zmienić tego faktu. Chociaż przyznaję, że to, co dziś zobaczyłam, nieco mną wstrząsnęło. Nigdy dotąd nic podobnego się nie wydarzyło.

– Muszę najpierw skończyć książkę, ale potem będę chciał, żebyś mi opowiedziała wszystko, co wiesz na ten temat. – Mitch powiódł oczami po zebranych. – A właściwie, żebyście wszyscy opowiedzieli mi o swoich doświadczeniach z tą damą.

– W porządku. Jakoś to zorganizujemy.

– Stella powinna jak najszybciej się położyć – zauważył Logan.

– Nie. Czuję się już coraz lepiej. – Zerknęła w stronę głośnika, z którego dobiegał cichy śpiew. – To, co się dzisiaj stało, wiele zmieniło. I dla mnie, i dla niej. Te moje sny o błękitnej dalii...

– Błękitnej dalii? – zainteresował się Mitch, ale Stella pokręciła głową.

– Opowiem o tym, gdy będę spokojniejsza. Jestem jednak pewna, że już się nie powtórzą. Myślę, że Oblubienica pozwoli mi zachować ten kwiat, bo udało mi się z nią porozumieć. Jak matce z matką.

– Moje dzieci dorastały w tym domu. Nigdy nie próbowała mnie od nich odseparować.

– Ale ty nie zdecydowałaś się wyjść za mąż, gdy twoje dzieci były jeszcze małe – odrzekła Stella, patrząc Loganowi prosto w oczy.

– Czy przypadkiem nie pominęłaś jakichś etapów? – zapytał.

– Żadnych, które miałyby jakiekolwiek znaczenie. A wracając do Oblubienicy. Może odszedł od niej mąż albo porzucił ją kochanek, gdy się dowiedział, że zaszła w ciążę, lub... sama nie wiem. Nie mogę jeszcze jasno myśleć.

– To tak jak my wszyscy. Może czujesz się już całkiem dobrze, ale wciąż jeszcze drżysz. – Roz podniosła się z fotela. – Zamierzam zaprowadzić cię na górę i położyć do łóżka. – Widząc, że Logan chce zaprotestować, potrząsnęła stanowczo głową. – Proszę, żebyście wszyscy zostali tak długo, jak macie na to ochotę. Harperze?

– Oczywiście. – W lot pojmując intencje matki, Harper poderwał się na równe nogi. – Co mogę wam zaproponować do picia?

Stella bez słowa sprzeciwu podążyła za Roz.

– Jestem rzeczywiście zmęczona. Ale nie musisz iść ze mną na górę – powiedziała, gdy doszły do schodów.

– Po takim ciężkim przeżyciu ktoś powinien się tobą zaopiekować. Wiem, że Logan miałby na to ochotę, ale myślę, że dzisiaj powinna być przy tobie kobieta. No, już. Rozbieraj się.

Szok przerodził się w potężne zmęczenie, toteż Stella posłusznie podporządkowała się poleceniom Roz. Na chwilę jeszcze wpadła do łazienki, by przez drzwi spojrzeć na chłopców.

– Tak bardzo się dzisiaj bałam. Bałam się, że mi ich zabierze.

– Jesteś od niej o wiele silniejsza.

– Jeszcze nigdy nie ogarnęła mnie taka rozpacz. Nawet gdy... – Stella wróciła do swojej sypialni i wsunęła się między prześcieradła. – Gdy zginął Kevin. Bo już nic nie mogłam zrobić. Nie mogłam sprowadzić go z powrotem, odwrócić biegu wydarzeń, bez względu na to, jak bardzo bym się starała.

– A dzisiaj mogłaś coś zmienić, więc to zrobiłaś. Kobiety, a w każdym razie takie kobiety jak my, zawsze wiedzą, jak należy postępować. A teraz spróbuj już odpocząć. Zanim pójdę spać, zajrzę jeszcze raz do ciebie i chłopców. Czy mam zostawić zapalone światło?

– Nie. Nie ma takiej potrzeby. Dziękuję.

– No, dobrze. W takim razie wracam na dół.

Stella leżała w ciemności, nasłuchując. Ale jedynym dźwiękiem, który do niej dobiegał, był równy rytm jej własnego oddechu.

Tej nocy – przynajmniej tej nocy – już nie wydarzy się nic nieoczekiwanego.

Zamknęła powieki i od razu zapadła w sen.

Spokojny. Bez majaków.

Przypuszczała, że Logan przyjedzie do centrum. Ale się nie pojawił. Była pewna, że wpadnie na kolację. Nie przyjechał.

I przez cały dzień nie zadzwonił.

Doszła więc do wniosku, że po takiej nocy musi odpocząć – od niej, od tego domu, od wszelkich dramatycznych wzruszeń. I nie można mieć mu tego za złe.

Wczoraj robił wszystko, by dostać się do dzieci. Teraz już wiedziała o nim to, co powinna wiedzieć. Kochała go i darzyła szacunkiem. Mogła mu zaufać. Mogła na niego czekać.

Wieczorem, kiedy chłopcy leżeli już w łóżkach, a księżyc zawisł nad horyzontem, usłyszała łomot jego ciężarówki na podjeździe.

Bez wahania pobiegła do drzwi.

– Jak się cieszę, że przyjechałeś – zarzuciła mu ramiona na szyję, a on przytulił ją mocno do siebie. – Musimy porozmawiać.

– Najpierw wyjdź ze mną przed dom. Mam coś dla ciebie w samochodzie.

– Czy to nie może poczekać? – Delikatnie wysunęła się z jego objęć. – Powinniśmy sobie kilka rzeczy wyjaśnić. Chyba wczoraj nie wyraziłam dość jasno...

– Dobrze wszystko zrozumiałem. – Żeby zakończyć dyskusję, chwycił Stellę za rękę i pociągnął za sobą. – Najpierw śmiertelnie mnie przeraziłaś, a potem powiedziałaś, że zostaniesz moją żoną. W zaistniałych okolicznościach nie mogłaś dokładnie przedstawić swojego stanowiska. Lecz zanim teraz zagadasz mnie na śmierć, chciałbym ci coś podarować.

– A więc nie chcesz usłyszeć, że cię kocham?

– Na to zawsze znajdę czas. – Wziął ją na ręce i niósł bez wysiłku. – Zamierzasz uporządkować moje życie, Rudzielcu?

– Zamierzam spróbować. A ty będziesz dezorganizować moje?

– Co do tego nie ma najmniejszych wątpliwości. – Nachylił się i pocałował ją w usta.

– Wczoraj przeżyliśmy straszną nawałnicę – w każdym tego słowa znaczeniu – szepnęła Stella, przytulając policzek do jego policzka. – Na szczęście już minęła.

– Ta minęła, ale przyjdą następne. Kocham cię, Stello. I zrobię wszystko, żebyś była szczęśliwa, choć na pewno nie raz doprowadzę cię do szału. Natomiast chłopcy... Wczorajszej nocy, kiedy nie mogłem do nich wejść...

– Wiem. – Uniosła jego dłoń i zaczęła całować poranione, twarde palce. – Kiedy będą starsi, zrozumieją, jakie mieli szczęście, że los dał im dwóch wspaniałych ojców.

– Ostatnio zastanawiałem się, kiedy się w tobie zakochałem.

– A kiedy?

– W drodze do Graceland.

– Nie traciłeś czasu.

– To wtedy opowiedziałaś mi swój sen.

– O ogrodzie. I błękitnej dalii.

– A potem, gdy się dowiedziałem, że ten sen cię prześladuje, wpadłem na pewien pomysł. Więc... – Sięgnął do kabiny i wyjął doniczkę. – Poprosiłem Harpera, żeby nad tym popracował.

– Dalia – wyszeptała. – Błękitna dalia.

– Jest niemal pewien, że zakwitnie na niebiesko. Ten chłopak ma prawdziwy talent.

Do oczu Stelli napłynęły łzy.

– Chciałam ją stamtąd usunąć, Loganie. Ona mnie do tego nakłaniała, a ja w końcu doszłam do wniosku, że ma rację. Przecież nie zasadziłam tego kwiatu. On nie należał do mojego ogrodu. A kiedy go wykopałam, umarł, rozpadł się w pył. Jaka ja byłam głupia.

– W miejsce tej dalii, która zwiędła, zasadzimy kwiat wyhodowany przez Harpera. A wokół niej założymy ogród. Co ty na to?

– Bardzo mi odpowiada twój pomysł.

– To dobrze, bo Harper strasznie się namęczył, żeby uzyskać głęboki błękit. Ale, oczywiście, musimy poczekać, aż zakwitnie, by ocenić rezultaty.

– Masz rację. Zasadzimy ją i będziemy spokojnie czekać.

– Harper pozwolił mi wymyślić dla niej nazwę. Od dziś będzie znana jako Sen Stelli.

Poczuła, jak serce trzepocze jej w piersi.

– Myliłam się co do ciebie, Loganie. Ty po prostu jesteś ideałem.

Wzięła delikatnie doniczkę, jakby to był najcenniejszy klejnot. A potem, ręka w rękę, ruszyli z Loganem na spacer przez zalany księżycową poświatą ogród.

Tymczasem po domu ktoś wędrował bezszelestnie i cichutko szlochał.